HIGHTOP

하이탑

과학 고수들의 필독서

자연계를 선택할 학생이라면, 단연 하이탑!!

HIGHTOP

High Top

1권

지구과학 I

Structure

이 책의 구성과 특징

지금껏 선생님들과 학생들로부터 고등 과학의 바이블로 명성을 이어온 하이탑의 자랑거리는 바로,

- 기초부터 심화까지 이어지는 튼실한 내용 체계
- 백과사전처럼 자세하고 빈틈없는 개념 설명
- 내용의 이해를 돕기 위한 풍부한 자료
- 과학적 사고를 훈련시키는 논리정연한 문장

이었습니다. 이러한 전통과 장점을 이 책에 이어 담았습니다.

1 개념과 원리를 익히는 단계

● 개념 정리
여러 출판사의 교과서에서 다루는 개념들을 체계적으로 다시 정리하여 구성하였습니다.

● 시선 집중
중요한 자료를 더 자세히 분석하거나 개념을 더 잘 이해할 수 있도록 추가로 설명하였습니다.

● 시야 확장
심도 깊은 내용을 이해하기 쉽도록 원리나 개념을 자세히 설명하였습니다.

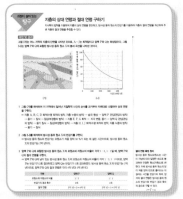

● 탐구
교과서에서 다루는 탐구 활동 중에서 가장 중요한 주제를 선별하여 수록하고, 과정과 결과를 철저히 분석하였습니다.

● 집중 분석
출제 빈도가 높은 주요 주제를 집중적으로 분석하고, 유제를 통해 실제 시험에 대비할 수 있도록 하였습니다.

● 심화
깊이 있게 이해할 필요가 있는 개념은 따로 발췌하여 심화 학습할 수 있도록 자세히 설명하고 분석하였습니다.

●개념 모아 정리하기
각 단원에서 배운 핵심 내용을 빈칸에 채워 나가면서 스스로 정리하는 코너입니다.

●개념 기본 문제
각 단원의 기본적이고 핵심적인 내용의 이해 여부를 평가하기 위한 코너입니다.

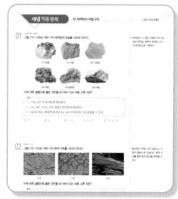

●개념 적용 문제
기출 문제 유형의 문제들로 구성된 코너입니다. '고난도 문제'도 수록하였습니다.

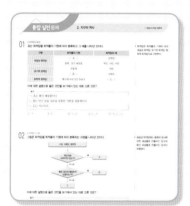

●통합 실전 문제
중단원별로 통합된 개념의 이해 여부를 확인함으로써 실전을 대비할 수 있도록 구성하였습니다.

●사고력 확장 문제
창의력, 문제 해결력 등 한층 높은 수준의 사고력을 요하는 서술형 문제들로 구성하였습니다.

●논구술 대비 문제
논구술 시험에 출제되었거나, 출제 가능성이 높은 예상 문제로서, 답변 요령 및 예시 답안과 함께 제시하였습니다.

●정답과 해설
정답과 오답의 이유를 쉽게 이해할 수 있도록 자세하고 친절한 해설을 담았습니다.

> ❝
> 하이탑은
> 과학에 대한 열정을 지닌 독자님의
> 실력이 더욱 향상되길 기원합니다.
> ❞

Contents
이 책의 차례 – 지구과학

"자세하고 짜임새 있는 설명과 수준 높은 문제로 실력의 차이를 만드는 High Top"

1권

고체 지구의 변화

I

고체 지구의 변화

1
지권의 변동

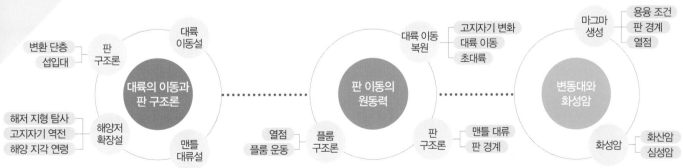

대륙 이동과 판 구조론   대륙 분포 변화와 판 이동의 원동력   변동대와 화성암

01 대륙의 이동과 판 구조론

학습 Point   대륙 이동설 ⟩ 맨틀 대류설 ⟩ 해양저 확장설 ⟩ 판 구조론

 대륙 이동설

19세기까지 대부분의 과학자들은 산맥의 형성 원인을 고온의 지구가 식으면서 수축하였다는 지구 수축설로 설명하였다. 그러나 20세기 초에 독일의 베게너는 남아메리카 대륙과 아프리카 대륙의 해안선 모양을 보고 두 대륙이 원래 하나로 붙어 있었다는 대륙 이동설을 주장하였다.

1. 대륙 이동설의 등장

1910년대 독일의 베게너는 대서양 맞은편의 남아메리카 대륙과 아프리카 대륙의 해안선 모양이 서로 잘 들어맞는다는 사실로부터 두 대륙이 과거에 판게아라는 초대륙을 이루고 있다가 갈라져서 현재와 같이 분포하게 되었다는 대륙 이동설을 주장하였다.

2. 베게너가 제시한 대륙 이동의 증거

(1) **해안선 모양의 유사성:** 대서양 양쪽의 남아메리카 동해안과 아프리카 서해안의 해안선 모양이 퍼즐 조각처럼 잘 들어맞는다.

(2) **지질 구조의 연속성:** 북아메리카의 애팔래치아산맥과 영국, 스칸디나비아 반도의 칼레도니아산맥의 지질 구조와 구성 암석이 유사하며, 두 산맥이 연속적으로 이어진다. 또, 남아메리카 대륙과 아프리카 대륙의 산맥이 연결되고, 같은 암석의 지층이 이어진다.

(3) **고생물 화석 분포의 연속성:** 고생대 후기의 파충류인 메소사우루스 화석이 남아메리카 동부와 아프리카 남부에서만 발견되는데, 이는 고생대에 두 대륙이 붙어 있었음을 의미한다. 또 고생대 후기의 양치식물인 글로소프테리스 화석이 아프리카, 인도, 오스트레일리아 및 남극 대륙에서 발견되는데, 대륙이 하나로 모여 있으면서 기후가 비슷하였음을 나타낸다.

베게너(Wegener, A. L., 1880~1930)
독일의 기상학자이자 지구 물리학자로, 남아메리카와 아프리카 대륙에서 같은 종류의 화석이 발견된다는 논문을 읽고 대륙 이동에 관한 연구를 시작하였다. 베게너는 여러 가지 증거를 바탕으로 1912년에 저서 『대륙의 기원(Die Entstehung der Kontinente)』에서 대서양 양쪽의 대륙이 이동하였다는 대륙 이동설을 주장하였고, 1915년에는 저서 『대륙과 해양의 기원(Die Entstehung der Kontinente und Ozeane)』에서 '판게아'라는 초대륙이 존재하였고 판게아가 약 2억 년 전부터 갈라지고 이동하여 현재의 대륙 분포를 이루었다고 발표하였다.

초대륙
지질 시대 동안 지구 표면에 분포하던 여러 개의 대륙이 모여 형성하였던 하나의 큰 대륙이다. 판게아는 고생대 말부터 중생대 초 사이에 있었던 초대륙이다.

▲ 해안선 모양의 유사성

▲ 산맥 분포의 연속성

▲ 고생물 화석 분포의 연속성

(4) **빙하의 흔적과 이동 방향:** 인도와 남반구의 아프리카, 남아메리카, 오스트레일리아, 남극 대륙에는 고생대 말에 형성된 빙하 퇴적층이 분포한다. 이 지역의 암석에서는 빙하가 이동하는 과정에서 암석 표면을 긁고 지나가 형성된 자국이 발견되며, 그 방향은 한곳에서 흩어져 나간 모양을 이룬다. 이로부터 빙하의 이동 방향을 역으로 추정하면 대륙들이 한곳에 모여 있었고, 빙하가 남극 대륙 근처에 모여 있었다는 사실을 알 수 있다.

▲ **빙하의 흔적과 이동 방향**

3. 대륙 이동설의 한계
베게너가 여러 가지 증거를 제시하였음에도 불구하고 대륙 이동의 원동력을 제대로 설명하지 못했기 때문에 대륙 이동설은 당시 대다수 과학자들에게 인정받지 못하였다.

빙하 퇴적층
오늘날 빙하 퇴적물은 위도 60° 이상의 고위도 지역에서 형성되므로 과거의 빙하 퇴적층도 극지방에서 형성되었다고 추정할 수 있다.

대륙 이동의 또 다른 증거: 고기후 분포
북위 80° 부근의 지역에서 아열대 지방에서 서식하던 식물 화석이 발견되고, 북아메리카와 유럽, 아시아의 중위도 지방에서는 고생대에 만들어진 두꺼운 석탄층이 발견된다. 석탄층은 주로 열대 지방에 분포하던 울창한 삼림에서 형성되었다고 추정할 수 있으므로 이 지역이 과거에는 적도 부근의 열대 지방에 위치했다는 것을 의미한다.

② 맨틀 대류설
홈스는 방사성 동위 원소에 관한 연구를 계속하면서 방사성 동위 원소가 붕괴하며 만들어지는 지구 내부의 열로 맨틀 상하부의 온도 차가 생겨서 매우 느린 열대류 운동이 일어난다는 맨틀 대류설을 주장하였다.

1. 맨틀 대류설
1928년 홈스는 맨틀 구성 물질 중 방사성 동위 원소가 붕괴하며 만들어지는 열과 고온의 지구 중심부에서 맨틀로 공급되는 열에 의해 맨틀 상하부에 온도 차가 생기고, 그 결과 맨틀 내부에서 매우 느리게 열대류가 발생한다는 맨틀 대류설을 발표하였다. 맨틀 대류설에서는 맨틀 대류가 상승하는 곳에서 맨틀이 양쪽으로 이동하는 흐름에 의해 대륙이 갈라지고, 대륙이 갈라진 곳을 따라 마그마가 분출하여 새로운 해양이 형성된다고 설명한다.

2. 맨틀 대류설의 한계
홈스는 맨틀에서 대류가 일어나는 깊이와 대류의 규모 등 맨틀 대류의 실체를 정확하게 밝혀내지 못하였고, 당시의 탐사 기술로는 맨틀 대류를 확인할 수 없었기 때문에 홈스의 주장은 받아들여지지 않았다.

홈스(Holmes, A., 1890~1965)
영국의 지질학자로, 방사성 원소의 붕괴열로 맨틀이 용융될 수 있다는 것을 처음으로 주장하였으며, 맨틀 대류로 대륙이 이동할 수 있다는 맨틀 대류설을 제시하였다.

홈스의 맨틀 대류설의 기여
홈스의 맨틀 대류설은 1950년대에 대륙 이동설의 부활과 함께 해양저 확장설과 판 구조론의 정립에 크게 기여하였다.

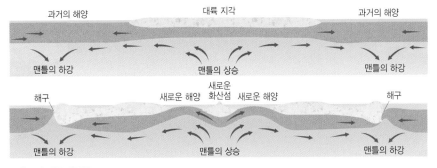
▲ **홈스의 맨틀 대류설**

③ 탐사 기술의 발달과 해양저 확장설

제2차 세계 대전 이후 본격적인 해저 지형 탐사가 시작되며 해령의 존재가 밝혀졌고, 해령 주변의 해저 퇴적물 시추와 지각 열류량 조사를 통해 해양저 확장설이 제시되었다. 이후 해저 암석의 고지자기 분석과 해양 지각의 연령 측정을 통해 해저 확장이 증명되었다.

1. 해저 지형의 탐사

(탐구) 018쪽

해양은 지구 표면의 약 70 %를 차지하지만 19세기 후반까지도 해저 지형에 관해서는 거의 밝혀진 사실이 없었다. 1912년에 타이타닉호가 대서양에서 빙산과 충돌하여 침몰한 이후 음파를 이용하여 빙산을 탐지하는 기술이 개발되었고, 1914년에 제1차 세계 대전이 일어나면서 잠수함 탐지 기술 개발로 이어지며 이를 이용한 해저 지형 탐사가 시작되었다.

(1) **음향 측심법**: 음파(또는 초음파)를 이용하여 수심을 측정하는 방법이다. 해양 탐사선에서 해저를 향해 음파를 발사하면 음파가 해저면에서 반사하여 되돌아오는데, 음파가 가장 빨리 되돌아오는 데 걸리는 시간을 t, 음파의 속도를 v라 하면 수심 d는 다음과 같다.

$$d = \frac{1}{2}vt$$

(2) **해저 지형**: 음향 측심법을 이용하여 밝혀낸 해저 지형에서 대륙 주변부는 대륙붕, 대륙 사면 등으로 이루어져 있고, 육지로부터 멀리 떨어진 심해저 지형은 심해저 평원에 평정해산, 화산섬, 해령이 분포한다. 대서양에는 중앙에 1 km~2 km 높이의 해저 산맥(해령)이 분포하고 그 중심부에는 V자 모양의 골짜기(열곡)가 형성되어 있다. 이러한 해령은 태평양에서는 동쪽에 치우쳐 있고, 인도양에서는 대서양에서와 같이 중앙에 발달해 있다. 그리고 해령의 양쪽으로 멀어질수록 수심이 깊어진다.

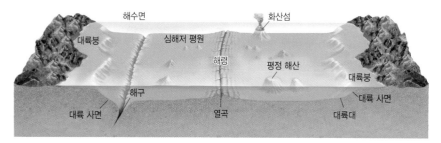

▲ 해저 지형 모식도

2. 해양저 확장설

제2차 세계 대전을 거치며 계속되는 해저 지형 탐사를 통해 대서양을 비롯한 여러 해양의 해저 지형도가 제작되었고, 이후에도 해양 탐사가 계속되며 지진파 분석과 해저 퇴적물 시추 등의 결과를 바탕으로 해양저 확장설이 발표되었다.

(1) **해양저 확장설**: 1960년대 초 미국의 헤스와 디츠는 해양저 확장설을 발표하였다. 해양저 확장설에 따르면 맨틀 대류의 상승부에 해령이 분포하고 해령 중앙의 열곡을 따라 고온의 용암이 분출하여 현무암질 해양 지각이 만들어지며, 이 해양 지각이 해령의 양쪽으로 이동하여 대륙 가장자리의 해구에 이르면 맨틀 속으로 하강하여 지구 내부로 다시 들어간다.

음향 측심법
해양 탐사선에서 해저를 향해 발사한 음파(또는 초음파)가 해저 바닥까지 도달한 후 반사되어 되돌아오는 것을 이용하여 수심을 측정하는 방법이다. 수심이 깊을수록 음파가 해저면에서 반사되어 되돌아오는 데 걸리는 시간이 길다. 일반적으로 물속에서 음파의 속도는 1500 m/s이다.

발사된 신호
반사된 신호

헤스(Hess, H. H., 1906~1969)
미국의 지질학자로, 제2차 세계 대전 중 해군에서 복무하면서 음향 측심기로 해저 지형을 탐사하였다. 1962년 헤스는 해저 지형의 특징과 해령 주변의 해저 퇴적층의 두께 분포를 맨틀 대류설에 접목하여 해양저 확장설을 발표하였다.

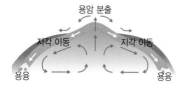

(2) 해양저 확장설의 증거

① **지각 열류량**: 지각 열류량을 측정한 결과, 해양 지각이 대륙 지각보다 열류량이 높고, 해령에서 멀어질수록 열류량이 낮아진다. 이는 해령 아래에서 뜨거운 맨틀 물질이 상승하여 새로운 지각을 생성하고, 해양 지각이 해령 양쪽으로 이동하면서 시간이 지날수록 냉각되는 것을 의미한다.

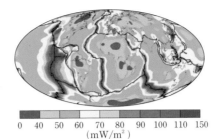

0 40 50 60 70 80 90 100 110 150
(mW/m²)

▲ **지각 열류량의 분포**

② **해저 퇴적물의 두께와 해양 지각의 연령**: 해령 중앙부는 생성된 지 오래되지 않은 현무암으로 이루어져 있으며 해저 퇴적물이 거의 퇴적되지 않았고, 해령에서 멀어질수록 퇴적물의 두께가 두꺼워진다는 사실이 밝혀졌다. 해저에서 시간이 지날수록 퇴적물이 두껍게 쌓이므로, 해령에서 멀어질수록 해저 퇴적물의 두께가 두꺼워지는 것은 해령에서 멀어질수록 해양 지각의 연령이 증가함을 의미한다.

3. 해양 지각의 고지자기와 연령 분포

해양 탐사가 계속되며 해양 지각의 고지자기와 연령을 측정하였고, 해령에서 새로운 해양 지각이 생성되고 해구에서 해양 지각이 소멸된다는 해양저 확장설이 증명되었다.

(1) 고지자기 역전 줄무늬

① **고지자기 분석**

• 고지자기: 암석에 기록되어 있는 과거의 지구 자기 흔적을 고지자기라고 한다. 암석이 생성될 때 암석을 구성하는 광물 중 자철석, 적철석 등의 일부 광물은 당시의 지구 자기장 방향으로 자화되는데, 이를 통해 고지자기의 정보를 알아낼 수 있다.

• 지자기의 역전: 지구 상에 분포하는 여러 암석의 나이와 고지자기를 분석한 결과, 과거에 지구 자기의 극이 여러 차례 바뀌었다는 사실이 밝혀졌다. 이렇게 지구 자기의 극이 바뀌는 현상을 지자기의 역전이라고 하며, 지자기의 극이 현재와 같은 방향으로 배열된 시기를 정자극기(normal polarity)라고 하며 반대 방향으로 배열된 시기를 역자극기(reverse polarity)라고 한다. 지질 시대 동안 정자극기와 역자극기가 여러 차례 반복되었으며, 한 자극기의 지속 시간도 시대에 따라 다르게 분포한다.

② **고지자기 역전 줄무늬**: 1950년대부터 과학자들은 자력계를 이용하여 해양 지각에 기록된 고지자기를 측정하였다. 아이슬란드 남서쪽 해령 부근의 해양 지각에서 고지자기를 측정하여 당시 지구 자기장과 같은 방향으로 배열된 부분은 검은색으로, 반대 방향으로 배열된 부분은 흰색으로 표시하였더니 해령을 중심으로 대칭적인 줄무늬가 나타났고, 이를 고지자기 역전 줄무늬라고 한다.

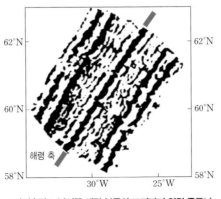

▲ **아이슬란드 남서쪽 해령 부근의 고지자기 역전 줄무늬**

지각 열류량

지구 내부에서 지각으로 방출되는 에너지양으로, 단위 시간 동안 단위 면적에서 방출되는 에너지양을 의미한다. 주로 지각 변동이 활발한 지역에서 지각 열류량이 높다. 지각 열류량은 대륙 지각보다 해양 지각에서 높고, 해양 지각에서는 해령에서 높고 해령에서 멀어질수록 낮아지다가 해구에서 가장 낮다.

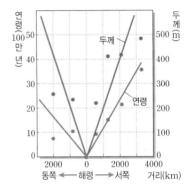

▲ **해령으로부터 거리에 따른 해저 퇴적물의 두께 및 해양 지각의 연령**

퀴리 온도

1895년 프랑스의 피에르 퀴리(Curie, P., 1859~1906)는 마그마가 냉각되어 암석으로 굳을 때 일정한 온도(580℃~600℃) 이하로 내려가면 자철석, 적철석 등의 일부 광물(자성 광물)이 당시 지구 자기장의 방향으로 자화되는 것을 알아냈다. 암석에 기록되어 있는 과거의 지구 자기 흔적을 고지자기라고 한다. 또, 어떤 지점의 암석에서 측정한 고지자기의 세기가 당시 지구 자기장의 평균보다 크거나 작으면 자기 이상(magnetic anomaly)이라고 한다.

③ 고지자기 역전 줄무늬의 생성 원인: 1963년 매튜스(Matthews, D. H., 1931~1997)와 바인(Vine, F. J., 1939~)은 해양 지각에서 발견되는 고지자기 줄무늬의 생성 원인을 헤스의 해양저 확장설과 관련지어 설명하였다. 즉, 해령의 중앙에서 솟아오른 용암이 굳을 때 자성을 띠는 광물이 당시의 지구 자기장 방향으로 자화되고, 해양 지각이 확장되며 먼저 만들어진 지각은 해령으로부터 멀어진다. 이때 지구 자기장의 방향이 바뀌면 새로 만들어진 해양 지각의 암석은 바뀐 지구 자기장의 방향을 기록한다. 이러한 과정이 반복되며 해양 지각에 고지자기 역전 줄무늬가 만들어지는 것으로, 고지자기 역전 줄무늬가 해령을 중심으로 대칭적으로 나타나는 것은 해양저 확장설을 뒷받침하는 강력한 증거가 된다.

고지자기 역전 줄무늬를 이용한 해양 지각의 연령 분석
1960년대 초반 세계 곳곳에서 채집한 암석의 연령과 고지자기의 자기 이상과의 관계에 관한 연구를 통해 지난 500만 년 동안의 정자극기와 역자극기의 지속 시기를 알아냈다. 고지자기 역전은 지구 전체에서 발생하는 현상이므로, 해양 지각에서 측정되는 고지자기 역전 줄무늬의 형태를 기존 연구 결과와 비교하면 해양 지각의 형성 시기를 알아낼 수 있다.

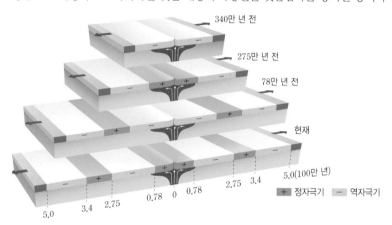

▲ 고지자기 역전 줄무늬와 해저 확장과의 관계

(2) **해양 지각의 연령 분포:** 1960년대 후반에 심해저 시추를 통해 해양 지각의 연령 분포를 조사한 결과, 해령에서 멀어질수록 해양 지각의 연령이 증가하는 것이 밝혀졌다. 또, 대륙 지각은 그 연령이 수십 억 년에 이르는 것도 있지만, 가장 오래된 해양 지각의 연령은 약 1억 8000만 년에 불과하다. 이는 해령에서 생성된 해양 지각이 해구에서 섭입하여 소멸되기 때문이고, 대서양에는 해구가 거의 분포하지 않지만 대서양이 약 1억 8000만 년 전에 생성되기 시작하여 이보다 오래된 해양 지각이 존재하지 않기 때문이다. 이러한 해양 지각의 연령 분포는 해양저 확장설을 뒷받침하는 증거가 된다.

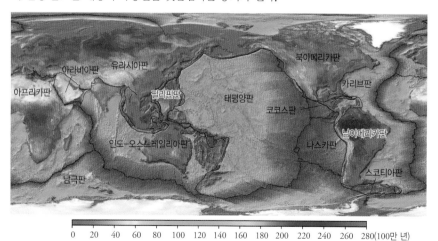

▲ 해양 지각의 연령 분포

4. 해양저 확장설의 의의

탐사 기술의 발달로 해저 지형의 모습이 구체적으로 밝혀지고 해저 확장이 증명되면서 맨틀 대류설과 대륙 이동설이 재조명받았다. 해양저 확장설에서는 대륙 지각이 해양 지각 위에 떠서 움직인다는 기존의 가설에서 한 발 더 나아가 대륙 지각과 해양 지각이 함께 움직인다고 설명한다. 또 해양저 확장설은 맨틀 대류의 상승에 따른 해령의 형성과 해령 정상부 열곡의 존재, 해령 부근의 높은 지각 열류량과 활발한 지진과 화산 활동 등을 설명한다.

시선 집중 ★ 고지자기 역전 줄무늬로부터 해양 지각의 확장 속도 구하기

❶ 지질 시대 동안 지자기 극의 역전 시기와 해양 지각에서 측정한 고지자기 역전 줄무늬를 비교하면, 해양 지각의 각 부분이 생성된 시기를 알아낼 수 있다. 즉, 해령으로부터의 거리가 멀어질수록 해양 지각을 구성하는 암석의 연령이 증가한다.

❷ 고지자기 역전 줄무늬로부터 해양 지각의 확장 속도를 구할 수 있다. 오른쪽 그림에서 해령에서 70 km 떨어진 지각이 450만 년 전에 생성된 것이므로, 이 해양 지각의 확장 속도는 다음과 같다.

$$\frac{7.0 \times 10^6 \, \text{cm}}{4.5 \times 10^6 \text{년}} \fallingdotseq 1.6(\text{cm/년})$$

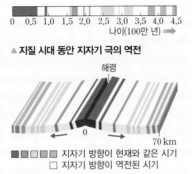

0 0.5 1.0 1.5 2.0 2.5 3.0 3.5 4.0 4.5
나이(100만 년) ➡

▲ 지질 시대 동안 지자기 극의 역전

해령

◀ ▶
0
70 km

■ 지자기 방향이 현재와 같은 시기
□ 지자기 방향이 역전된 시기

▲ 해령 부근의 고지자기 역전 줄무늬

해저 확장 속도
고지자기 역전 줄무늬를 통해 여러 지역의 해령 부근의 해저 확장 속도를 측정한 결과, 대서양 중앙 해령 부근의 해저 확장 속도는 약 2 cm/년에 불과하지만, 동태평양 해령 부근의 해저 확장 속도는 약 6 cm/년~12 cm/년이며 최대 20 cm/년에 이르는 곳도 있다고 밝혀졌다.

④ 판 구조론의 등장

베게너의 대륙 이동설과 홈스의 맨틀 대류설은 발표 당시 인정받지 못하였으나 해양 탐사 기술이 발달하며 해저 확장의 증거들이 차례로 발견되었다. 이를 토대로 지구의 겉부분이 여러 조각의 판으로 이루어져 있으며 판이 이동하면서 지각 변동이 일어난다는 판 구조론이 등장하였다.

1. 변환 단층의 발견

(1) **변환 단층의 발견**: 1950년대 후반 해저 지형 탐사로 대서양 중앙 해령이 하나의 선으로 길게 이어진 구조가 아니라 해령을 가로지르는 수십 km~수백 km 길이의 수많은 단층에 의해 어긋나 있음이 밝혀졌다. 1960년대 초 해저 지진 분포를 분석한 결과, 지진이 해령과 해령 사이의 단층 구간에서만 발생하며 해령으로부터 멀리 떨어진 단층 구간에서는 지진이 발생하지 않는다는 사실이 밝혀졌는데, 이는 해양저 확장설로는 설명하기 어려운 것이었다.

(2) **변환 단층의 생성 원리**: 윌슨은 이 단층을 변환 단층이라 명명하였으며, 해령에서 생성된 해양 지각이 양쪽으로 이동할 때 이동 방향이 같은 부분에서는 지진이 거의 발생하지 않고, 이동 방향이 서로 반대인 부분에 변환 단층이 생성되며 지진이 발생한다고 설명하였다. 변환 단층의 분포로부터 판의 이동 방향을 알 수 있고, 변환 단층의 발견은 판 구조론의 정립으로 이어졌다.

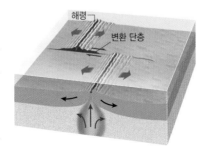

해령
변환 단층

▲ 변환 단층의 생성 과정

윌슨(Wilson, J. T., 1908~1993)
캐나다의 지구물리학자로, 헤스의 해양저 확장설을 지지하며 1960년에 하와이 화산섬의 분포로부터 해양 지각이 확장되고 하와이섬은 해양 지각 하부의 고정된 통로, 즉 열점에서 마그마가 상승하여 생성된다는 가설을 제시하며 열점과 플룸이라는 용어를 제안하였다. 1965년 변환 단층의 용어를 정의하고 그 생성 원인을 판의 운동으로 해석하며 판 구조론의 바탕이 되는 연구를 진행하였다. 또 윌슨은 1966년 유럽과 북아메리카 대륙 사이의 대서양이 닫혔다가 다시 열렸다는 논문을 발표하며 초대륙이 생성되고 분열되는 윌슨 주기를 제안하였다.

2. 섭입대

(1) 섭입대의 지진 발생 분포: 일본의 와다티와 미국의 베니오프가 각각 일본 열도 부근의 지진 관측 자료를 분석한 결과, 해구 근처에서는 지진이 얕은 곳에서 발생하지만 대륙 쪽으로 갈수록 진원이 점차 깊어지면서 마치 경사진 면을 따라 진원이 분포하는 것처럼 보인다는 사실을 알아냈다. 당시 과학자들은 진원 깊이가 깊어지는 까닭을 알지 못했으나, 이후 판 구조론이 정립되면서 해구에서 판이 다른 판 아래로 섭입하면서 지진이 발생한다는 사실이 밝혀졌고 진원이 분포하는 경사진 면을 섭입대라고 부르게 되었다.

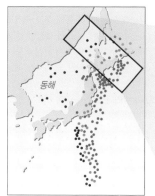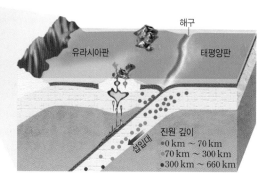

▲ **일본 부근에서 발생하는 지진의 진앙과 진원 분포** 일본 해구 부근에서는 판이 섭입하면서 지진이 자주 발생하며, 천발 지진부터 심발 지진까지 일어난다.

(2) 전 지구적인 지진 관측: 1960년대 이후 표준화된 지진계를 이용한 전 지구적인 지진 관측이 가능해지면서 지진의 발생 위치와 깊이를 정확하게 측정할 수 있게 되었다. 그 결과 해령과 변환 단층 주변에서는 진원 깊이가 0 km ~ 70 km인 천발 지진이 발생하는 반면, 진원 깊이가 300 km ~ 660 km인 심발 지진은 해구 부근에서만 일어나며, 해구에서 대륙 쪽으로 갈수록 진원이 점점 깊어지면서 천발 지진부터 심발 지진까지 발생한다는 것을 알아냈다. 또, 지진 발생 지역을 세계지도에 표시한 결과 지진이 대부분 해령, 변환 단층, 해구 주변에서 발생하는 것이 밝혀졌다.

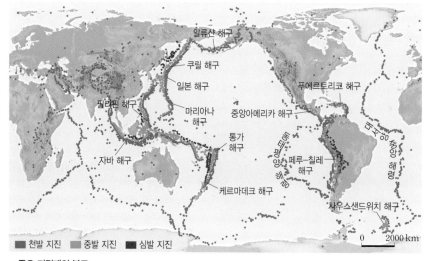

▲주요 지진대의 분포

섭입대의 발견

1934년 일본의 와다티는 일본 열도에서 발생하는 지진의 진원 깊이가 태평양 쪽에서 대륙 쪽으로 갈수록 깊어진다는 것을 알아냈다. 1954년 미국의 베니오프도 일본 열도에서 발생하는 지진의 진원 깊이에 관한 비슷한 연구 결과를 발표했는데, 당시 학자들은 해구 주변에서 발생하는 지진의 진원이 경사진 면에 분포하는 원인을 이해하지 못하였고 이 부분을 베니오프대라고 하였다. 이후 판 구조론이 정립되면서 해구에서 판이 맨틀로 섭입하며 천발 지진부터 심발 지진까지 발생한다는 사실이 밝혀졌고, 이 부분을 섭입대라고 부르게 되었다.

진원 깊이에 따른 지진의 분류

지진은 진원의 깊이가 약 70 km 이내이면 천발 지진, 약 70 km~300 km이면 중발 지진, 약 300 km~660 km이면 심발 지진으로 구분한다.

3. 판 구조론의 정립

(1) 대륙 이동설에서 판 구조론까지: 베게너가 주장했던 대륙 이동설과 홈스의 맨틀 대류설은 탐사 기술이 발달하며 해저 지형과 지각 변동에 관한 자세한 연구가 진행되면서 해양저 확장설로 이어졌고, 계속되는 연구를 통해 판 구조론으로 정립되었다. 판 구조론은 1960년대까지 지구 과학의 다양한 분야에서의 연구 결과를 종합하여 탄생하였다. 윌슨, 맥켄지, 모건과 아이작스 등의 과학자들은 판 구조론의 기틀을 마련하였고, 1969년 맥켄지와 모건이 판 경계에서 나타나는 현상을 종합적으로 다룬 논문을 발표하며 판 구조론이 정립되었다.

(2) 판 구조론

① **판:** 지각과 상부 맨틀의 일부를 포함하는 단단한 암석으로 이루어진 지구의 겉 부분으로, 암석권이라고도 한다. 판은 대륙 지각을 포함하는 부분인 대륙판과 해양 지각을 포함하는 부분인 해양판으로 구분할 수 있다. 해양판의 두께는 약 70 km이고 대륙판의 두께는 약 150 km 이상으로, 대륙판이 해양판보다 두껍다. 해양 지각은 주로 현무암질 암석으로 이루어져 있고, 대륙 지각은 주로 화강암질 암석으로 이루어져 있어서 해양판이 대륙판보다 밀도가 크다.

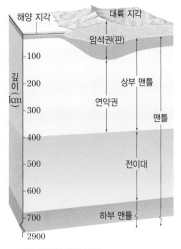

▲ 판과 맨틀의 내부 구조

② **판 구조론:** 지구의 단단한 겉 부분이 크고 작은 여러 판으로 이루어져 있으며, 판이 이동하면서 판 경계에서 지진이나 화산 활동과 같은 지각 변동이 일어난다는 이론이다.

(3) 판 구조론의 의의: 판 구조론은 지진대와 화산대의 분포, 해령과 해구의 분포, 조산 운동과 습곡 산맥의 형성 원리 등을 종합적으로 설명하므로 지구 과학의 일대 혁명에 해당하는 이론으로 불린다.

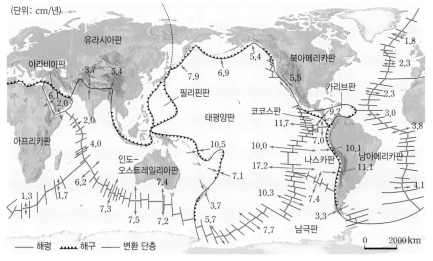

▲ 주요 판의 분포와 이동 방향 및 속도(cm/년)

판 구조론의 정립

1965년 윌슨이 변환 단층을 정의하였고, 1967년 맥켄지는 '판'이라는 용어를 처음으로 사용하였다. 1968년 모건은 지구 표면이 12개의 땅 덩어리로 이루어졌다는 내용을 발표했는데, 이 땅 덩어리는 맥켄지의 판을 나타내는 것이었다. 1968년 아이작스, 올리버, 자이크는 '구조'라는 용어를 처음 사용하였고, 1969년 맥켄지와 모건이 판 경계에서 나타나는 현상을 종합적으로 다룬 논문을 발표하며 '판 구조론'이 정립되었다.

판 경계의 분류

판 경계는 그 양쪽에 있는 판의 상대적인 이동 방향에 따라 발산 경계, 수렴 경계, 보존 경계로 구분한다.

주요 판의 분포

규모가 큰 판은 태평양판, 유라시아판, 남아메리카판, 북아메리카판, 인도—오스트레일리아판, 아프리카판, 남극판 등이고, 규모가 작은 판은 필리핀판, 아라비아판, 코코스판, 나스카판, 카리브판 등이다.

음향 측심 자료로부터 해저 지형 추정하기

음향 측심 자료를 이용하여 해저면의 깊이를 구하고, 해저 지형의 모습을 추정할 수 있다.

과정

표는 태평양의 서로 다른 A, B 해역에서 해양 탐사선이 직선 구간을 따라 일정한 속도로 진행하면서 주기적으로 해저에 발사한 음파가 가장 빨리 되돌아오는 데 걸리는 시간을 나타낸 것이다.

탐사 지점	1	2	3	4	5	6	7	8	9	10
A 해역에서 음파의 왕복 시간(초)	5.46	5.61	4.99	4.81	4.67	4.33	4.45	5.10	5.40	5.53

탐사 지점	1	2	3	4	5	6	7	8	9	10
B 해역에서 음파의 왕복 시간(초)	7.15	7.99	6.77	6.41	5.07	9.96	6.13	7.62	7.76	7.12

1 A 해역과 B 해역에서의 음향 측심 자료를 바탕으로 각 지점의 수심을 구해 본다. (단, 해양에서 음파의 속력은 1500 m/s이다.)

탐사 지점	1	2	3	4	5	6	7	8	9	10
A 해역 수심(m)	4095	4208	3743	3608	3503	3248	3338	3825	4050	4148

탐사 지점	1	2	3	4	5	6	7	8	9	10
B 해역 수심(m)	5363	5993	5078	4808	3803	7470	4598	5715	5820	5340

음파의 왕복 시간을 t, 해양에서 음파의 속도를 v라고 하면 수심 d는 다음과 같이 구한다.

$$d = \frac{1}{2}vt$$

2 과정 1에서 계산한 각 지점의 수심을 그래프에 표시하고 선으로 연결하여 해저 지형의 모습을 나타내면 다음과 같다.

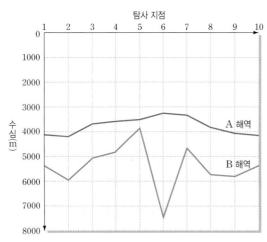

결과

1 음파의 왕복 시간과 해저면의 깊이는 어떤 관계가 있는가?

➡ 음파의 왕복 시간이 길어질수록 수심이 깊다.

2 A, B 해역에서 해령이나 해구가 발달한 곳은 각각 어느 곳이며, 그렇게 판단한 까닭은 무엇인가?

➡ 해령이 발달한 곳은 A 해역이고, 해구가 발달한 곳은 B 해역이다. A 해역의 수심은 지점 6에서 가장 얕고, 지점 6에서 양쪽으로 멀어질수록 점점 깊어지므로 A 해역의 지점 6 부근에 해령이 발달한 것으로 볼 수 있다. 또, B 해역의 수심은 지점 6 부근에서 급격히 증가하므로 해구가 발달한 것으로 볼 수 있다.

3 음향 측심법의 원리가 생활에 이용되는 사례는 무엇이 있는가?

➡ 초음파가 물체에 부딪치면 반사되어 돌아오는 원리를 이용하여 어선에서 물고기 집단의 위치를 파악하는 어군탐지기를 수산업계에서 이용하고 있다.

정리

• 음향 측심법은 탐사선에서 음파를 주기적으로 발사하고 음파가 해저면에서 반사되어 가장 빨리 되돌아오는 데 걸리는 시간을 측정하여 수심을 알아내는 방법이다.
• 해령에서는 맨틀 물질이 상승하여 새로운 해양 지각이 생성되며 산맥과 같은 지형이 형성되고, 해구에서는 밀도가 높은 해양 지각이 섭입하며 수심이 깊은 골짜기 모양의 지형이 형성된다.
• A 해역은 태평양판과 나스카판의 경계인 동태평양 해령이고, B 해역은 태평양판과 필리핀판의 경계인 마리아나 해구에 해당한다.

실제 해양에서 음파의 속력은 해수의 밀도와 온도 및 수심에 따라 달라지므로, 다양한 방법으로 음파의 속력을 보정하여 수심을 정확하게 측정한다.

〉 정답과 해설 **134**쪽

탐구 확인 문제

01 표는 어느 해역에서 직선 구간을 따라 일정한 간격으로 해저에 발사한 음파가 가장 빨리 되돌아오는 데 걸리는 시간을 나타낸 것이다.

탐사 지점	1	2	3	4
음파의 왕복 시간(초)	6.0	9.4	8.2	6.8

이에 대한 설명으로 옳은 것만을 보기에서 있는 대로 고른 것은? (단, 해양에서 음파의 속력은 약 1500 m/s이다.)

보기
ㄱ. 수심은 음파의 왕복 시간에 비례한다.
ㄴ. 탐사 지점 1의 수심은 약 9000 m이다.
ㄷ. 탐사 지점 1~3 사이에 해령이 분포한다.

① ㄱ   ② ㄴ   ③ ㄷ
④ ㄱ, ㄴ   ⑤ ㄱ, ㄴ, ㄷ

02 그림은 해양 탐사선이 어떤 해역의 해안에서 출발하여 직선으로 이동하면서 해저에 발사한 음파가 가장 빨리 되돌아오는 데 걸리는 시간을 나타낸 것이다.

이에 대한 설명으로 옳은 것은? (단, 해양에서 음파의 속력은 약 1500 m/s이다.)

① 지점 A에는 해령이 분포한다.
② 지점 B에는 해구가 분포한다.
③ 지점 A의 수심은 약 6000 m이다.
④ 지점 B의 수심은 약 3000 m이다.
⑤ 지점 A에서 B로 갈수록 지각 열류량이 감소한다.

01 대륙의 이동과 판 구조론

① 대륙 이동설

1 **대륙 이동설** 독일의 베게너는 과거 한 덩어리를 이루고 있던 초대륙 (❶   )가 여러 개의 대륙으로 갈라져 현재의 위치로 이동하였다는 대륙 이동설을 주장하였다.

2 **대륙 이동의 증거** 남아메리카와 아프리카의 (❷   ) 모양의 유사성과 서로 다른 대륙의 지질 구조의 연속성, 고생물 화석 분포의 연속성, (❸   ) 흔적의 분포 등이 있다.

3 **대륙 이동설의 한계** 베게너가 대륙 이동의 (❹   )을 제대로 설명하지 못하였기 때문에 당시 대부분의 과학자들은 대륙 이동설을 인정하지 않았다.

② 맨틀 대류설

1 **맨틀 대류설** 영국의 홈스는 맨틀 상하부의 온도 차에 의해 맨틀이 (❺   )하여 지각이 이동한다는 맨틀 대류설을 주장하였다.

2 **맨틀 대류 모형** 맨틀 대류설에서는 맨틀 대류가 (❻   )하는 곳에서 맨틀이 양쪽으로 이동하는 흐름에 의해 대륙이 갈라지고 새로운 해양이 생성된다고 설명한다.

③ 탐사 기술의 발달과 해양저 확장설

1 **해저 지형의 탐사** 제2차 세계 대전 이후 음파를 이용한 (❼   )을 통해 해저 지형을 탐사한 결과, 대양 한가운데에 산맥처럼 솟아오른 (❽   )을 발견하였다.

2 **해양저 확장설** 맨틀 대류가 상승하며 해령 중앙의 열곡을 따라 고온의 (❾   )이 분출하여 새로운 해양 지각을 생성하고, 이 해양 지각이 해령의 양쪽으로 이동하며 해양이 확장된다고 설명한다.

3 **해양저 확장설의 증거** 해저 (❿   )의 두께와 해양 지각의 연령이 해령에서 멀어질수록 증가하는 것과 해령 부근의 해양 지각에서 측정한 (⓫   ) 역전 줄무늬의 대칭성 등이 해양저 확장설의 증거가 된다.

④ 판 구조론의 등장

1 **변환 단층** 해령은 수많은 단층에 의해 어긋나 있는데, 해령과 해령 사이에서 해양 지각이 서로 어긋나며 (⓬   ) 방향으로 움직이는 부분에서 변환 단층이 생성된다.

2 **섭입대** 해구에서 판이 다른 판 아래로 섭입하면서 (⓭   )이 발생하고, 해구에서 대륙 쪽으로 갈수록 지진의 진원이 점점 깊어진다.

3 **판 구조론의 정립** 판은 지각과 상부 (⓮   )의 일부를 포함하는 단단한 암석으로 이루어진 지구의 겉 부분으로, 판 구조론은 지구 표면을 이루는 여러 판이 이동하면서 판 (⓯   )에서 지진이나 화산 활동과 같은 지각 변동이 일어난다는 이론이다.

01 베게너가 제시한 대륙 이동설의 증거로 옳은 것만을 보기에서 있는 대로 고르시오.

보기
ㄱ. 지진대와 화산대가 특정한 지역에 띠 모양으로 분포한다.
ㄴ. 남아메리카 동해안과 아프리카 서해안의 해안선 모양이 유사하다.
ㄷ. 현재 온대 지방이나 열대 지방에서도 고생대 말의 빙하 흔적이 발견된다.
ㄹ. 유럽의 칼레도니아산맥과 북아메리카의 애팔래치아산맥의 지질 구조가 서로 연결된다.

02 홈스가 주장한 맨틀 대류설에 대한 설명으로 옳은 것만을 보기에서 있는 대로 고르시오.

보기
ㄱ. 맨틀 상하부의 온도 차로 맨틀이 대류한다.
ㄴ. 맨틀 대류의 상승부에서 대륙 지각이 분리된다.
ㄷ. 맨틀 대류설이 발표되며 대륙 이동설이 과학자들에게 인정받는 학설이 되었다.

03 탐사 기술과 각각의 방법으로 발견한 사실을 옳게 짝 지으시오.
(1) 음향 측심법 •
(2) 자력계 탐사 •
(3) 지진 관측망 •

• ㄱ. 해저 지형도 작성
• ㄴ. 섭입대 주변의 진원 깊이 연구
• ㄷ. 해령 주변의 고지자기 역전 줄무늬 발견

04 어느 해역에서 해양 탐사선이 해저면에 발사한 음파가 반사되어 가장 빨리 되돌아오기까지 4초가 걸렸다. 이때 이 지점의 수심이 몇 m인지 계산하시오. (단, 해양에서 음파의 속력은 1500 m/s이다.)

05 그림은 아이슬란드 남서쪽 해령 부근의 해양 지각에서 나타나는 고지자기 역전 줄무늬를 나타낸 것이다.

아이슬란드
해령

해령 부근의 고지자기 역전 줄무늬의 생성 원인으로 옳은 것만을 보기에서 있는 대로 고르시오.

보기
ㄱ. 해령의 이동
ㄴ. 지자기의 역전
ㄷ. 해양저의 확장
ㄹ. 대륙 지각의 생성

06 해양저 확장설에 대한 설명으로 옳은 것에는 ○, 옳지 않은 것에는 ×로 표시하시오.
(1) 해령은 맨틀 물질이 상승하는 곳이다. ·········· (   )
(2) 해령에서 해구 쪽으로 갈수록 해양 지각의 연령이 감소한다. ·· (   )
(3) 해령에서 생성된 해양 지각은 해구에서 섭입하여 하강한다. ·· (   )
(4) 해령에서 멀어질수록 해저 퇴적물의 연령과 두께가 감소한다. ·· (   )
(5) 해령을 중심으로 고지자기 역전 줄무늬가 대칭적으로 나타난다. ·· (   )

07 판 구조론이 정립되는 과정에서 제시되었던 증거로 옳은 것만을 보기에서 있는 대로 고르시오.

보기
ㄱ. 섭입대 주변의 진원 분포
ㄴ. 해령 주변에서 변환 단층의 발견
ㄷ. 지진파 단층 촬영법으로 맨틀 물질의 움직임 확인

01   ❯대륙 이동설

그림 (가)는 고생대 후기의 파충류인 메소사우루스 화석의 분포를, (나)는 고생대 말에 형성된 빙하의 흔적과 이동 방향을 나타낸 것이다.

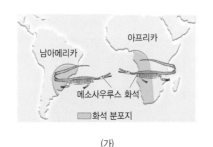
(가)

(나)

이에 대한 설명으로 옳은 것만을 보기에서 있는 대로 고른 것은?

보기
ㄱ. (가)의 메소사우루스는 바다를 건너 양쪽 대륙에 서식한 것이다.
ㄴ. (나)의 빙하의 흔적과 이동 방향은 한곳에서 흩어져 나간 모양을 이룬다.
ㄷ. (가)와 (나) 모두 베게너가 대륙 이동설을 주장할 당시에 제시하였던 증거이다.

① ㄱ   ② ㄷ   ③ ㄱ, ㄴ   ④ ㄴ, ㄷ   ⑤ ㄱ, ㄴ, ㄷ

• 베게너는 남아메리카와 아프리카 대륙의 해안선 모양과 화석 분포, 여러 대륙에 흩어져 있는 고생대 후기의 빙하 흔적, 유럽과 북아메리카의 지질 구조의 연속성 등을 증거로 들어 대륙 이동설을 주장하였다.

02   ❯대륙의 이동

그림은 고생대 후기부터 현재까지의 수륙 분포 변화를 나타낸 것이다.

고생대 후기

중생대

현재

이에 대한 설명으로 옳은 것만을 보기에서 있는 대로 고른 것은?

보기
ㄱ. 대서양은 넓어지고, 태평양은 좁아졌다.
ㄴ. 인도 대륙에 고생대 후기의 빙하 퇴적층이 분포한다.
ㄷ. 대륙 이동의 원동력은 지구 자전에 의한 원심력이다.

① ㄱ   ② ㄷ   ③ ㄱ, ㄴ   ④ ㄴ, ㄷ   ⑤ ㄱ, ㄴ, ㄷ

• 고생대에 초대륙 판게아가 존재하였으며, 판게아는 중생대에 여러 대륙으로 분리되었다.

> 해저 지형 탐사

03 표는 어느 해역을 탐사하는 해양 탐사선이 직선으로 운항하며 해저에 발사한 음파가 가장 빨리 되돌아오는 데 걸리는 시간을 나타낸 것이다.

탐사 지점	1	2	3	4	5	6	7	8	9	10
음파의 왕복 시간(초)	7.2	7.5	6.8	7.6	8.0	10.0	6.1	7.6	7.8	7.1

이에 대한 설명으로 옳은 것만을 보기에서 있는 대로 고른 것은? (단, 해양에서 음파의 속력은 1500 m/s이다.)

> 보기
> ㄱ. 탐사 지점 5의 수심은 6000 m이다.
> ㄴ. 탐사 지점 6의 해저에는 해구가 분포한다.
> ㄷ. 이 해역에는 새로운 해양 지각이 만들어지는 곳이 분포한다.

① ㄴ   ② ㄷ   ③ ㄱ, ㄴ   ④ ㄱ, ㄷ   ⑤ ㄱ, ㄴ, ㄷ

- 음향 측심법은 해저면에 음파(초음파)를 발사하여 음파가 가장 빨리 되돌아오는 데 걸리는 시간을 측정하여 수심을 알아내는 탐사 방법이다.

> 해양저 확장설

04 그림은 대서양 해양 지각을 구성하는 암석의 연령 분포를 나타낸 것으로, A∼C는 해저에 위치하는 지점이다.

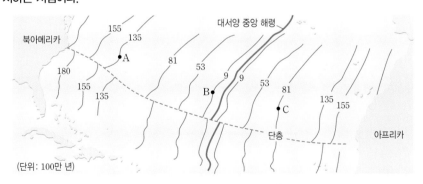

(단위: 100만 년)

이에 대한 설명으로 옳은 것만을 보기에서 있는 대로 고른 것은?

> 보기
> ㄱ. 해저 퇴적물의 두께는 A가 B보다 두껍다.
> ㄴ. 지각 열류량은 B에서 A와 C로 갈수록 높아진다.
> ㄷ. 대서양 중앙 해령에서는 새로운 해양 지각이 생성된다.

① ㄱ   ② ㄴ   ③ ㄱ, ㄷ   ④ ㄴ, ㄷ   ⑤ ㄱ, ㄴ, ㄷ

- 지각 열류량은 해령에서 가장 높게 나타나고, 해령에서 멀어질수록 낮게 나타난다.

고난도

05 > 해령 부근의 고지자기 분포
그림은 태평양과 대서양 해령 부근의 고지자기 역전 줄무늬를 나타낸 것이다.

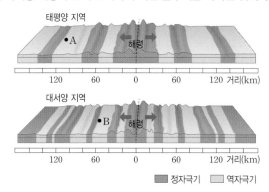

태평양 지역

| 120 | 60 | 0 | 60 | 120 거리(km) |

대서양 지역

| 120 | 60 | 0 | 60 | 120 거리(km) |

■ 정자극기 □ 역자극기

이에 대한 설명으로 옳은 것만을 보기에서 있는 대로 고른 것은? (단, 그림에서 A와 B 지점의 해양 지각의 암석 연령은 같다.)

보기
ㄱ. 고지자기 역전 줄무늬는 해령을 중심으로 대칭적이다.
ㄴ. 해양 지각의 암석 연령은 해령에서 멀어질수록 증가한다.
ㄷ. 해양 지각의 이동 속도는 태평양 지역이 대서양 지역보다 느리다.

① ㄱ   ② ㄷ   ③ ㄱ, ㄴ   ④ ㄴ, ㄷ   ⑤ ㄱ, ㄴ, ㄷ

• 해령에서 생성된 해양 지각은 해저 확장에 의해 해령 양쪽으로 멀어져 간다.

06 > 해저 확장과 해양 지각 연령
그림 (가)는 해령 부근의 단면을, (나)는 해양 지각의 연령과 수심과의 관계를 나타낸 것이다.

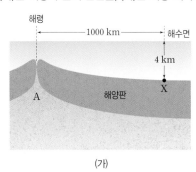

(가)

(나)

이에 대한 설명으로 옳지 <u>않은</u> 것은?
① 해령의 하부 A에서는 마그마가 상승한다.
② 해양판은 1년에 평균 약 5 cm씩 이동한다.
③ X 지점의 해양 지각 연령은 약 2000만 년이다.
④ 해령에서 멀어질수록 지각 열류량이 증가한다.
⑤ 해령에서 멀어질수록 해저 퇴적물의 두께와 연령이 증가한다.

• 해령에서는 마그마가 상승하여 화산 활동을 일으키며, 해양 지각이 생성되어 양쪽으로 이동한다.

07 > 섭입대의 진원 분포

그림 (가)는 태평양 주변의 판 경계와 상대적인 이동 방향을, (나)는 (가)의 A와 B 중 한 지역의 지진의 진원 분포를 나타낸 것이다.

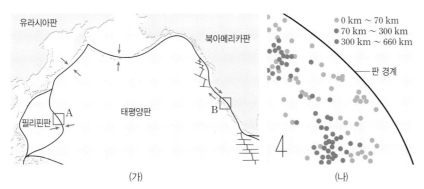

(가)   (나)

이에 대한 설명으로 옳은 것만을 보기에서 있는 대로 고른 것은?

> 보기

ㄱ. A는 판이 섭입하는 지역으로, 해구가 발달해 있다.

ㄴ. (나)는 A의 진원 분포로, 태평양판이 필리핀판 아래로 섭입한다.

ㄷ. (나)와 같은 판 경계의 진원 분포는 판 구조론이 정립되는 근거가 되었다.

① ㄱ   ② ㄷ   ③ ㄱ, ㄴ   ④ ㄴ, ㄷ   ⑤ ㄱ, ㄴ, ㄷ

> • 태평양판이 필리핀판 아래로 섭입하면서 해구가 발달한다.

08 > 판 구조론의 정립

다음은 판 구조론이 정립되기까지의 과정을 순서 없이 설명한 것이다.

(가) 헤스와 디츠는 해령에서 새로운 해양 지각이 만들어지며 해령 양쪽으로 이동한다고 주장하였다.

(나) 홈스는 맨틀 상하부의 온도 차로 인해 맨틀에서 대류가 일어나며 대륙이 이동한다고 주장하였다.

(다) 베게너는 과거에 존재하던 초대륙이 분리되고 이동하여 현재와 같은 수륙 분포를 이루었다고 주장하였다.

(라) 윌슨은 해령과 해령 사이에서 해양 지각이 서로 반대 방향으로 움직이며 해령을 가로질러 단층이 생성된다고 주장하였다.

이에 대한 설명으로 옳은 것만을 보기에서 있는 대로 고른 것은?

> 보기

ㄱ. 학설이 등장한 순서는 (다) → (나) → (가) → (라)이다.

ㄴ. (나)의 학설은 음향 측심법을 통한 해저 지형 탐사 결과를 바탕으로 한다.

ㄷ. (라)의 단층은 변환 단층으로, 변환 단층의 발견은 판 구조론 정립의 계기가 되었다.

① ㄴ   ② ㄷ   ③ ㄱ, ㄴ   ④ ㄱ, ㄷ   ⑤ ㄱ, ㄴ, ㄷ

> • 판 구조론은 여러 과학자들의 연구 결과와 학설을 바탕으로 정립되었다.

02 대륙 분포의 변화와 판 이동의 원동력

학습 Point 고지자기 변화와 대륙 이동 복원 > 판 구조 운동과 맨틀 대류 > 열점과 플룸 구조론

 ## 고지자기 변화와 대륙 이동 복원

판 구조론이 정립되면서 지질 시대 동안 대륙이 계속하여 이동하였다는 사실이 밝혀졌다. 암석에는 과거 지질 시대의 지구 자기장에 관한 기록이 남아 있으므로, 고지자기를 연구하여 과거 지자기 북극의 위치 변화와 대륙의 이동 경로를 추정할 수 있다.

1. 지구 자기장

지구는 하나의 커다란 자석과 같은 성질을 띠고 있으며, 지구의 자기력이 미치는 공간을 지구 자기장 또는 지자기장이라고 한다. 지구 자기장의 북극을 지자기 북극 또는 자북극이라 하고, 지구 자기장의 남극을 지자기 남극 또는 자남극이라고 한다. 현재 지리상 북극과 지자기 북극은 일치하지 않는데, 지자기 북극과 지자기 남극을 연결한 선은 지구 자전축에 대하여 약 $11°$ 기울어져 있다. 현재 지자기 북극은 $86.29°N$, $160.06°W$로 캐나다 북동쪽에 위치하며, 지자기 남극은 $64.27°S$, $136.59°E$로 남극 대륙 내에 위치한다.

(1) **복각:** 나침반 자침의 N극이 수평면과 이루는 각을 복각이라고 한다. 지자기 북극에서는 자침의 N극이 수직으로 아래쪽을 가리키므로 복각이 $+90°$이고, 지자기 남극에서는 자침의 S극이 수직으로 아래쪽을 가리키므로 복각이 $-90°$이며, 자기 적도에서는 자침이 수평을 유지하므로 복각이 $0°$이다.

(2) **편각:** 나침반 자침의 N극이 가리키는 방향인 자북극과 지리상 북극(진북)이 이루는 각을 편각이라고 한다. 지리상 북극과 자북극을 연결한 선상에 나침반이 놓여 있을 때만 자침이 지리상 북극을 향하여 편각이 $0°$이다.

복각계
지구 자기의 복각을 측정하는 도구로, 자침의 N극은 항상 지자기 북극을 가리킨다. 자침의 N극이 수평면에 대하여 기울어진 각의 크기가 복각이다.

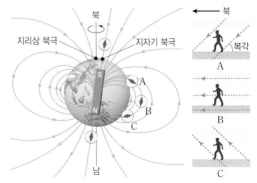

▲ **지구 자기장과 복각** 자침의 N극이 수평면과 이루는 각으로, 북반구 중위도(A)에서는 (+)의 값을, 남반구 중위도(C)에서는 (−)의 값을 나타내며, 자기 적도(B)에서는 $0°$이다.

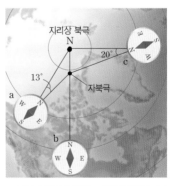

▲ **지자기 북극과 편각** 자침의 N극이 지리상 북극과 이루는 각으로, a지점에서는 13°E, b지점에서는 $0°$, c지점에서는 20°W이다.

2. 고지자기의 변화와 대륙의 이동

어떤 암석에서 측정한 고지자기의 편각으로부터 그 암석이 만들어질 당시에 지리상 북극에 대해 어느 방향으로 향하고 있었는지를 알 수 있고, 복각으로부터 그 암석이 생성될 당시에 지자기 북극과 얼마나 떨어져 있었는지를 알 수 있다. 만약 어느 암석에 기록된 고지자기의 복각이 $+90°$로 측정되면, 그 암석이 만들어질 때 지자기 북극에 위치했다는 것을 나타낸다. 즉, 암석에 기록된 고지자기를 측정하여 복각과 편각으로부터 암석이 생성될 당시의 지자기 북극의 위치 또는 대륙의 이동 경로를 알아낼 수 있다.

(1) **자극의 겉보기 이동**: 1950년대 초 유럽과 북아메리카 지역의 암석에서 고지자기를 측정하여 약 5억 년 동안 지자기 북극의 이동 경로를 지도에 표시한 결과, 지자기 북극이 일치하지 않으며 이동 경로가 두 갈래로 나뉘어 있다가 현재에 가까워질수록 그 차이가 줄어드는 모습으로 나타났다. 같은 시기에는 지자기 북극이 두 개 존재할 수 없으므로, 지질 시대 동안 자극의 위치가 변화했다면 두 대륙에서 측정한 자극의 겉보기 이동 경로가 같아야 한다. 이러한 모순점을 해결하기 위해 두 대륙에서의 자극의 이동 경로를 겹쳐 보면 대륙이 거의 하나로 모여 있는 모습을 이룬다. 즉, 지자기 북극의 겉보기 이동 경로가 일치하지 않는 것은 과거에 하나로 모여 있던 대륙이 분리되어 이동한 결과로 해석할 수 있다.

(단위: 억 년 전)

▲ **현재의 대륙 분포와 자극의 겉보기 이동 경로** 지난 5억 년 동안 지자기 북극의 이동 경로를 표시하면 두 갈래로 갈라지는 모습으로 나타난다. 그러나 같은 시기에는 지자기 북극이 두 개 존재할 수 없다는 모순점이 생긴다.

▲ **자극의 겉보기 이동 경로를 겹쳐 놓았을 때의 대륙 분포** 두 갈래로 나뉜 지자기 북극의 이동 경로를 겹쳐 보면, 대륙이 거의 하나로 모인다. 즉, 약 5억 년 전까지 대륙이 하나로 모여 있다가 갈라져서 오늘날의 대륙 분포를 이룬 것이다.

(2) **인도 대륙의 이동 경로**: 암석에 기록된 고지자기의 복각을 측정하면 암석 생성 당시의 자기 위도를 알아낼 수 있다. 인도 대륙을 이루는 암석의 고지자기를 측정하여 인도 대륙의 이동 경로를 연구한 결과, 인도 대륙은 지질 시대 동안 동서 방향으로는 거의 이동하지 않았고 남북 방향으로만 이동하였다는 것이 밝혀졌다. 연구 결과에 따르면, 약 2억 년 전 초대륙 판게아가 갈라지기 시작하면서 남반구에 위치하던 인도 대륙 부분이 북쪽으로 이동하였고, 약 1억 년 전 오스트레일리아 대륙에서 인도 대륙이 분리되었다. 인도 대륙은 1년에 약 9 cm~16 cm의 속도로 북상하다가 약 5000만 년 전 유라시아 대륙과 충돌하기 시작하였으며, 충돌 시 횡압력으로 히말라야산맥이 만들어졌다. 인도 대륙의 이동은 현재까지 계속되고 있기 때문에 이 지역에서는 지진이 자주 발생하고, 히말라야산맥은 1년에 약 1 cm씩 높아지고 있다.

고지자기 복각 변화의 의미

암석에 기록된 고지자기의 복각 변화는 지자기 역전 또는 대륙 이동의 증거가 모두 될 수 있다. 즉, 대륙이 이동하지 않은 경우에도 지자기 북극의 위치가 이동하면 고지자기의 복각이 다르게 기록되고, 지자기 북극의 위치가 일정한 경우에도 대륙이 이동하면 고지자기의 복각이 달라진다.

고지자기 측정을 통해 대륙 이동 경로를 복원할 때 유의할 점

암석에서 복각을 정밀하게 측정해야 하며, 지리상 북극과 지자기 북극이 일치한다고 가정하였으나 실제 위도와 자기 위도가 일치하지 않으므로 이를 보정해야 한다. 또, 지질 시대 동안 지자기 북극의 위치가 계속하여 이동하였으므로 이를 고려하여 추가적으로 계산하여야 한다.

지질 시대 동안 인도 대륙의 위치 변화와 복각 변화

인도 대륙을 이루는 암석에서 측정한 고지자기의 복각이 $-49°$(약 7100만 년 전), $-21°$(약 5500만 년 전), $+6°$(약 3800만 년 전), $+30°$(약 1000만 년 전), $+36°$(현재)로 변하였다. 고지자기의 복각이 $(-)$의 값이면 자기 적도를 기준으로 남반구에, $(+)$의 값이면 북반구에 위치하였던 것이므로, 인도 대륙은 과거에 남반구에 위치하였다가 점차 북상하여 현재 위치에 이른 것을 알 수 있다.

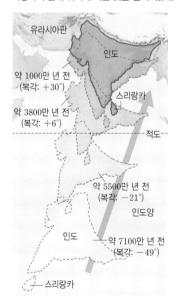

3. 대륙 이동의 복원

산맥의 구조와 암석의 연령 및 고지자기를 분석하여 대륙의 이동 경로를 추정할 수 있는데, 지질 시대 동안 초대륙이 여러 차례 만들어지고 분리되기를 반복한 것이 밝혀졌다.

(1) **초대륙 로디니아:** 로디니아는 약 13억 년 전~약 9억 년 전(선캄브리아 시대)에 형성된 초대륙으로, 약 8억 5000만 년 전~약 7억 5000만 년 전에 여러 대륙으로 분리되었다.

(2) **초대륙 곤드와나:** 로디니아가 분리되며 약 6억 년 전부터 초대륙 곤드와나와 로렌시아, 발티카, 시베리아 대륙이 만들어지기 시작하였다. 대부분의 대륙은 남반구에 분포하였으며 로렌시아와 곤드와나, 발티카 사이에 이아페투스 해양이 존재하였다. 약 4억 8000만 년 전(고생대 오르도비스기)부터 이아페투스 해양 양쪽의 대륙이 충돌하여 로렌시아 대륙을 형성하였고, 이때 형성된 습곡 산맥은 오늘날 유럽의 칼레도니아산맥이다.

▲ 약 5억 4000만 년 전(고생대 캄브리아기)의 대륙 분포

▲ 약 4억 2000만 년 전(고생대 실루리아기)의 대륙 분포

(3) **초대륙 판게아의 형성:** 약 3억 5000만 년 전(고생대 석탄기)부터 곤드와나 대륙이 북상하며 로렌시아 대륙과 충돌하여 약 2억 7000만 년 전 초대륙 판게아가 형성되었다. 이때 형성된 습곡 산맥이 오늘날 북아메리카의 애팔래치아산맥이다. 판게아는 북반구의 로라시아와 남반구의 곤드와나로 이루어졌고, 그 주위를 판탈라사 대양이 둘러싸고 있었다.

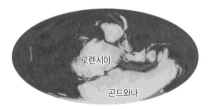

▲ 약 3억 5000만 년 전(고생대 석탄기)의 대륙 분포   ▲ 약 2억 7000만 년 전(고생대 페름기)의 대륙 분포

(4) **판게아의 분열:** 약 2억 2000만 년 전(중생대 트라이아스기) 테티스 해가 열리기 시작하였고, 약 2억 년 전 대규모의 화산 활동이 시작되어 북대서양이 열리며 판게아가 여러 대륙으로 갈라지기 시작하였다. 약 1억 3000만 년 전(중생대 백악기) 남아메리카-아프리카와 인도-오스트레일리아-남극 사이가 갈라지면서 인도양이 형성되었다. 약 1억 년 전 남아메리카 대륙과 아프리카 대륙이 분리되면서 남대서양이 만들어져 북대서양과 연결되었고, 인도 대륙이 갈라져 나와 북상하면서 인도양이 확장되었다.

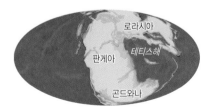

▲ 약 2억 년 전(중생대 쥐라기)의 대륙 분포

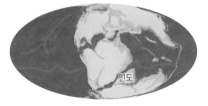

▲ 약 1억 3000만 년 전(중생대 백악기)의 대륙 분포

선캄브리아 시대의 초대륙 분포

· 지구에는 나이가 30억 년 이상인 암석이 드물기 때문에 그 이전의 대륙 분포를 알아내기는 매우 어렵다.

· 초대륙 케놀랜드: 약 27억 년 전~약 24억 년 전에 형성되었다.

· 초대륙 컬럼비아: 약 22억 년 전~약 18억 년 전 케놀랜드 대륙이 분리되고, 초대륙 컬럼비아가 형성되었다.

· 초대륙 로디니아: 약 13억 년 전~약 9억 년 전 컬럼비아 대륙이 분리되고, 초대륙 로디니아가 형성되었다.

▲ **초대륙 로디니아**

이아페투스 해양

고대서양이라고도 하며, 1960년대 중반 캐나다의 윌슨이 유럽과 북아메리카 대륙 사이에 지금의 대서양과는 또 다른 바다가 분포했다는 가설을 제시하며 그 존재가 처음 알려졌다. 윌슨은 유럽과 북아메리카에서 발견되는 삼엽충 화석군 분포를 통해 고대서양이 분포했다는 논문을 발표하며 지질 시대 동안 초대륙이 여러 차례 만들어지고 분리되었다는 가설을 제시하였다.

판게아의 분열

약 2억 년 전 초대륙 판게아 하부에 거대한 맨틀 상승류가 분포하였으며, 대륙 열곡대가 형성되기 시작하였고 대규모의 화산 활동이 일어나며 판게아가 분열되었다.

(5) **오늘날의 대륙 분포 형성:** 약 5000만 년 전부터 아프리카 대륙과 인도 대륙이 유라시아 대륙과 충돌하면서 테티스 해가 소멸되고 알프스 – 히말라야 조산대가 만들어졌고, 북아메리카와 유럽 대륙이 갈라지며 대서양과 북극해가 연결되었다. 약 3000만 년 전 아프리카 대륙에서 아라비아 반도가 분리되며 홍해가 열리고 동아프리카 열곡대가 생성되었으며, 약 300만 년 전 북아메리카와 남아메리카 대륙이 연결되며 현재의 대륙 분포를 이루었다.

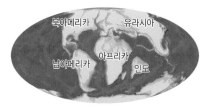

▲ 약 5000만 년 전(신생대 팔레오기)의 대륙 분포

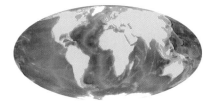

▲ 현재의 대륙 분포

4. 초대륙의 형성과 분리

과학자들은 초대륙이 형성되고 분열하여 이동하다가 다시 초대륙이 형성되는 과정이 주기적으로 반복되며, 그 주기가 약 3억 년~5억 년이라고 추정하고 있다. 앞으로 약 2억 년~2억 5천만 년 후에는 현재의 대륙들이 이동하여 새로운 초대륙을 형성할 것으로 예상된다.

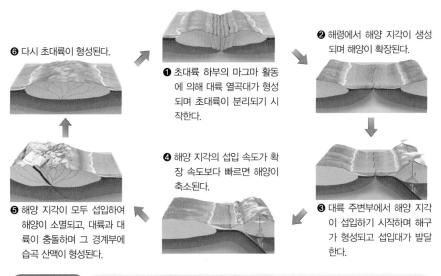

❻ 다시 초대륙이 형성된다.

❶ 초대륙 하부의 마그마 활동에 의해 대륙 열곡대가 형성되며 초대륙이 분리되기 시작한다.

❷ 해령에서 해양 지각이 생성되며 해양이 확장된다.

❹ 해양 지각의 섭입 속도가 확장 속도보다 빠르면 해양이 축소된다.

❺ 해양 지각이 모두 섭입하여 해양이 소멸되고, 대륙과 대륙이 충돌하며 그 경계부에 습곡 산맥이 형성된다.

❸ 대륙 주변부에서 해양 지각이 섭입하기 시작하며 해구가 형성되고 섭입대가 발달한다.

시선 집중 ★ **미래의 초대륙 분포 예측**

현재 판 이동의 양상을 살펴보면, 태평양은 해구에서 판이 섭입하며 축소되고 대서양은 해령을 중심으로 확장되고 있으며, 아프리카와 오스트레일리아는 계속 북상하고 있다. 이를 토대로 미래에 형성될 초대륙을 예측할 수 있는데, 판게아 프록시마, 노보판게아, 아마시아 등의 여러 모델이 존재한다.

▲ 판게아 프록시마(Pangaea Proxima) 모델

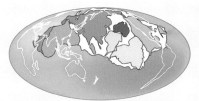

▲ 노보판게아(Novopangaea) 모델

히말라야산맥의 형성

약 5000만 년 전 인도 대륙이 유라시아 대륙과 충돌하면서 그 사이에 분포하던 테티스 해가 소멸되었다. 테티스 해에 쌓여 있던 퇴적물이 솟아올라 히말라야산맥을 이루었고, 현재 히말라야산맥에서는 암모나이트 등의 해양 생물 화석이 발견된다.

윌슨 주기

1966년 윌슨은 대륙이 갈라져 해양이 형성되고, 초대륙이 형성되며 해양이 사라졌다가 또 다시 대륙이 갈라지며 해양이 만들어지는 과정으로 대서양이 형성되었다는 가설을 주장하였다. 지구 표면의 판은 서로 상대적으로 움직이고 있는데, 어느 한 판이 움직이면 주변의 다른 판에 영향을 미쳐서 지질 시대 동안 판이 끊임없이 움직이며 초대륙의 형성과 분리가 반복되었다는 것이다. 이렇게 초대륙의 형성과 분리가 되풀이되는 주기를 윌슨 주기라고 하며, 윌슨 주기는 약 3억 년~5억 년 정도라고 알려져 있다. 초대륙이 갈라지면서 해양이 형성되고, 해양이 계속하여 확장되다가 오래된 해양판의 밀도가 충분히 커지면 해구가 만들어지며 해양판이 섭입하기 시작하고, 대륙 사이의 해양판이 모두 섭입하면 대륙과 대륙이 충돌하여 또 다른 초대륙이 만들어진다. 현재 동아프리카 열곡대는 아프리카 대륙이 갈라지면서 해양이 형성되는 윌슨 주기의 시작을 나타낸다.

② 판 구조 운동과 맨틀 대류

판의 이동 속도는 매우 느리지만, 판이 오랜 시간에 걸쳐 이동하면서 판 경계에서 크고 작은 규모의 지각 변동이 일어난다. 판의 움직임은 판 구조론으로 설명할 수 있다.

1. 판의 운동과 지각 변동

지구 표면의 판은 서로 연결되어 있으므로 하나의 판이 이동하면 다른 판에 영향을 미쳐서 판 경계에서 크고 작은 규모의 지각 변동이 일어난다. 판 경계는 그 양쪽에 있는 판의 상대적인 이동 방향에 따라 발산 경계, 수렴 경계, 보존 경계로 구분한다.

(1) 발산 경계: 두 판이 서로 멀어지는 경계로, 맨틀 물질이 상승하여 새로운 해양 지각이 만들어진다. 대부분의 발산 경계는 해령을 따라 분포하며, 대륙에서도 형성된다. 발산 경계 양쪽으로 장력이 작용하여 지각이 늘어나고 얇아지면서 V자형 열곡이 만들어지고, 맨틀 물질의 상승으로 용융된 마그마가 분출하여 새로운 해양 지각이 만들어진다. 발산 경계의 열곡에서는 정단층이 형성되고, 천발 지진이 발생한다.

① 해령: 해양판과 해양판이 멀어지는 경계에 형성된 대규모의 해저 산맥으로, 해령의 열곡에서 마그마가 분출하므로 화산 활동이 활발하며, 지각 열류량이 높고 천발 지진이 자주 발생한다. 해령에서 현무암질 마그마가 분출하여 새로운 해양 지각이 생성되고, 해령 주변부의 지각은 온도가 높아 밀도가 작으므로 주변보다 높은 산맥 모양의 지형을 형성하여 해령의 정상은 주변 해저면보다 약 2000 m~3000 m 높다. 해령으로부터 멀어질수록 지각이 점차 식고 수축하여 밀도가 증가하여 수심이 깊어진다. 대서양과 인도양의 해령은 대양의 중앙에, 태평양의 해령은 대양의 동쪽에 위치한다.

② 대륙 열곡대: 대륙 내부에서 대륙판이 분리되는 경계에 형성된 길쭉한 함몰 지형이다. 대륙 지각에 장력이 작용하여 얇아진 곳에 열곡이 형성되고, 맨틀 물질의 상승으로 마그마가 분출하여 새로운 해양 지각이 만들어진다. 대륙 지각이 양쪽으로 이동하며 그 사이에 좁은 바다가 만들어지고, 바다가 점차 확장된다. 동아프리카 열곡대는 대륙판이 분리되는 초기 단계에 해당하는 곳으로, 킬리만자로산과 케냐산과 같은 높은 화산이 분포하며 현재 새로운 해양 지각이 형성되고 있다. 홍해는 약 2000만 년 전에 아프리카 대륙에서 아라비아 반도가 분리되며 만들어진 좁은 바다이다.

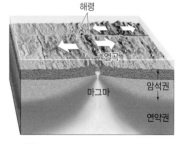
▲ 해령

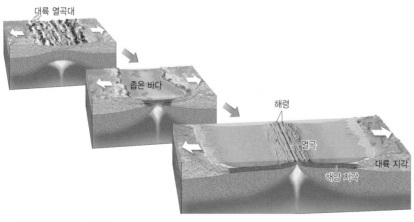
▲ 대륙 열곡대의 형성 과정

▲ 동아프리카 열곡대와 홍해

(2) **수렴 경계:** 두 판이 수렴하는 경계로, 해양판과 해양판이 수렴하는 경계, 대륙판과 해양판이 수렴하는 경계, 대륙판과 대륙판이 충돌하는 경계로 구분한다. 판은 그 밀도가 연약권의 밀도보다 클 때에만 맨틀 속으로 섭입하여 하강할 수 있는데, 해령에서 해구까지 이동하며 오랜 시간에 걸쳐 냉각된 해양판은 그 밀도가 연약권보다 커져서 맨틀 속으로 섭입하여 하강할 수 있다. 반면 대륙판은 연약권보다 밀도가 작아서 맨틀 속으로 섭입하지 못한다. 해양판이 다른 판 아래로 섭입하며 천발~심발 지진이 발생하는 곳을 섭입대라고 한다.

① **해양판과 해양판이 수렴하는 경계:** 두 해양판이 수렴하는 경우, 밀도가 더 큰 해양판이 다른 해양판 아래로 섭입하며 해구와 호상 열도가 형성된다. 섭입하는 해양판의 상부를 따라 천발~심발 지진이 발생하며, 화산 활동이 활발하게 일어난다. 해양판이 지하 약 100 km~150 km에 도달하면 해양 지각에 포함된 물이 빠져나와 맨틀에 공급되어 맨틀 물질이 용융한다. 이렇게 생성된 현무암질 마그마가 상승하여 분출하며 화산 활동이 일어나고, 호상 열도를 형성한다. 호상 열도의 대표적인 예는 알류샨 열도와 필리핀 열도가 있다.

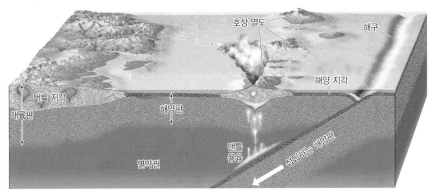

▲ 해양판과 해양판이 수렴하는 경계의 모식도

② **대륙판과 해양판이 수렴하는 경계:** 대륙판과 해양판이 충돌하면 해양판이 대륙판 아래로 섭입하며 천발~심발 지진이 발생하고 화산 활동이 활발하게 일어나며 대륙 화산호를 형성한다. 대륙판 아래로 섭입한 해양 지각에서 빠져나온 물이 대륙판 하부의 맨틀에 공급되면서 맨틀 물질이 용융하여 현무암질 마그마가 생성된다. 이 마그마가 상승하는 과정에서 유문암질 마그마와 안산암질 마그마가 생성된다. 안산암질 마그마가 분출할 때 격렬하게 폭발하며 많은 양의 화산재와 가스를 분출하는데, 그 대표적인 예는 안데스산맥이다.

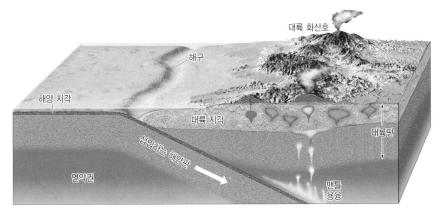

▲ 대륙판과 해양판이 수렴하는 경계

해양판의 밀도
해령에서 생성된 해양 지각을 포함하는 해양판은 연약권보다 그 밀도가 작아서 안정적으로 연약권 위에 놓여 있다. 해양판이 해령에서 해구 쪽으로 이동하면서 해수에 의해 냉각되어 밀도가 점점 커지므로, 해구 부근까지 이동한 오래된 해양판은 연약권보다 밀도가 커서 맨틀 속으로 섭입할 수 있다.

해구
해저에 좁고 긴 골짜기 모양으로 형성된 지형으로, 수심이 6000 m~10000 m에 이르며 지각 열류량이 낮다. 가장 깊은 해구는 필리핀 부근의 마리아나 해구로, 태평양판이 필리핀판으로 섭입하는 경계에 위치하며 수심이 약 11000 m에 달한다.

호상 열도의 분포
호상 열도는 일반적으로 해구로부터 약 200 km~300 km 떨어져 해구와 나란하게 분포한다.

안데스산맥
해양판인 나스카판이 남아메리카판의 대륙판 부분과 충돌하며 섭입하면서 화산이 분출하여 만들어진 산맥이다.

③ 대륙판과 대륙판이 충돌하는 경계: 대륙판 밑으로 섭입하는 판이 해양 지각과 대륙 지각을 모두 포함하는 경우, 앞쪽의 해양 지각이 맨틀 속으로 섭입하고 나면 결국 대륙 지각과 대륙 지각이 충돌한다. 이때 대륙 지각은 밀도가 작아서 더 이상 맨틀 속으로 섭입하지 못하므로 대륙 지각이 두꺼워지고, 두 대륙 사이의 해양에 쌓여 있던 해저 퇴적물과 뒤섞이며 횡압력에 의해 높은 습곡 산맥이 만들어진다. 그 대표적인 예는 히말라야산맥이다.

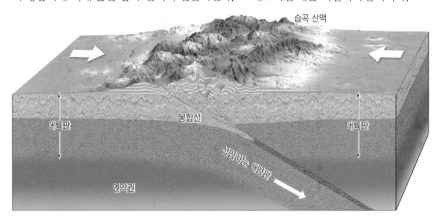

▲ **대륙판과 대륙판이 충돌하는 경계**

(3) **보존 경계**: 두 판이 서로 스쳐 지나가는 경계로, 판이 생성되거나 소멸하지 않는다. 보존 경계에서는 두 판이 서로 반대 방향으로 움직이면서 변환 단층이 형성되고 천발 지진이 일어난다. 대부분의 변환 단층은 해령과 해령 사이에 수직으로 분포하는데, 판의 이동 속도 차이에 의해 단층이 만들어진다. 이는 지구 표면이 둥글어서 하나의 판이 같은 속도로 이동하지 못하여 어긋나기 때문이다. 변환 단층은 육상에 드러나기도 하는데, 미국의 산안드레아스 단층은 육상에 존재하는 변환 단층이다.

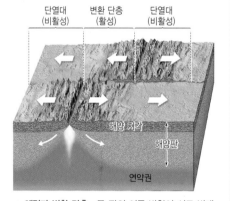

▲ **해령과 변환 단층** 두 판의 이동 방향이 서로 반대인 변환 단층에서는 지진이 자주 발생하지만, 두 판의 이동 방향이 같은 단열대에서는 지진이 거의 발생하지 않는다.

히말라야산맥

히말라야산맥은 과거 남반구에 위치하던 인도 대륙이 북상하여 인도 대륙 앞에 놓여 있던 해양판이 모두 섭입한 뒤에 유라시아 대륙과 충돌하여 만들어졌다.

산안드레아스 단층

미국 캘리포니아에 위치한 단층으로, 총 길이가 남북 방향으로 약 960 km에 달한다. 1906년 샌프란시스코 지진으로 단층의 양쪽 지반이 수평 방향으로 약 7 m 어긋났다.

시야확장 ➕ 변환 단층의 생성 원리

변환 단층은 해령 양쪽 판의 이동 속도 차이에 의해 생성되는데, 그 과정은 다음과 같다.

• 연속적으로 이어져 있던 해령 A−A′의 양쪽에서 해양 지각의 생성 속도 차이로 인해 해양판의 이동 속도가 달라진다.

• 해양판의 이동 속도가 $v_1 > v_2$, $v_3 < v_4$인 경우, 해령이 B−B′을 경계로 갈라지면서 변환 단층이 생성된다.

• B−B′의 양쪽에 위치한 해양판이 서로 다른 방향으로 이동하면서 천발 지진이 발생한다.

2. 맨틀 대류

판 운동은 그 하부의 연약권의 움직임과 밀접한 관련이 있다. 맨틀 내에 존재하는 방사성 동위 원소의 붕괴열과 고온의 핵에서 전달되는 열 등으로 인해 지구 내부로 깊이 들어갈수록 온도가 높아지고, 이로 인해 맨틀의 움직임이 일어난다. 맨틀 대류는 상부 맨틀과 하부 맨틀이 구분되는 층상 대류 모형과 전체 맨틀 대류 모형의 두 가지로 구분할 수 있다. 두 모형 모두 해령에서 새로운 해양 지각이 생성되며 해저가 확장되고 해양판이 해구에서 섭입하는 현상을 설명할 수 있다.

(1) **층상 대류 모형:** 지하 약 660 km를 경계로 상부 맨틀과 하부 맨틀에서 독립적으로 대류가 일어난다는 모형이다. 실제 지구 내부에서 상부 맨틀과 하부 맨틀의 성분이 다르고, 대부분의 해령에서 분출되는 마그마는 상부 맨틀에서 생성된 것으로 확인된다.

(2) **전체 맨틀 대류 모형:** 맨틀과 핵의 경계에서 형성된 상승류가 지표까지 열과 물질을 전달하며, 해구에서 섭입하는 차가운 해양판이 핵과 맨틀의 경계까지 하강하는 맨틀 전체의 대류가 일어난다는 모형이다. 실제 지진파 단층 촬영법으로 맨틀 내부 구조를 연구한 결과, 차가운 해양판이 깊이 660 km의 경계를 지나 맨틀 깊이 들어가는 것이 관찰된다.

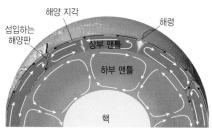

▲ 층상 대류 모형

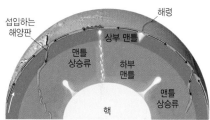

▲ 전체 맨틀 대류 모형

3. 판 이동의 원동력

과거에는 맨틀 대류에 의해 판이 수동적으로 이동한다고 설명하였으나, 판의 움직임에 의해 맨틀 대류가 유도된다는 사실이 밝혀졌다. 판을 움직이게 하는 힘은 다음과 같은 세 가지로 설명할 수 있다.

(1) **섭입하는 판이 잡아당기는 힘:** 해구에서 섭입하는 차갑고 밀도가 큰 해양판이 맨틀 속으로 가라앉으면서 뒤따르는 판을 당긴다는 것이다. 이는 오래된 해양판이 연약권보다 밀도가 크기 때문에 가라앉는 힘으로, 판을 움직이는 주요 원동력에 해당한다.

(2) **해령에서 판이 미끄러지는 힘:** 해령의 높은 부분에 위치한 판이 중력에 의해 해령의 측면을 따라 미끄러지면서 판이 이동하게 되는 힘으로, 섭입하는 판이 잡아당기는 힘보다는 적은 영향을 미친다.

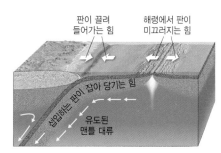

▲ **판을 움직이게 하는 힘** 섭입하는 판이 뒤따르는 판을 잡아당기는 힘과 해령에서 판이 미끄러지는 힘, 해구에서 판이 끌려 들어가는 힘이 있다.

(3) **판이 끌려 들어가는 힘:** 섭입하는 판을 맨틀이 잡아당기는 힘으로, 판의 섭입으로 유도된 맨틀 대류가 근처의 판을 해구 쪽으로 잡아당겨서 판이 끌려 들어간다는 것이다.

판의 운동과 맨틀 대류

판의 운동과 맨틀 대류는 상호 작용한다. 해구에서는 해양판이 다른 판 아래로 섭입하는데, 이때 섭입하는 해양판은 맨틀의 대류를 유발한다. 그 결과 해양판의 가장자리에 해구가 분포하는 판(태평양판)은 해구가 분포하지 않는 판(대서양 중앙 해령 양쪽에 분포하는 해양판들)보다 이동 속도가 빠르다.

③ 열점과 플룸 구조론

판 경계에서 발생하는 지진과 화산 활동은 상부 맨틀의 운동에 의한 판의 이동에 따른 결과로 설명할 수 있다. 그러나 하와이 열도에서 일어나는 화산 활동과 같이 판 내부에서 발생하는 화산 활동은 판의 운동만으로는 설명하기 어렵다. 이를 설명하기 위해 플룸 구조론이 등장하였다.

1. 열점과 화산 활동

(1) 열점: 대부분의 화산 활동은 해령이나 대륙 화산호와 같은 판 경계에서 상부 맨틀의 물질이 용융하여 만들어진 마그마가 분출하며 일어난다. 그런데 하와이섬과 같이 판의 내부에서 일어나는 화산 활동은 상부 맨틀이 대류하면서 일어나는 판의 운동으로 설명할 수 없다. 1960년 윌슨은 지각 하부의 고정된 통로인 플룸(plume)을 따라 마그마가 상승하여 분출하면서 하와이섬이 만들어졌다는 가설을 제시하였고, 이 플룸이 지표면과 만나는 지점을 열점(hot spot)이라고 하였다.

(2) 하와이 열도와 화산 활동

① 하와이 열도와 엠퍼러 해산군의 연령 분포: 하와이 열도는 일렬로 분포하는 여러 개의 화산섬으로 이루어져 있으며, 현재 하와이섬의 킬라우에아 화산에서만 화산 활동이 일어나고 있다. 하와이섬에서 북서쪽으로 갈수록 화산섬의 높이가 낮아지고, 엠퍼러 해산군으로 연결되어 알류샨 해구까지 이어진다. 하와이 열도와 엠퍼러 해산군을 이루는 화산섬의 연령을 분석한 결과, 하와이섬의 연령이 가장 적고 하와이섬에서 북서쪽으로 갈수록 화산섬의 연령이 증가한다.

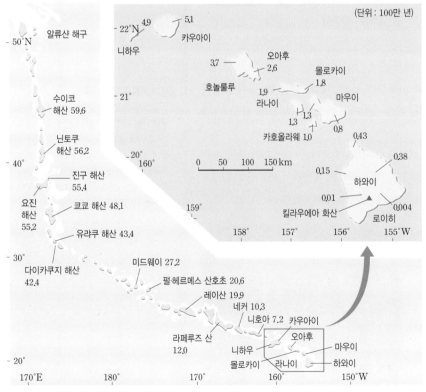

▲ 하와이 열도와 엠퍼러 해산군의 연령

윌슨과 판 구조론

1960년 윌슨이 하와이섬을 방문하고 하와이 열도의 지형적 특징을 설명하기 위해 열점과 플룸이라는 용어를 제시하였다. 1963년 윌슨은 고정된 열점에서 마그마가 상승하여 분출하며 화산섬이 만들어지고 판이 이동하면서 하와이 열도가 생성되었다는 논문을 발표하였고, 1966년에 변환 단층에 관한 논문을 발표하며 판 구조론이 정립되는 데 큰 역할을 하였다.

열도와 해산

열도는 길게 줄지은 모양으로 늘어서 있는 여러 개의 섬을 뜻한다. 해산은 대양저에 높이 약 1000 m 이상으로 솟아 있는 원뿔 모양의 봉우리로, 정상부는 해수면 아래에 있고 평평한 모양이다.

▲ 하와이 킬라우에아 화산의 용암 분출

② 하와이 열도의 생성 과정: 하와이 열도와 엠퍼러 해산군의 연령이 하와이섬에서 멀어질수록 증가하는 것은 고정된 열점에서 생성된 화산섬이 태평양판의 이동에 따라 열점을 벗어나고 열점에서 새로운 화산섬이 생성되었음을 의미한다. 하와이 열도의 가장 남동쪽에 있는 하와이섬에서 현재 킬라우에아 화산이 활동하고 있으므로 열점은 현재 하와이섬 부근 아래에 위치하며, 화산섬의 연령과 화산섬 사이의 거리로부터 태평양판이 약 8.6 cm/년의 속도로 이동하였음을 알 수 있다. 또, 엠퍼러 해산군에서는 약 4300만 년 전에 만들어진 유라쿠 해산을 기준으로 해산의 분포 방향이 바뀌는데, 이는 약 4300만 년 전에 태평양판의 이동 방향이 바뀐 것으로 해석할 수 있다. 이러한 관측 결과를 토대로 하와이섬의 남동쪽 방향에서 새로운 화산섬이 만들어질 것이라고 예측된다.

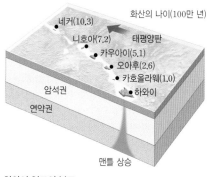

화산의 나이(100만 년)

네커(10.3)
니호아(7.2)
카우아이(5.1)
오아후(2.6)
카호올라웨(1.0)
하와이

태평양판
암석권
연약권
맨틀 상승

하와이 열도의 분포

하와이 부근 판의 이동 속도

▲ 하와이 열도의 분포와 판의 이동 속도

(3) **열점의 분포**: 현재 지구 상에는 약 40여 개의 열점이 분포한다고 알려져 있다. 열점은 하와이섬이나 미국의 옐로스톤과 같이 판의 내부에 존재하는 곳도 있고, 아이슬란드와 같이 판의 발산 경계에 존재하는 것도 있다. 일반적으로 마그마는 지하 약 660 km보다 얕은 상부 맨틀의 물질이 상승하여 생성된다. 그런데 하와이섬을 비롯한 일부 열점에서 생성된 암석의 성분을 분석한 결과, 지하 약 2900 km 깊이의 외핵과 접해 있는 하부 맨틀에서 상승한 마그마에서 만들어졌다는 사실이 밝혀졌다.

아이슬란드
옐로스톤
아조레스
하와이
갈라파고스

● 열점

▲ 열점의 분포

열점과 판의 이동 속도
해령을 중심으로 대칭적으로 분포하는 고지자기 역전 줄무늬로부터 구한 해양판의 이동 속도는 고정된 한 점에 대한 절대 속도가 아닌 인접한 판 사이의 상대 속도를 의미한다. 예를 들어, 대서양 중앙 해령을 기준으로 보면 남아메리카판과 아프리카판이 서로 멀어지고 있는 것으로 관측되지만, 아프리카판을 기준으로 보면 해령이 멀어지는 것으로 관측된다. 따라서 판의 실제 이동 속도를 알기 위해서는 고정된 기준점이 필요하다. 열점은 판의 이동과 관계없이 맨틀과 외핵의 경계에서 상승하는 플룸에 의해 생성되므로, 이를 기준으로 각 판의 실제 이동 속도를 측정할 수 있다. 열점을 기준으로 측정한 아프리카판과 대서양 중앙 해령의 북쪽 경계의 이동 속도는 다른 지역보다 매우 느리며, 거의 이동하지 않는 것으로 나타난다. 이는 이 지역에 열점이 존재하는 것과 부합하는 관측 결과이다.

옐로스톤(Yellowstone) 국립공원
미국 와이오밍주 북서부, 몬태나주 남부와 아이다호주 동부에 걸쳐 있으며, 면적 8990 km², 평균 고도 2440 m의 넓은 화산 지대로 이루어져 있다. 황 성분이 포함된 물에 의해 바위가 누렇기 때문에 옐로스톤이라는 이름이 붙여졌다. 옐로스톤 하부에는 상승하는 맨틀 플룸에 의한 거대한 마그마 방이 분포하는 것으로 추정되며, 약 64만 년 전에 일어난 화산 폭발로 칼데라가 형성되었다.

▲ 옐로스톤 국립공원의 온천

2. 플룸 구조론과 지구 내부의 운동

(1) **플룸 구조론**: 과학자들은 지각 열류량 측정과 지진파 단층 촬영법 등을 통해 맨틀 내부의 움직임을 연구해 왔다. 지진파 단층 촬영법(seismic tomography)은 지진파의 전파 속도를 분석하여 지구 내부의 온도 분포를 영상화 하는 방법으로, 이를 통해 맨틀과 외핵의 경계에서 상승하는 고온의 상승류와 지표면에서 하부 맨틀로 하강하는 저온의 하강류를 발견하였다. 상승하거나 하강하는 맨틀 물질 덩어리를 플룸(plume)이라 하고, 플룸에 의한 구조 운동을 플룸 구조론이라고 한다. 이때 상승하는 플룸을 뜨거운 플룸이라 하고, 하강하는 플룸을 차가운 플룸이라고 한다.

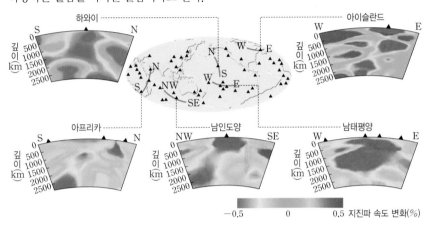

▲ **지진파 단층 촬영법으로 영상화 한 지구 내부의 온도 분포**

지진파의 속도 변화와 맨틀의 온도 분포
지진파의 속도는 매질의 온도가 높은 부분에서 느려지고, 온도가 낮은 부분에서는 빨라진다. 지진파 단층 촬영법으로 분석한 맨틀의 지진파 속도 변화가 (−)의 값인 부분은 맨틀 물질의 온도가 주변에 비해 상대적으로 높은 부분을 나타내고, (+)의 값인 부분은 맨틀 물질의 온도가 상대적으로 낮은 부분을 나타낸다.

① **플룸의 상승과 하강**: 뜨거운 플룸이 상승하여 지표면과 만나는 곳에서 마그마가 분출하며 화산 활동이 일어나는데, 이곳이 열점에 해당한다. 뜨거운 플룸은 주변의 맨틀 물질보다 밀도가 작아서 상승하는 것이며, 그 윗부분은 버섯처럼 둥근 모양이고 아랫부분은 줄기처럼 늘어난 모양이다. 차가운 플룸은 섭입대에서 판이 섭입하며 생성되는데, 해양판이 다른 판 아래로 섭입하여 하강하다가 상부 맨틀과 하부 맨틀의 경계에 이르면 판의 밀도가 하부 맨틀보다 작아서 더 이상 하강하지 못하고 경계면에 쌓인다. 섭입하는 판을 이루는 물질이 경계면에 쌓여서 거대한 덩어리를 이루다가 한계에 이르면 가라앉으면서 차가운 플룸이 생성된다. 차가운 플룸이 맨틀과 외핵의 경계에 도달하면 경계면의 온도 구조가 교란되며 맨틀 물질의 일부가 상승하며 뜨거운 플룸이 만들어진다고 알려져 있다.

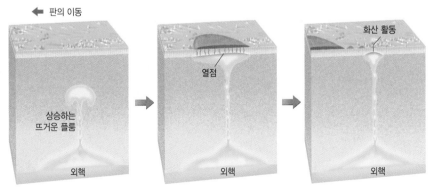

▲ **뜨거운 플룸의 상승과 열점의 형성** 외핵과 맨틀의 경계에서 생성된 뜨거운 플룸이 상승하여 지표 부근에서 열점을 형성하며, 고정된 열점에 대해 판이 이동하면서 지표에서 화산 활동이 일어나는 위치가 상대적으로 변화한다.

② **거대한 플룸 운동**: 현재까지의 연구 결과에 따르면, 지구 내부에는 2개~3개의 거대한 플룸, 즉 슈퍼 플룸(superplume)이 존재한다. 아프리카 대륙과 남태평양의 하부에 거대한 상승류가 있어서 외핵과 접해 있는 하부 맨틀 물질이 지표까지 상승하고 있으며, 아시아 대륙의 하부에서는 거대한 차가운 플룸이 하강하고 있는 것이 밝혀졌다. 거대한 뜨거운 플룸은 과거에 존재했던 초대륙을 분리시키는 역할을 하였을 것으로 추정하고 있다.

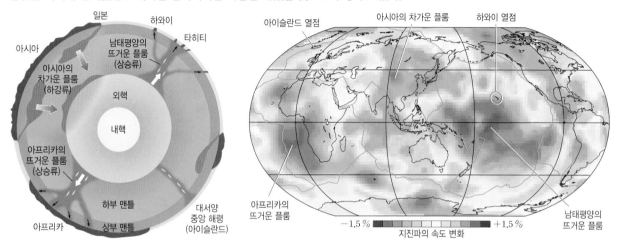

▲ 지구 내부의 플룸 운동 　　　　　　　▲ 외핵과의 경계 부근(깊이 약 2900 km)의 하부 맨틀의 온도 분포

(2) **상부 맨틀의 운동과 플룸 운동**: 판 구조론이 정립되면서 지구 표면을 이루는 판의 운동을 상부 맨틀의 운동으로 이해하게 되었다. 플룸 구조론에서는 맨틀과 외핵의 경계에서 상승하는 뜨거운 플룸의 활동을 통해 열점의 형성과 맨틀 전체 규모의 지구 내부 움직임을 설명한다. 이처럼 판의 운동과 플룸의 운동은 독립된 것이 아니고 서로 연관되어서 일어난다. 즉, 판 구조론이 판이 섭입하기 전까지 지표면에서 발생하는 판의 운동을 설명하고, 플룸 구조론은 판이 섭입하면서부터의 맨틀의 운동과 보다 큰 규모의 지구 내부 운동을 포함하여 판 구조 운동의 근본적인 원동력을 설명한다고 할 수 있다.

시야확장 ➕　우리나라 주변 지하의 온도 분포

지진파 단층 촬영법으로 한반도 주변 지하의 온도 분포를 분석하면, 지진파의 속도가 빨라지는 부분, 즉 온도가 낮은 부분을 확인할 수 있다. 이는 과거에 일본 해구에서 섭입한 태평양판이 상부 맨틀과 하부 맨틀의 경계에 쌓여 있는 것으로, 아시아의 차가운 플룸을 나타낸다.

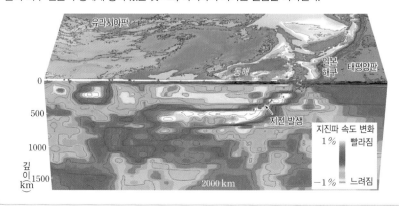

지진파 단층 촬영법

X−선이나 초음파로 사람의 몸속을 살펴보는 것과 같이 지진파를 통해 지구 내부의 정보를 알아낼 수 있다. 또 뇌의 단면 구조를 영상으로 나타내는 컴퓨터 단층 촬영법(CT)처럼 지구 내부 구조의 단면을 영상으로 나타낼 수 있다.

❶ 지진파 단층 촬영법

지구의 반지름은 6400 km에 이르지만, 시추를 통해서는 수 km 깊이까지만 시료를 채취할 수 있다. 지구 내부가 지각, 맨틀, 핵으로 이루어져 있으며, 핵은 액체 상태의 외핵과 고체 상태의 내핵으로 구성되었다는 사실은 지진파를 통해서 알아낸 것이다. 대규모의 지진이 발생하면 전 세계의 지진 관측소에서 지진파의 세밀한 진동을 감지할 수 있다. 지진파의 속도는 매질의 온도가 높은 부분에서 느려지고, 온도가 낮은 부분에서는 빠르게 나타나는데, 이와 같은 원리를 이용하여 지구 내부의 온도 분포를 영상화 한 것이 지진파 단층 촬영법(seismic tomography)이다. 맨틀의 지진파 단층 촬영 영상을 분석한 결과, 외핵과의 경계와 접해 있는 하부 맨틀에서 상승하는 뜨거운 플룸이 관측되었다. 또 해구의 섭입대 부분의 지진파 단층 촬영 영상을 분석하면 섭입하는 해양판이 쌓여 있다가 하강하는 차가운 플룸이 발견된다. 이렇게 지진파 단층 촬영법을 통해 알아낸 플룸의 상승과 하강은 맨틀 전체 규모의 운동을 보여주는 중요한 증거이다.

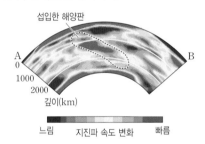

□ **지진파 단층 촬영법의 의의**
컴퓨터가 발달하면서 많은 양의 지진파 자료를 다룰 수 있게 되었고, 지구 내부의 온도 분포를 단층 촬영을 하듯 영상으로 나타낼 수 있게 되었다. 이러한 지진파 단층 촬영법을 통해 얻은 결과로 맨틀 전체 규모의 운동을 파악하였고, 판 구조론은 자연스럽게 플룸 구조론이라는 새로운 이름의 개념으로 확장되었다.

❷ 지구 내부의 3차원 구조

지진파 단층 촬영법이 점차 발달하며 최근에는 깊이 2900 km까지의 맨틀의 온도 분포를 나타내는 3차원 구조 지도를 만드는 연구가 진행되고 있다. 이렇게 맨틀 전체의 3차원 구조 지도가 완성되면 지진이나 화산 활동을 예측하는 데 도움이 될 것으로 예상된다.

▲ **지구 내부의 3차원 구조** 노란색~붉은색 부분은 지진파 속도가 빠른 곳을, 초록색~파란색 부분은 지진파 속도가 느린 곳을 나타낸다.

02 대륙 분포의 변화와 판 이동의 원동력

① 고지자기 변화와 대륙 이동 복원

1 **지구 자기장** 지구는 하나의 커다란 자석과 같은 성질을 띠고 있으며, 지구 자기장의 요소 중 나침반의 자침이 수평면과 이루는 각을 (**❶**   )이라 하고, 나침반의 자침이 지리상 북극과 이루는 각을 (**❷**   )이라 한다.

2 **고지자기의 변화와 대륙의 이동** 어떤 암석에서 측정한 고지자기의 (**❸**   )으로부터 그 암석이 만들어질 당시에 지리상 북극에 대해 어느 방향으로 향하고 있었는지를 알 수 있고, 복각으로부터는 그 암석이 생성될 당시에 (**❹**   )과 얼마나 떨어져 있었는지를 알 수 있다.

3 **대륙 이동의 복원** 선캄브리아 시대의 초대륙 (**❺**   )는 약 6억 년 전부터 곤드와나와 작은 대륙들로 갈라졌고, 고생대에 초대륙 (**❻**   )가 형성되어 중생대에 갈라졌으며, 신생대에 현재의 대륙 분포를 이루었다.

4 **초대륙의 형성과 분리** 초대륙이 형성되고 분열하여 이동하다가 다시 초대륙이 형성되는 과정이 주기적으로 반복되는데, 약 3억 년~5억 년에 해당하는 이 주기를 (**❼**   )라고 한다.

② 판 구조 운동과 맨틀 대류

1 **판의 운동과 지각 변동**

• 두 판이 멀어지는 경계를 (**❽**   )라 하며, 해양판과 해양판이 멀어지는 경계에는 해령이 형성되고, 대륙판과 대륙판이 분리되는 경계에는 (**❾**   )가 형성된다.

• 두 판이 서로 가까워지는 경계를 (**❿**   )라 하며, 해양판과 해양판이 수렴하는 경계에서는 해구와 (**⓫**   )가 형성되고 지진과 화산 활동이 일어난다. 대륙판과 해양판이 수렴하는 경계에서는 (**⓬**   )이 섭입하며 지진과 화산 활동이 일어난다. 대륙판과 대륙판이 충돌하는 경계에서는 (**⓭**   )이 형성된다.

• 판이 생성되거나 소멸되지 않는 판 경계를 (**⓮**   )라 하며, 두 판이 서로 반대 방향으로 움직이면서 (**⓯**   )이 형성된다.

2 **판 이동의 원동력** 현재 맨틀 대류를 설명하는 모형은 층상 대류 모형과 전체 맨틀 대류 모형의 두 가지가 있으며, 과거에는 맨틀 대류에 의해 판이 수동적으로 이동한다고 설명하였으나 최근에는 판의 움직임에 의해 (**⓰**   )가 유도된다는 사실이 밝혀졌다.

③ 열점과 플룸 구조론

1 **열점과 화산 활동** 하와이 열도는 고정된 (**⓱**   )에서 형성된 화산섬이 태평양판이 이동함에 따라 열점을 벗어나 배열된 것이다.

2 **플룸 구조론과 지구 내부의 운동** 상승하거나 하강하는 맨틀 물질 덩어리를 플룸이라 하고, 상승하는 플룸을 (**⓲**   ), 하강하는 플룸을 (**⓳**   )이라고 한다.

01 지구 자기장에 대한 설명으로 옳은 것만을 보기에서 있는 대로 고르시오.

보기
ㄱ. 현재 지리상 북극과 지자기 북극은 일치하지 않는다.
ㄴ. 나침반의 자침이 수평면과 이루는 각을 편각이라고 한다.
ㄷ. 나침반의 자침이 지리상 북극과 이루는 각을 복각이라고 한다.

02 지질 시대 동안의 대륙 분포에 관한 설명으로 옳은 것은 ○, 옳지 <u>않은</u> 것은 ×로 표시하시오.

(1) 로디니아와 판게아는 모두 선캄브리아 시대에 분포했던 초대륙이다. ………………………………… (　)
(2) 판게아는 북반구의 로라시아와 남반구의 곤드와나로 이루어져 있었다. …………………………… (　)
(3) 인도 대륙은 약 5000만 년 전 오스트레일리아 대륙에서 분리되어 북상하기 시작하였다. …………… (　)

03 그림은 주요 판의 경계와 상대적인 이동 방향을 나타낸 것이다.

각 질문에 해당하는 것을 A~D에서 골라 기호를 쓰시오.

(1) 판의 보존 경계에 해당하는 곳은 어디인가?
(2) 판의 수렴 경계로서 해구가 발달한 곳은 어디인가?
(3) 판의 발산 경계로서 해령이 발달한 곳은 어디인가?

04 그림은 판 경계의 내부 구조를 모식적으로 나타낸 것이다.

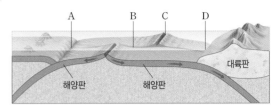

A~D에 관한 설명으로 옳은 것만을 보기에서 있는 대로 고르시오.

보기
ㄱ. A에는 해구가 발달해 있다.
ㄴ. B에서는 화산 활동이 일어난다.
ㄷ. C에서는 심발 지진이 자주 발생한다.
ㄹ. C에서 D로 갈수록 해양 지각의 연령이 감소한다.

05 그림은 하와이 열도의 위치를 나타낸 것이다.

이에 대한 설명으로 옳은 것만을 보기에서 있는 대로 고르시오.

보기
ㄱ. 하와이섬은 열점 위에 위치한다.
ㄴ. 하와이섬에서 북서쪽으로 갈수록 화산섬의 연령이 증가한다.
ㄷ. 태평양판이 이동함에 따라 하와이섬의 남동쪽에 새로운 화산섬이 만들어질 것으로 예측된다.

06 플룸 구조론에 대한 설명으로 옳은 것만을 보기에서 있는 대로 고르시오.

보기
ㄱ. 맨틀 대류는 상부 맨틀에서만 일어난다.
ㄴ. 현재 아시아 대륙 하부에 차가운 플룸이 분포한다.
ㄷ. 대규모의 뜨거운 플룸은 대륙을 분열시킬 수 있다.

01 ▷대륙 이동의 증거

그림 (가)는 북아메리카와 유라시아 대륙에서 측정한 고지자기 북극의 이동 경로를, (나)는 두 대륙에서 측정한 자극의 이동 경로를 일치시켰을 때의 대륙 분포를 나타낸 것이다.

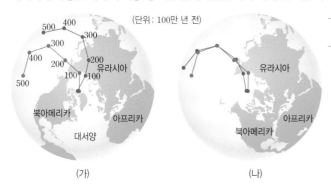

(가)   (나)

— 유라시아 대륙에서 측정한 자극의 이동 경로
— 북아메리카 대륙에서 측정한 자극의 이동 경로

• 각 지질 시대의 지층에 존재하는 잔류 자기를 측정하여 과거의 자극 이동 경로를 추정할 수 있다.

이에 대한 설명으로 옳은 것만을 보기에서 있는 대로 고른 것은?

보기
ㄱ. 과거에 두 개의 지자기 북극이 존재하였다.
ㄴ. (가)와 (나)를 통해 대륙이 이동하였음을 알 수 있다.
ㄷ. 북아메리카 대륙에 분포하는 습곡 산맥이 유라시아 대륙에 연속적으로 분포할 수 있다.

① ㄱ   ② ㄴ   ③ ㄱ, ㄷ   ④ ㄴ, ㄷ   ⑤ ㄱ, ㄴ, ㄷ

02 ▷고지자기의 변화와 대륙의 이동

표는 광물의 잔류 자기를 측정하여 알아낸 인도 대륙의 복각 변화를 나타낸 것이다.

• 암석에 기록된 잔류 자기에서 측정한 고지자기의 복각 변화는 지자기 역전 또는 대륙의 이동을 의미한다.

시기(만 년 전)	7100	5500	3800	1000	현재
복각	$-49°$	$-21°$	$+6°$	$+30°$	$+36°$

이에 대한 설명으로 옳은 것만을 보기에서 있는 대로 고른 것은?

보기
ㄱ. 고지자기 복각으로 당시의 위도를 추정할 수 있다.
ㄴ. 약 7100만 년 전에 인도 대륙은 남반구에 위치하였다.
ㄷ. 인도 대륙의 이동은 약 1000만 년 전에 종료되었다.

① ㄱ   ② ㄷ   ③ ㄱ, ㄴ   ④ ㄴ, ㄷ   ⑤ ㄱ, ㄴ, ㄷ

03 　❯ 대륙 이동의 복원
그림 (가)와 (나)는 서로 다른 지질 시대의 대륙 분포를 나타낸 것이다.

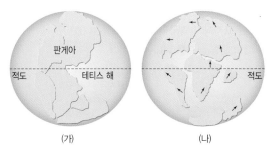

(가)　　　　　　　　(나)

대륙 분포가 (가)에서 (나)로 변하는 동안 지구 상에서 일어난 변화로 옳은 것만을 보기에서 있는 대로 고른 것은?

> 보기
> ㄱ. 테티스 해의 넓이가 감소하였다.
> ㄴ. 곤드와나 대륙에서 인도 대륙이 북상하였다.
> ㄷ. 대륙의 면적이 감소하고, 해안선 길이가 짧아졌다.

① ㄱ　　　　② ㄷ　　　　③ ㄱ, ㄴ　　　　④ ㄴ, ㄷ　　　　⑤ ㄱ, ㄴ, ㄷ

• 초대륙 판게아는 고생대 후기에 형성되어 중생대 전기에 분리되었으며, 판게아는 북반구의 로라시아와 남반구의 곤드와나로 이루어져 있었다.

04 　❯ 발산 경계의 생성
그림은 대륙 내부에서 발산 경계가 만들어지는 초기 과정을 나타낸 것이다.

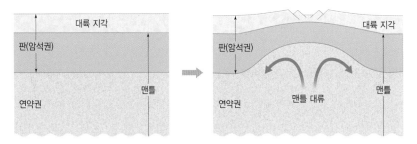

이에 대한 설명으로 옳은 것만을 보기에서 있는 대로 고른 것은?

> 보기
> ㄱ. 대륙 지각이 얇아진 곳에 열곡이 형성된다.
> ㄴ. 열곡에서 맨틀 물질이 상승하여 새로운 해양 지각이 만들어진다.
> ㄷ. 동아프리카 열곡대는 현재 이러한 과정이 일어나고 있는 지역에 해당한다.

① ㄱ　　　　② ㄴ　　　　③ ㄱ, ㄷ　　　　④ ㄴ, ㄷ　　　　⑤ ㄱ, ㄴ, ㄷ

• 대륙 내부에서 대륙판이 분리되는 경계에 형성된 길쭉한 함몰 지형을 대륙 열곡대라고 한다.

> 판의 수렴 경계
05 그림 (가)는 두 해양판이 수렴하는 지역의 단면을, (나)는 두 대륙판이 수렴하는 지역의 단면을 나타낸 것이다.

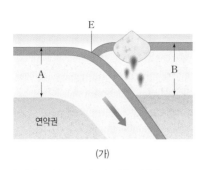 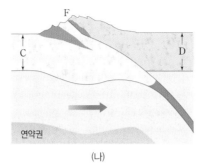

(가) (나)

이에 대한 설명으로 옳지 <u>않은</u> 것은?

① (가)의 E 지역에는 해구가 발달한다.

② (나)의 F 지역에는 습곡 산맥이 발달한다.

③ (나)보다는 (가)에서 화산 활동이 활발하다.

④ (가)에서 판 A의 밀도는 판 B의 밀도보다 크다.

⑤ (나)에서 지각 C는 지각 D 아래로 섭입하여 연약권으로 하강한다.

- 두 판이 수렴하는 경우, 판의 밀도가 연약권의 밀도보다 클 경우에만 맨틀 속으로 섭입하여 하강할 수 있다.

> 판 경계와 지각 변동
06 그림은 판 경계를 모식적으로 나타낸 것이다.

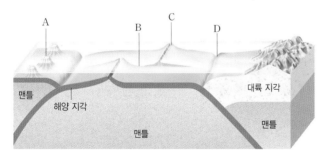

이에 대한 설명으로 옳은 것만을 보기에서 있는 대로 고른 것은?

보기
ㄱ. A에서는 화산 활동이 활발하게 일어난다.

ㄴ. B에서는 화산 활동과 지진이 활발하게 일어난다.

ㄷ. C와 D 부근에서는 천발 지진부터 심발 지진까지 발생한다.

① ㄱ   ② ㄴ   ③ ㄱ, ㄷ   ④ ㄴ, ㄷ   ⑤ ㄱ, ㄴ, ㄷ

- 해양판과 해양판이 수렴하는 경계에서는 호상 열도가 형성되고, 대륙판과 해양판이 수렴하는 경계에서는 대륙 화산호가 형성된다.

고난도

07 ▶ 아시아 부근 판의 경계

그림은 아시아 부근의 판 경계와 상대적인 이동 방향을 나타낸 것이다.

이에 대한 설명으로 옳은 것만을 보기에서 있는 대로 고른 것은?

- A는 히말라야산맥, B는 일본 해구, C는 마리아나 해구, D는 자바 해구이다. 해구는 해양판과 대륙판이 수렴하는 경계 또는 해양판과 해양판이 수렴하는 경계에 발달한 지형이다.

┌─ 보기 ─────────────────────────────
ㄱ. A~D 지역 모두 수렴 경계에 속한다.
ㄴ. 태평양판은 필리핀판보다 밀도가 작다.
ㄷ. A~D 지역에서는 모두 지진과 화산 활동이 활발하게 일어난다.
ㄹ. A 지역에는 습곡 산맥이 발달하고, B~D 지역에는 해구가 발달한다.
└────────────────────────────────

① ㄱ, ㄴ 　② ㄱ, ㄹ 　③ ㄴ, ㄷ 　④ ㄴ, ㄹ 　⑤ ㄷ, ㄹ

08 ▶ 동아프리카 부근 판의 경계

그림은 동아프리카 부근의 판 경계와 상대적인 이동 방향을 나타낸 것이다.

이에 대한 설명으로 옳지 않은 것은?

① A의 바다는 점차 넓어질 것이다.
② B를 경계로 동아프리카는 분리될 것이다.
③ A~C에서는 모두 천발 지진이 발생한다.
④ A~C의 하부에서는 맨틀 대류가 상승한다.
⑤ 북아메리카의 산안드레아스 단층은 B와 같은 종류의 판 경계이다.

- A~C는 모두 판의 발산 경계에 해당한다. 동아프리카 열곡대를 경계로 동아프리카는 분리될 것이다. 산안드레아스 단층은 미국 서부에 있는 변환 단층이다.

09 ❯ 열점과 태평양판의 이동

다음은 하와이 열도와 엠퍼러 해산군의 분포에 관련된 자료이다.

> • 현재 화산 활동은 주로 하와이섬에서 일어나고 있다.
> • 하와이섬으로부터 멀어질수록 화산섬의 연령이 증가한다.
> • 미드웨이섬은 약 2700만 년 전에 형성되었다.
> • 하와이섬에서 미드웨이섬까지 거리는 약 2700 km이다.

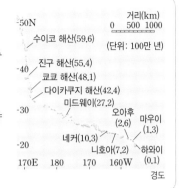

• 하와이섬은 태평양판의 내부에 위치하면서 화산 활동이 일어나는 열점에 해당한다.

이에 대한 설명으로 옳은 것만을 보기에서 있는 대로 고른 것은?

> **보기**
> ㄱ. 새로운 화산섬은 하와이섬의 북서쪽에 위치할 것이다.
> ㄴ. 태평양판의 이동 방향은 약 4200만 년 전에 바뀌었다.
> ㄷ. 약 2700만 년 전부터 현재까지 태평양판의 평균 이동 속도는 약 10 cm/년이다.

① ㄱ   ② ㄴ   ③ ㄱ, ㄷ   ④ ㄴ, ㄷ   ⑤ ㄱ, ㄴ, ㄷ

10 ❯ 플룸 구조론

그림은 지구 내부의 플룸 운동을 나타낸 것이다. 이에 대한 설명으로 옳지 않은 것은?

① 뜨거운 플룸은 맨틀과 외핵의 경계부에서 생성된다.

② 플룸 구조론은 하부 맨틀의 대류 운동만을 설명한다.

③ 차가운 플룸은 하부 맨틀까지 하강하여 뜨거운 플룸의 생성을 유발한다.

④ 현재 하와이섬은 뜨거운 플룸의 상승으로 생성된 열점에 위치한다.

⑤ 플룸 구조론은 판의 운동과 관계있는 지구 내부 구조 운동을 설명한다.

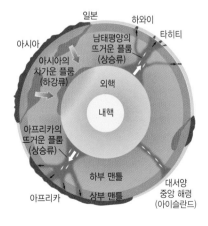

• 플룸 구조론으로 열점의 생성을 설명할 수 있다. 플룸은 상승하는 뜨거운 플룸과 하강하는 차가운 플룸으로 되어 있다.

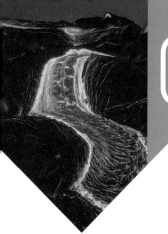

03 변동대와 화성암

학습 Point   마그마의 생성   >   화성암의 구분   >   우리나라의 화성암 지형

1 변동대에서의 마그마 생성

지권을 구성하는 암석의 약 30 %를 차지하는 화성암은 마그마로부터 만들어진다. 마그마는 주로 변동대에서 생성되며, 그 종류가 다양하여 여러 가지 화성암을 만들고, 마그마가 분출하며 일어나는 화산 활동의 양상도 다르게 나타난다.

1. 마그마의 분출

마그마는 지하 깊은 곳의 암석이 용융된 물질로, 가스나 암석 조각 등을 포함하기도 한다. 지하에서 마그마가 생성되면 주변의 암석 물질보다 밀도가 작아서 지표 쪽으로 상승한다. 용암은 마그마가 지표로 분출하여 기체 성분이 빠져나간 상태의 물질이다.

⑴ **마그마의 종류**: 마그마는 SiO_2의 함량에 따라 현무암질 마그마, 안산암질 마그마, 유문암질 마그마로 구분한다.

① 현무암질 마그마: SiO_2 함량이 적고 온도가 높으며 점성이 작고 유동성이 큰 성질을 가진 마그마로, 대표적으로 해령과 열점에서 생성된다. 현무암질 마그마가 식어서 굳은 암석으로는 현무암, 반려암 등이 있다.

② 안산암질 마그마: 현무암질 마그마와 유문암질 마그마의 중간 정도의 성질을 갖는 마그마로, 주로 섭입대에서 생성된다. 안산암질 마그마가 식어서 굳은 암석으로는 안산암, 섬록암 등이 있다.

③ 유문암질 마그마: 현무암질 마그마에 비해 SiO_2 함량이 많고 온도가 낮으며 점성이 크고 유동성이 작은 성질을 가진 마그마로, 현무암질 마그마나 안산암질 마그마의 결정 분화 작용 또는 지각 하부 암석의 부분 용융 등의 과정으로 생성된다. 유문암질 마그마가 식어서 굳은 암석으로는 유문암, 화강암 등이 있다.

⑵ **용암의 성질에 따른 화산의 형태**: 화산의 분출 형태나 화산체의 모양은 용암의 성질에 따라 다르게 나타난다.

① 현무암질 용암: 현무암질 용암은 온도가 높고 점성이 작으며 유동성이 커서 조용히 분출하여 경사가 완만한 순상 화산이나 용암 대지를 만든다.

▲ 순상 화산

② 유문암질 용암: 유문암질 용암은 온도가 낮고 유동성이 작으며 점성이 크고, 휘발성 성분이 많아서 폭발적으로 분출하여 경사가 급한 종상 화산이나 용암 돔을 만든다.

▲ 종상 화산

변동대와 순상지

변동대는 지진과 화산 활동, 조산 운동 등 지각 변동이 활발하게 발생하는 지역을 말하며, 습곡 산맥이 형성되었거나 형성되고 있는 조산대, 화산 활동이 활발하게 일어나는 화산대, 지진이 자주 발생하는 지진대 등이 이에 해당한다. 이러한 변동대는 대체로 판의 경계부와 일치하며, 마그마의 상승과 분출에 따른 화산 활동이 일어나는 지역에서는 화성암이 생성된다. 이에 비해 순상지는 고생대 이후 지각 변동을 거의 받지 않은 안정한 지역으로, 주로 대륙의 중앙부에 위치한다. 순상지는 오랜 침식 작용에 의해 넓고 평탄한 지형을 이루며, 지진과 화산 활동이 거의 일어나지 않는다.

마그마의 결정 분화 작용

마그마가 냉각되기 시작하면 고온에서 정출되는 광물들부터 순서대로 정출되어 차례로 결정화된다. 이렇게 마그마의 화학 성분이 점차 변하는 과정을 결정 분화 작용이라고 한다. 예를 들어, 고온의 현무암질 마그마가 냉각되기 시작하면 용융점이 높은 감람석, 휘석 등이 먼저 정출된다. 이 광물들은 마그마의 잔액보다 비중이 크므로 밑으로 가라앉는다. 따라서 마그마 잔액은 처음의 현무암질 마그마와 조성이 달라져서 안산암질 마그마가 된다. 이와 같이 몇 종류의 광물이 만들어지고 유문암질 마그마가 되며 마지막에는 열수 용액만 남는다.

2. 마그마의 생성 조건

집중 분석 054쪽

마그마는 지각 하부나 상부 맨틀의 물질이 용융되어 만들어진다. 정상적인 상태에서는 지하로 깊이 들어갈수록 온도가 높아지지만 압력도 함께 높아지기 때문에 암석의 용융점 역시 상승한다. 즉, 지하에서 마그마가 생성되려면 온도가 그곳에 존재하는 암석의 용융점보다 높아야 하는데, 맨틀 물질의 용융점은 같은 깊이에서의 지구 내부 온도보다 높기 때문에 지하의 맨틀은 고체 상태로 존재하며 정상적인 상태에서는 마그마가 생성되기 어렵다. 따라서 마그마가 생성되려면 압력이 낮아지거나, 온도가 높아지거나, 맨틀 물질에 물이 공급되어 용융점이 낮아져야 한다.

⑴ **압력 감소에 따른 마그마의 생성**: 지구 내부의 맨틀 물질은 고체 상태인데, 이 맨틀 물질이 상승하여 압력이 낮아지면 맨틀의 용융 곡선과 만나 현무암질 마그마가 만들어진다(A→A′). 이와 같은 과정으로 해령의 하부에서 맨틀 물질이 상승하여 부분 용융이 일어나 마그마가 생성된다.

⑵ **물의 공급을 통한 용융점 하강에 따른 마그마 생성**: 물이 포함된 맨틀 물질은 물이 포함되지 않은 맨틀 물질보다 용융점이 낮다. 해구에서 해양판이 섭입할 때 해양 지각과 해양 퇴적물에 포함된 물이 지하의 맨틀에 공급되면 맨틀 물질의 용융점이 낮아져서 같은 온도와 압력 조건에서도 용융하여 현무암질 마그마가 생성된다(A→C).

⑶ **온도 상승에 따른 마그마의 생성**: 대륙 지각을 구성하는 화강암은 물을 포함하고 있으며, 물이 포함된 화강암의 용융점은 지하로 내려갈수록 낮아진다. 섭입대에서 생성된 마그마가 상승하여 대륙 지각 하부에 도달하면 화강암질 암석으로 이루어진 대륙 지각이 가열되어 그 온도가 상승하고, 물을 포함한 화강암의 용융 곡선과 만나 유문암질 마그마가 생성된다(B→B′).

부분 용융(partial melting)

2가지 이상의 물질이 섞여 있는 혼합물은 불규칙한 녹는점을 가지는데, 지구 내부에는 다양한 암석이 존재하므로 마그마는 2가지 이상의 물질이 섞여 있는 혼합물이다. 따라서 마그마가 생성될 수 있는 환경이 조성되어 암석이 용융될 때 일부 광물은 용융되고 일부는 결정 상태로 남아 있게 되며, 이를 부분 용융이라고 한다. 부분 용융으로 인해 용융된 물질의 성분은 원래 암석의 성분과는 차이를 보이며, 이렇게 만들어진 마그마는 주변의 암석보다 밀도가 낮아서 상승한다.

암석의 용융 시 휘발성 성분의 역할

암석 물질에 물(또는 수증기) 등의 휘발성 성분이 포함되면 용융점이 낮아진다. 순수한 물(H_2O)은 1기압에서 0°C에 얼지만, 소금이 섞여 있는 바닷물은 −5°C에도 잘 얼지 않는다. 즉, 순수한 물보다 소금물의 녹는점(어는점)이 낮다. 이와 마찬가지로 여러 광물이 섞여 있는 암석의 용융점(녹는점)도 단일 광물의 용융점보다 낮고, 암석에 물이나 이산화 탄소와 같은 휘발성 성분이 추가되면 용융점이 더욱 낮아진다. 실험적 연구 결과, 암석에 물이 단지 0.1%만 첨가되어도 용융점이 약 100°C 낮아진다.

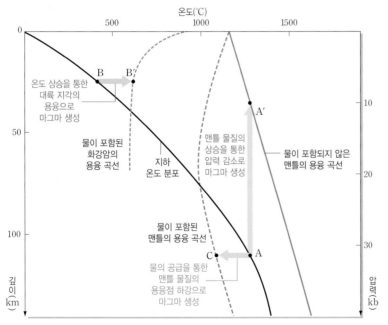

▲ **지구 내부의 깊이에 따른 온도와 압력 분포와 암석의 용융 곡선** A → A′은 맨틀 물질의 상승을 통한 압력 감소로 마그마가 생성되는 과정을, A → C는 물의 공급을 통한 용융점 하강으로 마그마가 생성되는 과정을, B → B′은 온도 상승으로 마그마가 생성되는 과정을 나타낸다.

3. 마그마의 생성 장소

마그마는 주로 판의 발산 경계와 수렴 경계의 섭입대에서 생성되고, 판 내부의 열점에서도 생성된다. 각각의 장소에서 압력이 낮아지거나, 온도가 높아지거나, 물이 공급되어 용융점이 낮아질 때 마그마가 만들어진다.

(1) **발산 경계에서 생성되는 마그마:** 판의 발산 경계인 해령과 대륙 열곡대의 하부에서 맨틀 물질이 상승하면 압력이 감소하므로 맨틀의 용융 곡선과 만나 맨틀 물질이 부분 용융하여 현무암질 마그마가 생성된다.

(2) **섭입대에서 생성되는 마그마:** 판의 수렴 경계인 해구 부근의 섭입대에서는 맨틀 물질이 용융하여 현무암질 마그마가 생성되고, 이 마그마가 상승하는 과정에서 지각의 물질과 반응하여 유문암질(화강암질) 마그마 및 안산암질 마그마가 생성된다.

① 현무암질 마그마의 생성: 섭입대에서 해양판이 섭입하면 지하로 내려갈수록 온도와 압력이 높아지고, 약 100 km~150 km 깊이에 이르면 해양 지각에 포함된 함수 광물에서 물이 빠져나온다. 이 물이 섭입하는 판 위에 놓인 맨틀로 유입되면 맨틀 물질의 용융점이 낮아져서 용융하여 현무암질 마그마가 생성된다.

② 유문암질 마그마의 생성: 섭입하는 판 위에 대륙판이 놓여 있는 경우, 섭입하는 판 상부의 맨틀에서 생성된 현무암질 마그마가 상승하여 대륙 지각 하부에 고이며 대륙 지각을 가열하고, 대륙 지각 물질의 온도가 높아져서 용융하여 유문암질 마그마가 생성된다.

③ 안산암질 마그마의 생성: 안산암질 마그마는 섭입대에서 현무암질 마그마와 유문암질 마그마가 섞여서 만들어지거나, 현무암질 마그마가 상승하며 냉각되는 과정에서 마그마의 조성이 변화하여 생성되는 등의 다양하고 복잡한 과정을 통해 생성된다. 섭입대의 일본 열도와 같은 호상 열도와 안데스산맥은 안산암질 마그마가 분출하여 만들어진 지형이다.

섭입대에서 맨틀의 용융

섭입대에서 판이 섭입하면서 생긴 마찰열로는 지각을 이루는 암석이 용융되지 않는다. 대부분 섭입하는 판 위에 놓인 맨틀이 부분 용융하여 마그마가 생성되며, 해양 지각이나 해양 퇴적물이 직접 용융되는 경우는 극히 일부에 불과하다.

함수 광물

결합 구조 내에 수산화 이온(OH^-)을 포함하고 있는 광물로, 가열하면 물(H_2O)이 빠져나온다. 대표적인 함수 광물로는 각섬석이나 운모 등이 있다. 섭입대에서 섭입하는 해양 지각이 약 100 km~150 km 깊이까지 하강하여 가열되면 해양 지각에 포함된 각섬석에서 물이 빠져나와 맨틀에 공급되어 맨틀 물질의 부분 용융이 일어난다.

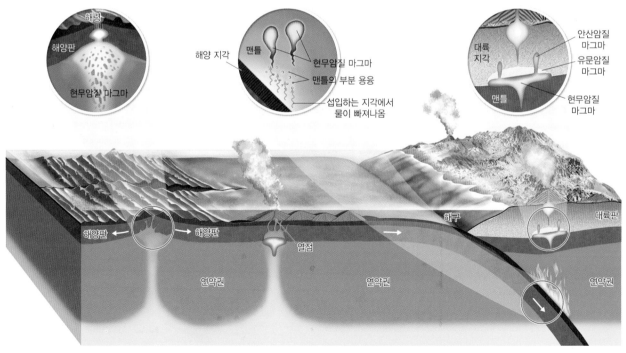

▲ **마그마의 종류와 생성 장소** 마그마의 생성 장소는 크게 판의 발산 경계, 수렴 경계의 섭입대, 판의 내부인 열점으로 구분할 수 있다.

(3) **열점에서 생성되는 마그마:** 열점은 판 내부에서 뜨거운 플룸이 상승하는 곳으로, 맨틀 물질이 상승하면서 압력이 감소하여 부분 용융하고, 그 결과 현무암질 마그마가 만들어진다. 플룸은 외핵과 맨틀의 경계에서 기원하기도 하는데, 하부 맨틀에서 상승한 플룸으로부터 만들어진 마그마는 해령 하부에서 만들어진 현무암질 마그마보다 온도가 높다.

시야확장 ➕ 안산암

안산암(andesite)의 어원은 안데스산맥에서 산출되는 화산암이라는 뜻이다. 안산암은 주로 섭입대에서 산출되며, 호상 열도를 이루는 주된 암석이다. 태평양 주변부에서 해구와 평행한 선을 경계로 태평양 쪽에는 주로 현무암으로 이루어진 순상 화산이, 경계선 부근에는 주로 안산암으로 이루어진 성층 화산이 분포하는데, 이 선을 안산암선이라고 한다.

▲ 해구와 안산암선의 분포

안산암(andesite)
화산암의 일종으로, 유문암보다는 색이 어둡고 현무암보다는 색이 밝다. 사장석, 휘석, 각섬석 등으로 이루어져 있다.

② 화성암의 구분

마그마가 지하 또는 지표에서 냉각되어 생성된 암석을 화성암이라 하고, 화성암에는 현무암, 화강암, 안산암, 섬록암, 유문암, 반려암 등이 있다. 마그마의 종류와 암석의 생성 환경에 따라 다양한 화성암이 만들어지며, 화성암은 산출 상태와 조직, 화학 성분과 광물 조성에 따라 구분할 수 있다.

1. 산출 상태와 조직에 따른 화성암의 구분

화성암의 산출 상태와 조직은 화성암을 퇴적암이나 변성암과 구별할 수 있는 뚜렷한 특징이며, 화성암의 형성 과정에 관한 정보를 포함하고 있다.

(1) **화성암의 산출 상태:** 화성암의 산출 상태는 분출 구조(분출 상태)와 관입 구조(관입 상태)로 나눈다. 분출 구조는 마그마가 지표로 분출되어 굳으면서 형성된 구조로, 용암 대지, 현무암 평원, 용암류, 순상 화산, 성층 화산 등을 포함한다. 관입 구조는 마그마가 지표 아래에서 식어서 굳으면서 형성된 구조로, 저반, 암주, 암맥, 암경, 병반 등이 이에 속한다.

암석의 구조와 조직
• 구조: 암석 내의 기공, 깨어짐 등 입자보다 큰 규모의 물리적 배열을 뜻한다.
• 조직: 암석을 구성하는 광물 입자의 크기, 형태, 방향성 및 입자들의 분포와 상호 관계를 포함하는 물리적 특징이다.

용암류	마그마가 화산의 화구나 지각의 틈을 따라 지표로 분출하여 굳은 화성암체
암맥	마그마가 기존 암석의 틈으로 관입하여 굳은 기둥 모양의 화성암체
관입암상(암상)	마그마가 퇴적암의 층리면을 따라 평행하게 관입한 화성암체
병반	퇴적암의 층리면에 렌즈 모양으로 관입한 화성암체
암경	화도를 따라 기둥 모양으로 굳은 화성암체
암주	소규모의 심성암체 또는 지표에 노출된 면적이 $100 \ km^2$ 이하인 화성암체
저반	대규모의 심성암체 또는 지표에 노출된 면적이 $100 \ km^2$ 이상인 화성암체

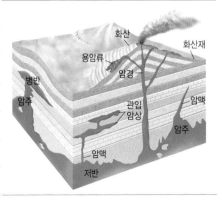

(2) **화성암의 조직:** 화성암은 마그마가 냉각되는 속도에 따라 광물 입자가 성장할 수 있는 크기가 달라서 조직이 다르게 생성된다.

① 조립질 조직: 마그마가 지하 깊은 곳에서 천천히 냉각되어 형성된 조직으로, 광물이 충분히 성장할 수 있어서 광물 입자가 비교적 크다. 조립질 조직은 맨눈으로 광물 입자를 구별할 수 있으며, 저반이나 암주를 이루는 심성암에서 잘 나타난다.

② 세립질 조직: 마그마가 지표로 분출하여 빠르게 냉각되어 형성된 조직으로, 광물 결정이 충분히 성장하지 못하기 때문에 광물 결정의 크기가 매우 작다. 맨눈으로 광물 입자를 구별할 수 없으며, 용암류로 산출되는 화산암에서 잘 나타난다.

③ 반상 조직: 지표에 가까운 지하에서 비교적 빠르게 냉각되어 형성된 조직으로, 미세한 광물 입자(석기) 속에 상대적으로 크기가 큰 결정(반정)이 들어 있는 모양이다. 병반이나 암상, 암맥을 이루는 암석에서 잘 나타난다.

④ 유리질 조직: 마그마가 지표로 분출하여 매우 빠르게 냉각되어서 구성 광물이 결정을 형성하지 못한 조직으로, 용암류를 이루는 암석에서 관찰된다.

  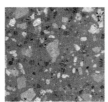 

▲ 조립질 조직　　▲ 세립질 조직　　▲ 반상 조직　　▲ 유리질 조직

(3) **산출 상태와 조직에 따른 화성암의 구분:** 마그마가 식어서 굳는 속도는 화성암이 생성된 위치에 따라 다른데, 마그마가 식어서 굳는 장소에 따라 화산암과 심성암으로 구분한다.

① 화산암: 마그마가 지표로 분출하여 빠르게 냉각되어 굳은 암석으로, 분출암이라고도 한다. 주로 용암류의 형태로 산출되며, 광물 결정이 충분히 성장하지 못하여 세립질이나 유리질 조직을 이룬다. 화산암에 속하는 암석에는 현무암, 안산암, 유문암 등이 있다.

▲ 현무암　　　　▲ 안산암　　　　▲ 유문암

② 심성암: 마그마가 지하 깊은 곳에서 서서히 냉각되어 굳은 화성암으로, 관입암이라고도 한다. 저반, 암주, 병반 등의 형태로 산출되며, 광물 결정이 크게 성장하여 조립질 조직을 이룬다. 심성암에 속하는 암석에는 반려암, 섬록암, 화강암 등이 있다.

▲ 반려암　　　　▲ 섬록암　　　　▲ 화강암

결정질 조직과 유리질(비결정질) 조직
· 결정질(crystalline) 조직: 화성암이 서로 맞물린 결정으로 구성된 조직
· 유리질(glassy) 조직: 광물 결정이 없이 유리질로만 이루어진 조직

현정질 조직과 비현정질 조직
· 현정질(phaneritic) 조직: 결정질 광물 중에서 광물 입자를 육안으로 식별할 수 있는 조직
· 비현정질(aphanic) 조직: 결정질 광물 중에서 입자의 크기가 너무 작아 현미경의 도움 없이는 광물 입자를 식별할 수 없는 조직

현무암의 특징
주 구성 광물은 Ca−사장석, 휘석, 감람석 등이며, 흑색~암회색을 띠는 화산암이다. 현무암의 구성 광물은 크기가 매우 작아서 육안으로는 구별할 수 없고 편광 현미경으로만 식별이 가능하다. 백두산, 제주도, 울릉도에 분포하는 현무암은 표면에 기공이 많다.

화강암의 특징
주 구성 광물은 석영, 정장석, Na−사장석, 운모, 각섬석 등으로, 정장석의 함량이 가장 많으며 운모는 주로 흑운모이다. 화강암은 대체로 밝은색(담색, 유백색, 담홍색)을 띤다.

2. 화학 성분과 광물 조성에 따른 화성암의 구분

(1) 화학 성분(SiO_2 함량)에 따른 화성암의 구분: 화성암은 SiO_2 함량에 따라 염기성암(고철질암), 중성암, 산성암(규장질암)으로 구분한다.

① **염기성암(고철질암):** SiO_2 함량이 52 % 이하인 암석으로, 철(Fe)과 마그네슘(Mg), 칼슘(Ca)의 함량이 많고 나트륨과 칼륨의 함량이 적어서 고철질암이라고 하며, 어두운색을 띤다. 대표적인 염기성암에는 현무암, 반려암 등이 있다.

② **중성암:** SiO_2 함량이 52 %~63 %인 암석으로, 대표적인 중성암에는 안산암, 섬록암 등이 있다.

③ **산성암(규장질암):** SiO_2 함량이 63 % 이상인 암석으로, 나트륨(Na)과 칼륨(K)의 함량이 많고 철과 마그네슘의 함량이 적어서 규장질암이라고도 하며, 밝은색을 띤다. 대표적인 산성암에는 유문암, 화강암 등이 있다.

(2) 화성암의 광물 조성: 대부분의 화성암은 사장석, 정장석, 석영, 운모, 각섬석, 휘석, 감람석 등의 광물로 구성되는데, 암석을 구성하는 고철질 광물과 규장질 광물의 비율에 따라 암석의 색과 밀도가 달라진다. SiO_2 함량이 적은 염기성암일수록 감람석, 휘석, 각섬석 등의 고철질 광물을 많이 포함하여 암석이 전체적으로 어두운색을 띠며 밀도가 크다. SiO_2 함량이 많은 산성암일수록 석영, 사장석, 정장석 등의 규장질 광물을 많이 포함하여 암석이 전체적으로 밝은색을 띠고 밀도가 작다. 일반적으로 염기성암은 높은 온도에서 정출된 광물로 구성되어 있고, 중성암, 산성암으로 갈수록 구성 광물의 정출 온도가 낮아지는 경향을 보인다.

고철질 광물과 규장질 광물

조암 광물은 크게 고철질 광물과 규장질 광물로 구분할 수 있다.

· **고철질 광물:** 철(Fe)과 마그네슘(Mg) 등을 많이 포함하고 있는 광물로, 어두운색을 띤다. 각섬석, 휘석, 감람석, 흑운모가 이에 속한다.

· **규장질 광물:** 규소(Si)를 많이 포함하고 있는 광물로, 밝은색을 띤다. 석영, 장석 등이 이에 속한다.

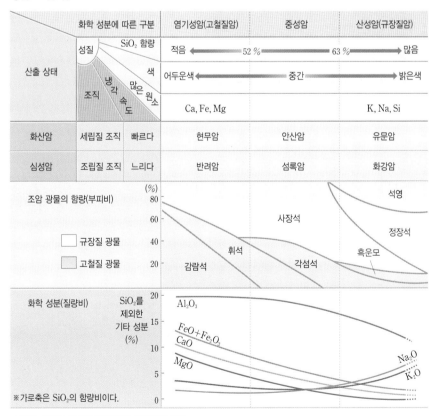

▲ 화학 성분과 광물 조성에 따른 화성암의 구분

③ 한반도의 화성암

한반도를 이루는 암석은 선캄브리아 시대부터 고생대, 중생대, 신생대에 이르기까지 생성된 여러 가지 암석들이 섞여 있다. 이들 암석 중 화성암은 중생대에 관입한 화강암이 주를 이루고 있으며, 신생대의 현무암도 곳곳에 분포하고 있다.

1. 심성암 분포 지역

우리나라의 화강암은 주로 중생대에 관입한 화강암질 마그마로부터 만들어졌으며, 설악산, 북한산, 계룡산, 월출산, 오대산, 불암산 등에 분포한다.

(1) **설악산:** 설악산은 중생대 중기에 지하 깊은 곳에서 생성된 화강암으로 이루어졌다. 이후 이 지역이 융기와 침식 작용을 받아 화강암을 덮고 있던 상부 암석이 제거되면서 지표에 노출되었으며, 이 과정에서 화강암체 내에 수많은 절리가 형성되었다. 그 후 현재까지 계속되는 풍화와 침식 작용에 의해 험준한 기암절벽을 이루게 되었다.

(2) **북한산:** 북한산을 이루는 화강암은 중생대 중기의 지각 변동으로 상승한 마그마가 식어서 굳으며 생성되었다. 이후 지하에 있던 화강암체가 지표에 노출되면서 압력이 감소하여 절리가 생기고, 절리에 침투한 물의 동결 작용으로 암석이 붕괴되어 표면이 벗겨져 나가 돔 모양의 봉우리를 형성하였다.

> **절리**
> 마그마나 용암이 굳어 암석이 될 때에는 수축하여 암석에 틈이 생기게 되는데, 이를 절리라고 한다. 암석이 풍화 작용을 받으면 절리를 따라 풍화가 진행되므로, 오랜 시일이 지나면 잘 발달된 틈을 볼 수 있다.

▲ 화강암으로 이루어진 설악산

▲ 화강암으로 이루어진 북한산

2. 화산암 분포 지역

제주도, 한탄강 일대, 울릉도, 독도, 백두산 등에 화산암 지형이 분포한다.

(1) **제주도:** 대부분의 면적이 신생대의 화산 활동으로 생성된 현무암류로 이루어져 있다. 현무암질 용암이 급격히 냉각되며 만들어진 용암 동굴이나 주상 절리 등의 독특한 지형이 분포한다.

(2) **한탄강 일대:** 신생대에 현무암질 마그마가 분출하여 약 200 m ~ 약 500 m 두께의 용암 대지를 형성하였고, 이때 지표로 흘러나온 용암은 당시 철원 지역을 흐르던 한탄강과 임진강으로 흘러가 강을 메웠으며, 그 후 침식 작용으로 다시 한탄강과 임진강이 흐르면서 오늘날의 지형을 형성하였다. 한탄강 절벽에는 현무암 주상 절리가 발달하며, 철원 평야는 용암 대지의 풍화·침식 작용으로 형성된 것이다.

(3) **변산반도의 화성암:** 변산반도는 퇴적층이 발달한 채석강으로 잘 알려져 있지만 퇴적암 외에도 화성암, 변성암 등 다양한 암석이 발견된다. 변산반도에는 중생대의 화산 활동으로 안산암질 마그마와 유문암질 마그마가 분출하여 형성된 화산암이 분포하며, 유문암 주상 절리가 나타난다.

▲ 한탄강의 현무암 주상절리(재인폭포)

(4) **백두산:** 백두산은 신생대의 화산 분출로 형성된 화산체로, 한반도와 동북아시아 지역에서 가장 높은 산이다. 백두산의 하부는 현무암 용암 대지로 이루어져 있으며, 상부는 성층화산으로 구성되며 유문암이 분포한다. 특히 백두산의 천지는 화산 분화구 주변이 붕괴·함몰되어 생성된 칼데라호이다.

(5) **마라도:** 우리나라 국토의 최남단에 위치하는 마라도는 주로 현무암으로 이루어져 있으며, 마라도를 형성한 화산 활동은 약 60만 년 전에 일어났다고 추정된다. 마라도의 현무암에서는 직경이 약 2 mm~3 mm인 감람석 반정이 관찰된다.

칼데라호
칼데라(caldera)는 화산 활동으로 형성된 분화구 주변이 붕괴·함몰하여 형성된 지형으로, 원형 또는 타원형이나 말발굽 모양으로 우묵하게 나타난다. 칼데라에 물이 고인 호수를 칼데라호(caldera lake)라 하며, 백두산 천지가 대표적인 칼데라호이다. 울릉도의 나리분지 역시 분화구의 함몰로 형성된 칼데라 지형이다. 한라산의 백록담은 분화구 자체에 물이 고여서 생긴 호수로, 화구호에 해당한다.

▲ 현무암으로 이루어진 제주도(서귀포 주상 절리)

▲ 현무암으로 이루어진 백두산(천지)

시야확장 ➕ **울릉도와 독도의 생성 과정**

울릉도와 독도는 현무암, 조면암, 응회암 등으로 이루어진 화산섬이다. 울릉도와 독도는 작은 화산섬으로 보이지만, 수심이 약 2000 m에 이르는 동해 심해저로부터 솟아올라 있는 거대한 화산체의 극히 일부분만 해수면 위로 드러난 것이다. 울릉도는 총 높이가 약 3000 m이고 독도는 총 높이가 약 2000 m로, 한라산보다 높은 거대한 화산체이다.

울릉도는 약 270만 년 전에 생성되었고, 독도는 약 460만 년 전에 생성되었으며, 독도의 동쪽에 위치한 심흥택 해산과 이사부 해산은 독도보다 먼저 만들어진 것으로 알려져 있다. 울릉도와 독도 및 독도 주변의 해산의 분포와 화학 조성을 바탕으로 울릉도, 독도와 그 주변의 해산이 하와이 열도와 같이 열점에 의한 화산 활동으로 만들어졌다고 설명하는 학설이 있다. 즉, 외핵과 하부 맨틀의 경계에서 상승하는 플룸으로 인해 판 내부에 고정된 열점이 위치하고, 판이 이동하면서 화산섬이 차례로 생성되었다는 것이다. 그러나 최근 울릉도와 독도의 형성 원인에 관한 다른 학설이 제기되었다. 일본 해구에서 섭입한 태평양판이 맨틀 속으로 하강하다가 상부 맨틀과 하부 맨틀의 경계에 쌓여서 정체되면서 이곳에서 맨틀 물질이 상승하여 울릉도와 독도가 생성되었다는 것이다.

▲ 울릉도와 독도의 해저 지형

▲ 울릉도(코끼리 바위)

▲ 독도의 대한봉(서도)

마그마의 생성 조건과 생성 장소

지하로 깊이 들어갈수록 온도가 높아지지만 압력도 함께 높아지기 때문에 암석의 용융점이 상승하여 맨틀은 고체 상태로 존재한다. 지하에서 고체 상태의 맨틀이 용융하여 액체 상태의 마그마가 생성되려면 온도와 압력이 변화하여 용융점과 만나거나, 맨틀 물질의 용융점이 낮아져야 한다. 판 경계에서 마그마가 생성되는 과정을 마그마의 생성 조건과 연관 지어 알아보자.

❶ 해령에서의 압력 감소에 따른 마그마 생성

해령에서 고온의 맨틀 물질이 상승하면 압력은 빠르게 감소하지만 온도는 서서히 내려간다. 그 결과, 지하의 온도와 압력 분포가 변화하여(A→A′) 맨틀의 용융 곡선과 만나 현무암질 마그마가 생성된다.

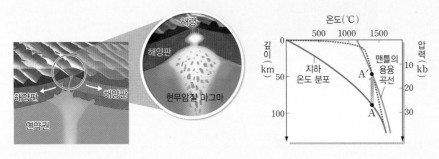

❷ 섭입대에서의 마그마 생성

섭입대에서는 현무암질 마그마와 안산암질 마그마 및 유문암질 마그마가 생성된다. 섭입하는 판에서 빠져나온 물이 맨틀에 공급되며 현무암질 마그마가 일차적으로 생성되고, 이 현무암질 마그마가 지각 하부를 가열하여 유문암질 마그마가 이차적으로 생성된다. 특히, 안산암질 마그마는 주로 섭입대에서 생성되는 것으로 알려져 있는데, 현무암질 마그마와 유문암질 마그마가 혼합되는 등의 과정으로 생성된다.

(1) 물의 공급을 통한 용융점 하강에 따른 현무암질 마그마의 생성

해양 지각이 섭입하여 지하 깊은 곳으로 하강함에 따라 온도와 압력이 높아지고, 지하 약 100 km~150 km 깊이에 이르면 해양 지각에 포함된 함수 광물과 해저 퇴적물에서 물이 방출된다. 이렇게 빠져나온 물은 섭입하는 판의 위쪽에 있는 맨틀로 공급되는데, 맨틀 물질에 물이 첨가되면 암석의 용융 곡선의 위치가 변화한다(B→B′). 즉, 같은 깊이에서 물을 포함하지 않는 맨틀 물질보다 용융점이 낮아져서 온도와 압력 변화 없이도 맨틀 물질이 용융할 수 있게 되고, 그 결과 현무암질 마그마가 생성된다.

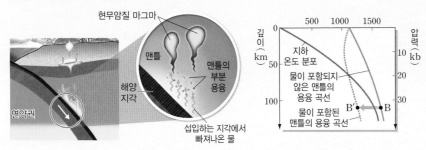

(2) 지각 하부의 온도 상승에 따른 마그마의 생성

섭입하는 해양판 위쪽에서 현무암질 마그마가 생성되면 주변의 고체 물질보다 밀도가 작아서 상승한다. 이렇게 상승하는 현무암질 마그마가 섭입하는 판 위쪽의 지각을 만나면 지각 하부에 고이는데, 고온의 마그마가 지각에 열을 공급하여 지각이 가열된다. 그 결과 위쪽에 놓인 지각을 이루는 암석의 온도가 상승하여 지하의 온도 분포 곡선이 암석의 용융 곡선과 만나면 암석 물질이 용융한다. 해양판이 대륙판 아래로 섭입하는 경우, 해양 지각 위쪽의 맨틀에서 생성된 마그마가 상승하며 대륙 지각 하부를 가열하여 지각 물질이 용융된다. 대륙 지각은 주로 화강암질 암석으로 이루어져 있으며, 이러한 대륙 지각 물질이 용융되면 유문암질 마그마가 생성된다(C→C′).

유문암질 마그마
대부분의 유문암질 마그마는 대륙 지각을 이루는 물질이 용융하여 생성되지만, 현무암질 마그마의 조성이 변화되면서 생성되는 경우도 있다. 유문암은 해양 지각 위에 있는 호상 열도보다 대륙 지각 위에 있는 대륙 화산호에서 흔히 관찰된다.

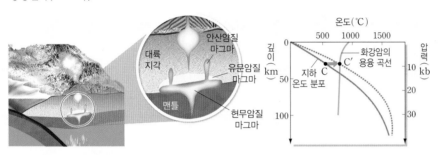

(3) 마그마의 혼합에 따른 마그마의 생성

섭입대에서 생성되는 현무암질 마그마와 유문암질 마그마가 상승하는 과정에서 혼합되면 그 중간 정도의 화학 성분을 갖는 안산암질 마그마가 생성된다.

❸ 판 내부의 열점에서의 마그마 생성

대부분의 열점에서는 압력 감소에 의한 맨틀의 부분 용융에 의하여 현무암질 마그마가 생성되는 것으로 알려져 있다. 대륙판 내부에 있는 열점에서는 대륙 지각 하부가 가열되어 온도 상승에 따라 용융하여 유문암질 마그마가 생성되기도 한다.

안산암질 마그마의 생성
안산암질 마그마는 주로 섭입대에서 현무암질 마그마와 유문암질 마그마의 혼합으로 생성된다. 그러나 현무암질 마그마가 상승하는 과정에서 그 화학 조성이 변하여 안산암질 마그마가 되거나, 다른 여러 가지의 복잡한 과정에 의해서도 안산암질 마그마가 생성될 수 있다고 알려져 있다.

> 정답과 해설 **138**쪽

그림은 지하의 온도 분포와 암석의 용융 곡선을 나타낸 것이다.
A, B, C 과정에 의해 생성되는 마그마의 종류를 옳게 짝 지은 것은?

	A 과정	B 과정	C 과정
①	안산암질	유문암질	현무암질
②	유문암질	안산암질	현무암질
③	유문암질	현무암질	안산암질
④	현무암질	유문암질	안산암질
⑤	현무암질	현무암질	유문암질

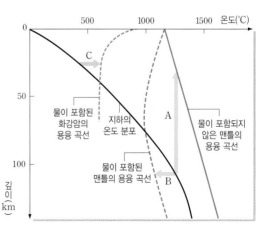

03 변동대와 화성암

① 변동대에서의 마그마 생성

1 마그마의 종류 마그마는 SiO_2의 함량에 따라 현무암질 마그마, 안산암질 마그마, (❶   )질 마그마로 구분하고, 화산의 분출 형태나 화산체의 모양은 마그마의 성질에 따라 다르게 나타난다.

2 마그마의 생성 조건 지각 하부나 상부 맨틀의 물질이 용융하여 마그마가 생성되려면 (❷   )이 낮아지거나, 온도가 높아지거나, 맨틀 물질에 (❸   )이 공급되어 용융점이 낮아져야 한다.

3 마그마의 생성 장소

• 판의 발산 경계인 (❹   )에서 맨틀 물질이 상승하여 (❺   )이 낮아지면 용융하여 현무암질 마그마가 생성된다.

• 판의 수렴 경계인 (❻   )에서 해양판이 섭입할 때 해양 지각과 해저 퇴적물에 포함된 물이 빠져나와 맨틀에 공급되면 맨틀 물질의 (❼   )이 낮아져서 용융하여 현무암질 마그마가 생성된다.

• 섭입대에서 생성된 현무암질 마그마가 상승하여 대륙 지각의 하부에 열을 공급하면 대륙 지각의 물질이 용융하여 (❽   ) 마그마가 생성되고, 이 마그마가 현무암질 마그마와 혼합되어 (❾   ) 마그마가 만들어질 수 있다.

② 화성암의 구분

1 구조와 조직에 따른 화성암의 구분

• 마그마가 지하 깊은 곳에서 천천히 냉각되면 광물 결정이 비교적 큰 (❿   ) 조직이 형성되고, 마그마가 지표로 분출하여 빠르게 냉각되면 광물 결정이 작은 (⓫   ) 조직이 형성된다.

• 마그마가 지표로 분출하여 빠르게 냉각되어 굳어서 생성된 화성암을 (⓬   )이라 하고, (⓭   ), 안산암, 유문암 등이 이에 속한다.

• 마그마가 지하 깊은 곳에서 서서히 냉각되어 굳어서 생성된 화성암을 (⓮   )이라 하고, 반려암, 섬록암, (⓯   ) 등이 이에 속한다.

2 화학 성분과 광물 조성에 따른 화성암의 구분

• 염기성암은 SiO_2 함량이 52 % 이하인 암석으로, (⓰   )이라고도 한다. 대표적인 염기성암에는 현무암, (⓱   ) 등이 있다.

• (⓲   )은 SiO_2 함량이 52 %~63 %인 암석으로, 대표적인 암석에는 안산암, 섬록암 등이 있다.

• 산성암은 SiO_2 함량이 63 % 이상인 암석으로, 규장질암이라고도 하며, 대표적인 산성암에는 (⓳   ), 화강암 등이 있다.

③ 한반도의 화성암

1 심성암 분포 지역 우리나라의 화강암은 주로 (⓴   )에 관입한 화강암질 마그마로부터 만들어졌으며, 설악산, 북한산 등에 분포한다.

2 화산암 분포 지역 제주도, 한탄강 일대, 울릉도, 독도, 백두산 등에 화산암 지형이 분포한다.

01 마그마에 대한 설명으로 옳은 것은 ○, 옳지 <u>않은</u> 것은 ×로 표시하시오.

(1) 마그마는 주변의 암석보다 밀도가 커서 하강한다. ……………………………………………… (　　)

(2) 맨틀 물질의 온도가 높아지면 마그마가 생성될 수 있다. ……………………………………… (　　)

(3) 맨틀 물질의 압력이 낮아지면 마그마가 생성될 수 있다. ……………………………………… (　　)

(4) 맨틀 물질에 물이 공급되면 용융점이 높아져서 마그마가 생성될 수 있다. ………………… (　　)

02 그림은 지하의 온도 분포와 암석의 용융 곡선을 나타낸 것이다.

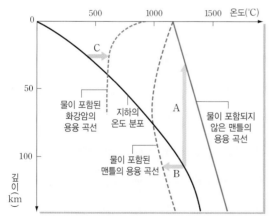

A~C 과정으로 생성되는 마그마의 유형에 대한 설명으로 옳은 것만을 보기에서 있는 대로 고르시오.

　보기
ㄱ. A 과정으로 해령에서 현무암질 마그마가 생성된다.

ㄴ. B 과정으로 섭입대에서 안산암질 마그마가 생성된다.

ㄷ. C 과정으로 대륙 지각 하부에서 유문암질 마그마가 생성된다.

03 화성암의 조직에 대한 설명으로 옳은 것만을 보기에서 있는 대로 고르시오.

　보기
ㄱ. 현무암과 유문암에서는 세립질 조직이 잘 나타난다.

ㄴ. 마그마가 지표에서 천천히 냉각되면 유리질 조직이 생성된다.

ㄷ. 마그마가 지하 깊은 곳에서 천천히 냉각되면 조립질 조직이 발달한다.

04 화학 성분에 따른 화성암의 구분에 관한 설명으로 옳은 것은 ○, 옳지 <u>않은</u> 것은 ×로 표시하시오.

(1) SiO_2 함량이 52 % 이하인 화성암은 상대적으로 Ca, Fe, Mg의 함량이 많다. ……………………… (　　)

(2) SiO_2 함량이 63 % 이상인 화성암을 염기성암이라 하며, 암석의 색이 어두운 편이다. …………… (　　)

(3) SiO_2 함량이 52 %~63 %인 화성암을 중성암이라 하며, 대표적인 암석에는 안산암, 화강암 등이 있다. ……………………………………………… (　　)

05 그림은 화성암의 종류와 이를 구성하는 조암 광물의 부피비를 나타낸 것이다. 물음에 답하시오.

화산암	A	안산암	유문암
심성암	반려암	섬록암	B

주요 조암 광물 부피비(%): 80, 60, 40, 20 — 감람석, 휘석, 각섬석, 흑운모, C, 정장석, 석영 / 52, 66　SiO_2 함량(%)

(1) A에 해당하는 대표적인 화성암의 이름을 쓰시오.

(2) B에 해당하는 대표적인 화성암의 이름을 쓰시오.

(3) C에 해당하는 광물의 이름을 쓰시오.

01 ▶ 마그마의 종류와 화산체

그림 (가)는 순상 화산의 모습을, (나)는 종상 화산의 모습을 나타낸 것이다.

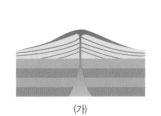 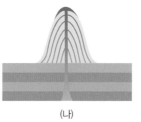

(가)   (나)

이에 대한 설명으로 옳은 것만을 보기에서 있는 대로 고른 것은?

보기
ㄱ. 화산의 분출 형태나 화산체의 모양은 용암의 성질에 따라 다르다.
ㄴ. (가)는 SiO_2 함량이 적고 유동성이 큰 현무암질 용암이 분출하여 만들어진다.
ㄷ. (나)는 SiO_2 함량이 많고 온도가 낮고 점성이 크며 휘발 성분이 적은 유문암질 용암이 분출하여 만들어진다.

① ㄴ   ② ㄷ   ③ ㄱ, ㄴ   ④ ㄱ, ㄷ   ⑤ ㄱ, ㄴ, ㄷ

- 순상 화산은 유동성이 큰 현무암질 용암에 의해서, 종상 화산은 유동성이 작은 유문암질 용암에 의해서 생성된다.

고난도
02 ▶ 마그마의 생성

그림은 지하의 온도 분포와 물이 포함되지 않은 맨틀 물질의 용융 곡선을 나타낸 것이다.
이에 대한 설명으로 옳은 것만을 보기에서 있는 대로 고른 것은? (단, C 지점은 대륙 지각의 하부로, 화강 암질 암석으로 이루어져 있다.)

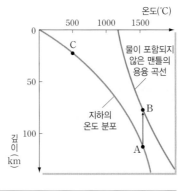

보기
ㄱ. A의 맨틀 물질은 자연 상태에서는 용융될 수 없다.
ㄴ. A → B 과정은 해령 하부에서의 마그마 생성 과정에 해당한다.
ㄷ. C 지점에서는 방사성 동위 원소의 붕괴열로 유문암질 마그마가 생성될 수 있다.

① ㄱ   ② ㄷ   ③ ㄱ, ㄴ   ④ ㄴ, ㄷ   ⑤ ㄱ, ㄴ, ㄷ

- 맨틀 물질이 상승하여 압력이 감소하면 용융하여 현무암질 마그마가 생성된다.

03
> 마그마의 생성 장소

그림은 판 경계에서 마그마가 생성되는 장소를 나타낸 것이다.

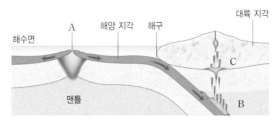

이에 대한 설명으로 옳은 것만을 보기에서 있는 대로 고른 것은?

보기

ㄱ. A에서는 맨틀 대류의 상승에 따른 온도 증가로 현무암질 마그마가 생성된다.

ㄴ. B에서는 해양 지각에서 빠져나온 물이 맨틀 물질의 용융점을 낮춰서 현무암질 마그마가 생성된다.

ㄷ. C에서는 대륙 지각을 이루는 암석에 포함된 방사성 동위 원소가 붕괴하며 발생한 열로 지각이 가열되어 유문암질 마그마가 생성된다.

① ㄱ   ② ㄴ   ③ ㄱ, ㄷ   ④ ㄴ, ㄷ   ⑤ ㄱ, ㄴ, ㄷ

> • 맨틀 물질이 상승하여 압력이 감소하거나, 지각이 가열되어 온도가 상승하거나, 맨틀 물질에 물이 첨가되어 용융점이 하강하는 경우에 마그마가 생성된다.

04
> 화성암의 구분

그림은 서로 다른 화성암 A, B의 구성 광물의 입자 크기와 SiO_2 함량을 나타낸 것이다.

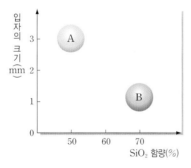

이에 대한 설명으로 옳지 <u>않은</u> 것은?

① 암석의 색은 A가 B보다 어둡다.

② Mg과 Fe의 함량비는 A가 B보다 높다.

③ 암석이 생성된 깊이는 A가 B보다 얕다.

④ 마그마가 냉각된 속도는 A가 B보다 느렸다.

⑤ 구성 광물 중 석영의 함량은 A가 B보다 적다.

> • 화성암은 SiO_2 함량에 따라 산성암(규장질암), 중성암, 염기성암(고철질암)으로 구분할 수 있으며, 구조와 조직에 따라 화산암과 심성암으로 구분할 수 있다.

05 ❯ 화성암의 종류

그림은 조암 광물의 부피비와 화학 성분에 따른 화성암의 분류 결과를 나타낸 것이다.

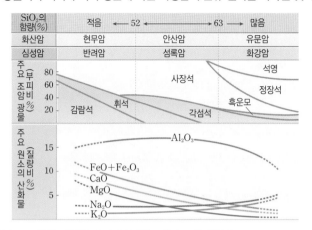

이에 대한 설명으로 옳은 것만을 보기에서 있는 대로 고른 것은?

보기
- ㄱ. 현무암과 반려암은 모두 염기성암으로, 화학 조성과 산출 상태가 같다.
- ㄴ. 유문암과 화강암은 모두 산성암으로, 구성 광물의 종류는 서로 비슷하다.
- ㄷ. SiO_2 함량이 높은 암석일수록 Fe, Ca, Mg의 함량이 적고, 밝은색을 띤다.

① ㄱ   ② ㄷ   ③ ㄱ, ㄴ   ④ ㄴ, ㄷ   ⑤ ㄱ, ㄴ, ㄷ

• 염기성암(현무암, 반려암)은 산성암(유문암, 화강암)보다 유색 광물(감람석, 휘석, 각섬석)을 많이 포함하고 있다. 유문암과 화강암은 석영, 정장석, 운모 등으로 구성되어 있으므로 구성 광물이 비슷하다.

06 ❯ 화성암의 구분

그림은 설악산의 모습을 나타낸 것이다.

이에 대한 설명으로 옳은 것만을 보기에서 있는 대로 고른 것은?

보기
- ㄱ. 설악산은 주로 화강암으로 이루어져 있다.
- ㄴ. 설악산을 이루는 암석은 고생대에 관입한 마그마로부터 만들어졌다.
- ㄷ. 설악산을 이루는 암석은 지하 깊은 곳에서 천천히 식어서 만들어졌다.

① ㄴ   ② ㄷ   ③ ㄱ, ㄴ   ④ ㄱ, ㄷ   ⑤ ㄱ, ㄴ, ㄷ

• 우리나라의 설악산, 북한산, 계룡산 등은 화강암으로 이루어져 있다.

해저의 블랙 스모커(black smoker)와 화이트 스모커(white smoker)

1977년 미국의 해양 탐사선 앨빈호는 갈라파고스 해령의 열곡에서 200 ℃가 넘는 뜨거운 해수가 솟아오르는 열수공과 그 주위에 서식하는 생명체들을 발견하였다. 또한 앨빈호는 1979년에 멕시코 앞 동태평양 해령 열곡의 수심 2500 m 부근에서 검은 연기를 뿜어내는 굴뚝과 흡사한 블랙 스모커를 최초로 발견하였다. 그 후 세계 여러 해저에서 수많은 블랙 스모커가 발견되었는데, 카리브해의 케이먼 해구의 5000 m 깊이에서 발견된 블랙 스모커가 지금까지 발견된 것 중 가장 깊은 곳에 존재하는 블랙 스모커이다. 이 블랙 스모커를 통해 분출되는 열수의 온도는 약 300 ℃에 이르며, 강한 산성(pH 2~3)을 띠고 있다. 이러한 높은 온도에서도 바닷물이 끓지 않는 상태로 유지되는 것은 높은 수압 때문이다. 열수공의 뜨거운 물은 해양 지각의 틈 사이로 스며든 해수가 지하 수 km 깊이에 있는 마그마의 열기로 가열된 후 대류 작용에 의해 뿜어져 나오는 것이다.

수많은 생명체들이 블랙 스모커 주위에 서식하고 있는 것은 사람들을 놀라게 했다. 햇빛이 전혀 없고 수압이 매우 높은 극한적인 환경에서 생명체가 발견되었다는 것은 놀라움 그 이상이었다. 이러한 생명체들은 열수공 주위에서 일어나는 화학 반응이 햇빛이 닿는 표층수에서 일어나는 식물 플랑크톤의 광합성을 대신하여 유기물을 생산하고 있음을 알려준다. 블랙 스모커를 통해 분출되는 열수 안에는 황화 수소, 이산화 탄소 및 산소가 포함되어 있으며, 그 속에 특수한 박테리아가 서식하고 있는 것이 밝혀졌다. 이러한 박테리아가 먹이 사슬의 기초가 되어 게, 조개, 말미잘, 새우 및 관 모양의 벌레류 등의 다양한 생물이 열수공 주위에서 서식할 수 있게 된 것이다.

블랙 스모커는 해령의 열곡에서 분출되는 마그마의 열로 데워진 뜨거운 물이 마그마가 뿜어내는 기체 성분과 함께 암석과 반응하면서 암석에 포함된 구리, 납, 아연, 은, 철, 망가니즈 등의 유용한 금속 원소들을 용해시켜 운반한다. 이 열수는 차가운 해수와 접하면서 빠른 속도로 냉각되어 그 속에 있던 물질들이 금속 황화물로 침전되어 열수 광상을 형성한다.

대양저에는 블랙 스모커뿐만 아니라 백색의 첨탑처럼 형성된 열수 분출구도 존재한다. 이러한 분출구는 2000년에 발견되었는데, 이를 화이트 스모커라고 한다. 화이트 스모커는 높이가 약 60 m에 이르는 것도 있으며, 30여 개가 모여 있는 곳도 있다. 이러한 화이트 스모커는 해령의 열곡에서 약간 거리가 떨어진 곳에서 발견되며, 주로 탄산 칼슘이 침전되어 만들어진 것으로, 블랙 스모커와는 다르게 유용한 금속 광상을 형성하지는 않는다.

▲ 갈라파고스 해령의 열곡에 분포하는 블랙 스모커(출처: NOAA)

▲ 블랙 스모커 주위에 서식하는 관 모양의 벌레류(출처: NOAA)

▲ 블랙 스모커에 침전된 금속 황화물(출처: NOAA)

01 ▶대륙 이동의 증거

그림은 베게너의 대륙 이동설을 근거로 재구성한 판게아의 모습을 나타낸 것이다.

A와 B 대륙과 관련된 대륙 이동의 증거로 옳은 것만을 보기에서 있는 대로 고른 것은?

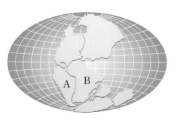

• 대륙 이동의 증거에는 해안선 윤곽의 일치, 지질 구조의 연속성, 화석 분포의 유사성, 빙하 퇴적층의 분포 등이 있다.

보기
ㄱ. 두 대륙의 지질 구조가 서로 연결된다.
ㄴ. 두 대륙에서 메소사우루스의 화석이 발견된다.
ㄷ. 두 대륙에 분포하는 화산과 단층 지역이 일치한다.

① ㄴ   ② ㄷ   ③ ㄱ, ㄴ   ④ ㄴ, ㄷ   ⑤ ㄱ, ㄴ, ㄷ

02 ▶고지자기 분포와 해저 확장

그림은 어느 해양 지각에서 측정한 고지자기 이상 곡선과 고지자기 역전 줄무늬를 나타낸 것이다.

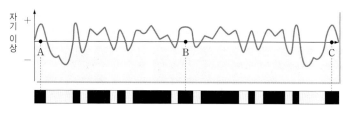

• 자기 이상이 (+)의 값인 시기는 자극이 현재와 같은 방향으로 배열된 시기(정자극기)이고, 자기 이상이 (−)의 값인 시기는 자극이 현재와 반대 방향으로 배열된 시기(역자극기)를 나타낸다.

이에 대한 설명으로 옳은 것만을 보기에서 있는 대로 고른 것은? (단, A−B 사이의 거리와 B−C 사이의 거리는 같다.)

보기
ㄱ. A와 C의 해양 지각은 같은 시기에 생성되었다.
ㄴ. 퇴적물의 두께와 해양 지각의 연령은 B에서 A, C로 갈수록 증가한다.
ㄷ. B와 C 사이의 해양 지각이 생성되는 기간 동안 역자극기는 5회 있었다.

① ㄱ   ② ㄴ   ③ ㄱ, ㄷ   ④ ㄴ, ㄷ   ⑤ ㄱ, ㄴ, ㄷ

> 해저의 확장

03 그림은 대서양의 해양 지각 연령 분포를 나타낸 것이다.

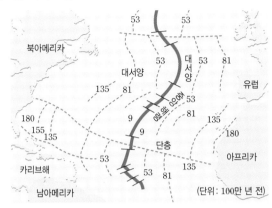

(단위 : 100만 년 전)

이에 대한 설명으로 가장 거리가 먼 것은?

① 대서양은 중생대부터 형성되기 시작하였다.

② 대륙 지각의 평균 연령은 해양 지각보다 많다.

③ 해령에서 멀어질수록 지각 열류량이 낮아진다.

④ 시간이 경과함에 따라 대서양은 좁아지고 있다.

⑤ 해령에서 멀어질수록 해저 퇴적물의 두께는 증가한다.

> • 대서양 중앙 해령에서 새로운 해양 지각이 생성되어 해령 양쪽으로 확장되어 간다.

> 히말라야산맥의 형성

04 다음은 히말라야산맥의 형성 과정과 지층의 특징에 관한 자료이다.

- 히말라야산맥은 인도 대륙이 남반구에서 북상하여 유라시아 대륙과 충돌하며 만들어졌다.
- 히말라야산맥을 이루는 지층에는 수천 m 이상의 두꺼운 퇴적층이 분포하며, 암모나이트 등의 해양 생물 화석이 산출된다.
- 히말라야산맥을 이루는 지층에서는 습곡 구조 및 수십 m 어긋나 있는 역단층이 나타난다.

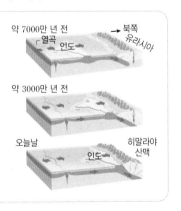

• 히말라야산맥은 인도 대륙과 유라시아 대륙의 충돌로 형성된 습곡 산맥이다.

위 자료로부터 히말라야산맥의 형성 과정에 관해 추론한 내용으로 옳은 것만을 보기에서 있는 대로 고른 것은?

> **보기**
>
> ㄱ. 히말라야산맥의 형성은 중생대 이전에 완료되었다.
> ㄴ. 히말라야산맥은 두 대륙판의 수렴 경계에 해당한다.
> ㄷ. 히말라야산맥을 이루는 암석에는 해저 퇴적물이 포함되어 있다.

① ㄱ   ② ㄷ   ③ ㄱ, ㄴ   ④ ㄴ, ㄷ   ⑤ ㄱ, ㄴ, ㄷ

05 ＞판 경계

그림은 아프리카 부근의 주요 판과 그 경계를 나타낸 것이다.

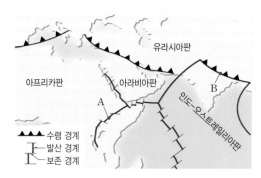

이에 대한 설명으로 옳은 것만을 보기에서 있는 대로 고른 것은?

보기 ─

ㄱ. A에는 열곡이 분포하고, B에는 습곡 산맥이 발달해 있다.

ㄴ. A에는 역단층이 발달해 있고, B에는 정단층이 발달해 있다.

ㄷ. A와 B에서는 모두 천발 지진과 심발 지진이 자주 발생한다.

① ㄱ　　　　② ㄷ　　　　③ ㄱ, ㄴ　　　　④ ㄴ, ㄷ　　　　⑤ ㄱ, ㄴ, ㄷ

• 판 경계는 발산 경계, 수렴 경계, 보존 경계로 구분한다.

06 ＞판 경계의 종류

나현이는 그림과 같이 흐름도를 이용하여 판 경계를 분류하였다.

A와 B에 알맞은 질문을 보기에서 골라 옳게 짝 지은 것은?

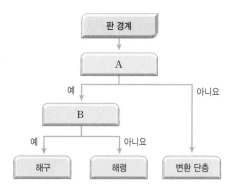

보기 ─

ㄱ. 판이 생성되거나 소멸하는가?

ㄴ. 해양판과 대륙판이 만나는 곳인가?

ㄷ. 주로 대양의 중앙에 발달하였는가?

ㄹ. 천발 지진과 심발 지진이 모두 발생하는가?

	A	B
①	ㄱ	ㄷ
②	ㄱ	ㄹ
③	ㄴ	ㄷ
④	ㄴ	ㄹ
⑤	ㄷ	ㄹ

• 해구는 해양판과 해양판이 수렴하는 경계에서도 생성된다.

07 ❯ 열점

그림 (가)는 하와이 열도를 이루는 화산섬의 분포를, (나)는 하와이 열도의 형성 원리를 나타낸 것이다.

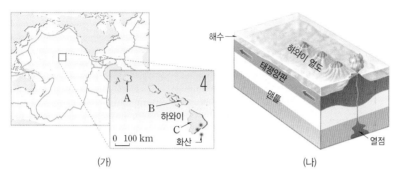

(가)　　　　　　　　　　　(나)

• 하와이섬은 열점 위에 위치하며, 태평양판의 이동에 따라 하와이 열도가 형성되었다.

이에 대한 설명으로 옳은 것만을 보기에서 있는 대로 고른 것은?

보기
ㄱ. 하와이 열도의 화산섬은 주로 현무암으로 구성된다.
ㄴ. 화산섬을 이루는 암석의 나이는 A>B>C의 순이다.
ㄷ. 화산 지대는 판의 이동에 따라 B 지역으로 이동할 것이다.

① ㄱ　　　② ㄷ　　　③ ㄱ, ㄴ　　　④ ㄴ, ㄷ　　　⑤ ㄱ, ㄴ, ㄷ

08 ❯ 변동대에서의 마그마 생성

그림은 판 경계에서 마그마가 생성되는 장소를 모식적으로 나타낸 것이다.

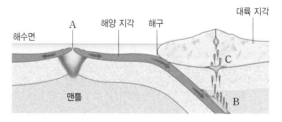

• 해령 하부와 섭입대에서는 맨틀 물질의 용융으로 마그마가 생성되며, 섭입대의 지각 하부에서도 마그마가 생성된다.

A~C 지역에서 일반적으로 생성되는 마그마의 유형을 옳게 설명한 것은?
① A 지역에서는 주로 유문암질 마그마가 생성된다.
② A, B 지역에서는 주로 현무암질 마그마가 생성된다.
③ A, C 지역에서는 주로 유문암질 마그마가 생성된다.
④ B, C 지역에서는 주로 안산암질 마그마가 생성된다.
⑤ A, B, C 지역에서는 모두 현무암질 마그마가 생성된다.

09 > 판 경계의 지각 변동

그림은 북아메리카 서해안 지역에서 해령, 해구와 단층의 분포를 나타낸 것이다.

이에 대한 설명으로 옳은 것만을 보기에서 있는 대로 고른 것은?

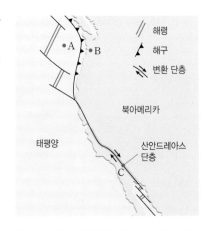

• 해령에서 생성된 해양 지각은 해구에서 소멸되며, 변환 단층에서는 두 판이 서로 반대 방향으로 이동한다.

> 보기

ㄱ. 지각의 연령은 A가 B보다 적다.

ㄴ. 천발 지진은 B와 C에서 모두 발생한다.

ㄷ. 산안드레아스 단층은 판의 보존 경계에 해당한다.

① ㄱ   ② ㄷ   ③ ㄱ, ㄴ   ④ ㄴ, ㄷ   ⑤ ㄱ, ㄴ, ㄷ

10 > 마그마의 생성

그림 (가)는 마그마의 생성 조건을, (나)는 생성 장소가 다른 마그마 ㉠~㉢을 나타낸 것이다.

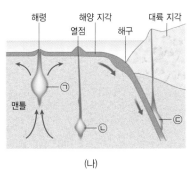

(가)   (나)

• 지하에서 마그마가 생성되려면 온도가 상승하거나 압력이 감소하거나 용융점이 하강해야 한다.

이에 대한 설명으로 옳은 것만을 보기에서 있는 대로 고른 것은?

> 보기

ㄱ. ㉠은 B 과정으로 생성되는 마그마이다.

ㄴ. ㉡은 A 과정으로 생성되며, 호상 열도를 형성한다.

ㄷ. ㉢은 물의 첨가에 의한 용융점 하강으로 C 과정으로 생성되는 마그마이다.

① ㄱ   ② ㄴ   ③ ㄱ, ㄷ   ④ ㄴ, ㄷ   ⑤ ㄱ, ㄴ, ㄷ

11 › 화성암의 구분

그림은 서로 다른 화성암 A∼D의 조직과 SiO_2 함량을 나타낸 것이다.

이에 대한 설명으로 옳은 것만을 보기에서 있는 대로 고른 것은?

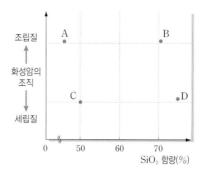

• 화산암은 세립질 조직이나 유리질 조직을 나타내고, 심성암은 조립질 조직을 나타낸다.

보기
ㄱ. 화산암에 해당하는 암석은 A와 B이다.
ㄴ. 산성암에 해당하는 암석은 B와 D이다.
ㄷ. 가장 어두운색을 나타내는 암석은 A이다.

① ㄱ   ② ㄴ   ③ ㄱ, ㄷ   ④ ㄴ, ㄷ   ⑤ ㄱ, ㄴ, ㄷ

12 › 우리나라의 화성암

그림 (가)는 제주도의 주상 절리를, (나)는 백두산의 천지를 나타낸 것이다.

(가)

(나)

• 우리나라의 화성암 지형은 주로 중생대에 관입한 심성암 또는 신생대에 분출한 화산암으로 이루어져 있다.

이에 대한 설명으로 옳은 것만을 보기에서 있는 대로 고른 것은?

보기
ㄱ. (가)의 암석은 주로 현무암으로 이루어져 있다.
ㄴ. (가)의 암석은 마그마가 지하 깊은 곳에서 식어서 형성되었다.
ㄷ. (나)는 대규모의 화산 폭발이 일어나며 형성된 칼데라호이다.

① ㄱ   ② ㄴ   ③ ㄱ, ㄷ   ④ ㄴ, ㄷ   ⑤ ㄱ, ㄴ, ㄷ

01 그림은 주요 판의 분포와 판의 경계를 나타낸 것이다.

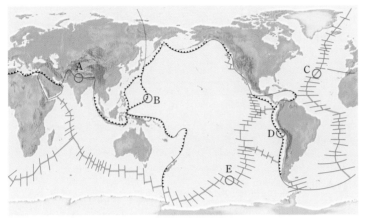

⑴ A~E는 각각 판의 어떤 경계에 해당하는지와 발달된 지형을 함께 서술하시오.

⑵ A~E 지역 중 천발 지진부터 심발 지진까지 발생하는 지역, 고지자기 역전의 줄무늬가 대칭적으로 나타나는 지역, 화산 활동은 없이 지진만 발생하는 지역, 주로 천발 지진과 함께 화산 활동이 활발하게 일어나는 지역을 각각 찾아 판 경계와 관련지어 서술하시오.

02 그림은 해령 부근의 해저 지형을 나타낸 것으로, A와 B는 해령 중앙부의 열곡으로부터 각각 3000 km, 5000 km 떨어진 지점이고, C는 변환 단층이다.

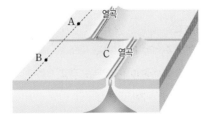

⑴ A 지점과 B 지점 중 지각의 연령이 더 많은 곳은 어디인지 쓰시오.

⑵ C의 변환 단층의 형성 과정과 이곳에서 어떤 지각 변동이 일어나는지 서술하시오.

03 그림은 판 경계의 내부 구조를 모식적으로 나타낸 것이다.

KEY WORDS
(2) 발산 경계, 수렴 경계, 보존 경계, 판의 생성, 판의 소멸, 섭입대, 천발 지진, 심발 지진

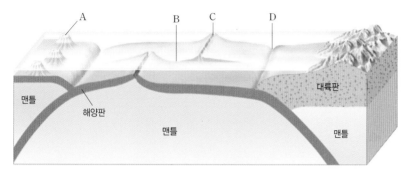

(1) A~D에 발달한 지형의 명칭을 각각 쓰시오.

_____

(2) B, C, D 중 천발 지진만 발생하는 곳, 천발 지진부터 심발 지진까지 발생하는 곳이 각각 어디인지 쓰고, 그 까닭을 서술하시오.

_____

04 그림은 아이슬란드 부근 해령에서 측정한 고지자기 역전 줄무늬를 나타낸 것이다.

KEY WORDS
(2) 해령, 열곡, 마그마, 해양 지각, 확장

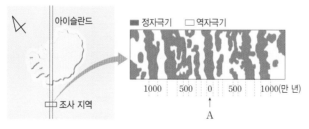

(1) A에서 멀어질수록 해양 지각의 연령과 해저 퇴적물의 연령 및 두께가 어떻게 변하는지 서술하시오.

_____

(2) 이 지역의 해양 지각에서 고지자기 역전 줄무늬가 대칭적으로 형성된 까닭을 서술하시오.

_____

05 그림은 판 경계에서 마그마가 생성되는 장소를 나타낸 것이다.

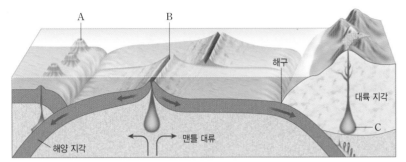

(1) A와 같은 지형을 형성하는 주된 마그마의 종류를 쓰시오.

(2) B의 하부에서 주로 생성되는 마그마의 종류와 그 생성 과정을 서술하시오.

(3) 대륙 지각의 하부인 C에서 주로 생성되는 마그마의 종류와 그에 따른 화산 활동의 특징을 서술하시오.

KEY WORDS
(1) 호상 열도, 섭입대, 마그마
(2) 해령, 열곡, 마그마, 해양 지각
(3) 해구, 섭입대, 유문암질 마그마

06 그림 (가)는 태평양에서 하와이 열도의 위치를, (나)는 하와이 열도의 A섬으로부터의 거리에 따른 화산섬의 연령을 나타낸 것이다.

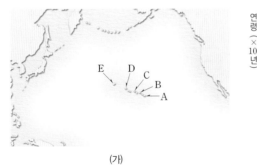

(가)

(나)

(1) 하와이 열도의 형성 과정을 열점 및 판의 이동과 관련지어 서술하시오.

(2) 그림 (나)를 이용하여 지난 2500만 년 동안 태평양판의 평균 이동 속도를 구하시오.

KEY WORDS
(1) 열점, 플룸, 해양판
(2) 판의 이동 속도, 연령

07 그림은 주요 조암 광물과 주요 원소의 산화물의 함량에 따른 화성암의 분류 결과를 나타낸 것이다.

KEY WORDS
⑴ SiO_2, 염기성암, 산성암
⑵ 규장질 광물, 고철질 광물

SiO_2의 함량(%)	염기성암 ← 52	중성암 —— 63 →	산성암
화산암	현무암	안산암	유문암
심성암	반려암	섬록암	화강암

주요 조암 광물 (부피비 %): 80, 60, 40, 20 — 감람석, 휘석, 사장석, 각섬석, 흑운모, 석영, 정장석

주요 원소의 산화물 (질량비 %): 15, 10, 5 — Al_2O_3, $FeO+Fe_2O_3$, CaO, MgO, Na_2O, K_2O

⑴ 염기성암과 산성암의 구성 원소를 비교하여 서술하시오.

⑵ SiO_2 함량이 증가할수록 화성암의 색이 어떻게 변화하는지 규장질 광물의 함량과 관련지어 서술하시오.

08 그림은 서로 다른 화산암 A와 심성암 B의 화학 조성을 나타낸 것이다.

KEY WORDS
⑴ 염기성암, 산성암
⑵ 화산암, 심성암

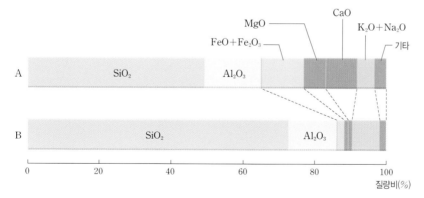

⑴ A와 B의 화학 조성을 비교하여 산성암인지 염기성암인지 구분하고, 두 암석의 밀도 차이를 서술하시오.

⑵ A와 B 암석의 조직 및 암석 생성 과정에서 마그마의 냉각 속도를 비교하여 서술하시오.

2

지구의 역사

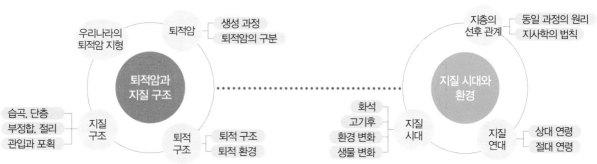

우리나라의
퇴적암 지형

퇴적암 ─ 생성 과정
       └ 퇴적암의 구분

**퇴적암과
지질 구조**

습곡, 단층
부정합, 절리   지질
관입과 포획   구조

퇴적
구조 ─ 퇴적 구조
     └ 퇴적 환경

지층의
선후 관계 ─ 동일 과정의 원리
         └ 지사학의 법칙

**지질 시대와
환경**

화석
고기후   지질
환경 변화 시대
생물 변화

지질
연대 ─ 상대 연령
     └ 절대 연령

퇴적암과 지질 구조　　　　　　　　　　　　　　　**지질 시대와 환경**

01 퇴적암과 지질 구조

학습 Point　퇴적암의 생성 > 퇴적암의 종류 > 퇴적 구조와 퇴적 환경 > 여러 가지 지질 구조

 퇴적암의 생성과 퇴적암의 종류

　　퇴적암은 지각을 이루는 암석의 약 0.03 %에 불과하지만 지표면의 약 75 %가 퇴적물과 퇴적암으로 덮여 있다. 퇴적물은 그 기원이 다양하며, 퇴적물이 지표의 여러 환경에서 퇴적되므로 퇴적암으로부터 과거의 환경에 관한 많은 정보를 알아낼 수 있다.

1. 퇴적암의 생성 과정

지표에 노출된 암석이 풍화·침식 작용을 받아 잘게 부서진 쇄설물이나 화산 분출물, 호수나 바다에 용해된 물질, 생물의 유해 등이 유수, 바람, 빙하 등에 의해 운반되어 쌓인 것을 퇴적물이라고 한다. 이러한 퇴적물이 다져지고 굳어져 생성된 암석을 퇴적암이라 하며, 퇴적암의 생성 과정은 풍화 작용, 운반 작용, 퇴적 작용, 속성 작용으로 나눌 수 있다.

(1) **풍화 작용:** 암석이 잘게 부서지는 작용으로, 암석이 기계적인 과정으로 부서지는 물리적 풍화와 암석 내 광물이 화학적으로 변질되거나 분해되는 화학적 풍화로 나뉜다. 화학적 풍화는 암석을 약하게 하여 물리적 풍화를 촉진하고, 물리적 풍화에 의해 입자의 크기가 작아질수록 표면적이 더 커져서 화학적 풍화를 촉진한다.

(2) **운반 및 퇴적 작용:** 유수, 바람, 빙하 등에 의해 퇴적물이 낮은 곳으로 운반되고, 유속이 감소함에 따라 퇴적물 입자들이 가라앉아 퇴적된다. 또, 하천수나 해수에 용해된 물질이 화학적으로 침전하여 퇴적되기도 한다.

(3) **속성 작용:** 미고결 상태의 퇴적물이 쌓인 후 퇴적암이 되기까지의 과정으로, 압축 작용과 교결 작용으로 이루어진다.

① 압축 작용(다짐 작용): 물리적 속성 작용으로, 퇴적물이 오랜 시간에 걸쳐 쌓이면 위에 쌓인 퇴적물의 무게로 아래에 놓인 퇴적물이 눌리면서 공극이 줄어들고, 공극 속에 들어 있던 물이 빠져나가며 퇴적물 입자 사이의 간격이 치밀해지고 밀도가 증가하는 과정이다.

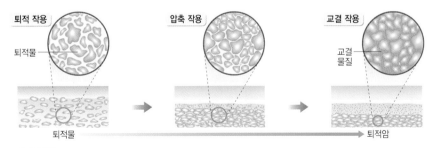

▶ 속성 작용

퇴적물의 분류

- **쇄설성 퇴적물:** 기존의 암석이 물리적 풍화 및 화학적 풍화 작용을 받은 후 운반 및 퇴적 작용을 받은 퇴적물이다. 화산 활동으로 분출된 화산재 등의 화산 쇄설물도 포함한다.

- **화학적 퇴적물:** 화학적 풍화 작용을 받아 물에 녹은 채로 존재하는 이온과 분자들이 토양, 강, 호수, 바다의 물속에 축적되고, 화학적 작용으로 침전된 퇴적물이다.

- **유기적 퇴적물:** 생물의 유해가 쌓여서 만들어진 퇴적물로, 동물의 껍질이나 뼈가 퇴적되면 탄산염질 광물 등으로 이루어진 퇴적물이 만들어지고, 식물체가 퇴적되면 탄소를 주성분으로 하는 석탄 등이 만들어진다.

풍화 작용과 침식 작용

풍화 작용은 암석이 잘게 부서지는 작용이고, 침식 작용은 지표가 깎여 나가는 작용이다.

공극

퇴적물 입자 사이의 틈을 말하며, 입자의 크기가 고를수록 입자 사이의 틈이 많아 공극이 커진다. 공극 속에는 물이 포함되어 있는 경우가 많다.

② **교결 작용**: 다짐 작용을 거친 퇴적물은 입자 사이의 공극이 감소하지만 완전히 메워지지 않은 상태이므로 물이 입자 사이를 이동할 수 있다. 물에 용해된 채로 운반되던 석회질, 규질, 철질 등의 물질이 퇴적물 입자 사이의 공극을 통과하면서 입자 표면에 침전되고 공극을 채우며 입자들이 서로 붙게 하여 굳는데, 이를 교결 작용이라고 한다.

2. 퇴적암의 종류

퇴적암은 쇄설성 퇴적암과 화학적 퇴적암, 유기적 퇴적암으로 구분한다.

(1) 쇄설성 퇴적암: 기존 암석이 유수, 바람, 빙하 등에 의해 풍화와 침식 작용을 받아서 부서진 자갈이나 모래, 점토 등의 쇄설물이 운반된 후에 퇴적되고 속성 작용을 거쳐 생성된 퇴적암이다. 쇄설성 퇴적암에는 풍화와 침식에 의한 쇄설물로 만들어진 역암, 사암, 셰일, 이암 등과 화산 쇄설물로 만들어진 응회암, 집괴암, 라필리암 등이 있다.

▲ 역암　　　　▲ 사암　　　　▲ 셰일　　　　▲ 응회암

(2) 화학적 퇴적암: 물에 용해되어 있던 규산, 탄산 칼슘, 산화 철 등의 다양한 화학 성분이 화학적으로 침전하거나 물이 증발함에 따라 침전하여 생성된 퇴적암이다. 화학적 퇴적암에는 물속의 탄산 칼슘이 침전하여 만들어진 석회암($CaCO_3$), 규질 물질이 침전하여 만들어진 처트(SiO_2), 바다나 호수의 물이 증발하면서 물속의 용해물이 침전하며 생성된 암염($NaCl$), 석고($CaSO_4 \cdot 2H_2O$) 등이 있다.

(3) 유기적 퇴적암: 생물의 유해가 퇴적되어 만들어진 퇴적암으로, 생물의 석회질 부분이나 규질 부분이 퇴적된 경우가 대부분이다. 유기적 퇴적암에는 유공충, 산호 등의 석회질 부분이 퇴적되어 만들어진 석회암, 규질의 방산충 껍질이 쌓여 만들어진 처트, 식물의 잔해가 지층에 쌓인 후 탄화되어 만들어진 석탄 등이 있다.

▲ 석회암　　　　▲ 처트　　　　▲ 암염　　　　▲ 석고

셰일과 이암의 차이점
셰일과 이암을 구성하는 입자의 크기는 같은 범위에 해당하지만, 셰일은 층리가 발달되어 있으며 쪼개짐이 나타나는 반면, 이암은 층리가 발달되어 있지 않아서 쪼개짐이 나타나지 않는다.

석회암과 처트
석회암과 처트는 화학적 과정으로 만들어지기도 하고, 유기적 과정으로 만들어지기도 한다.

석탄의 형성
석탄은 대부분 유기물로 구성되며, 식물 잔해가 다량으로 매몰되어 생성된다. 식물 잔해가 대기 중에 노출되면 부패하기 때문에, 늪과 같이 산소가 부족한 환경에서 매몰되는 경우에만 석탄이 만들어질 수 있다.

구분	퇴적물의 기원	구성 물질(입자 크기)	퇴적암
쇄설성 퇴적물	풍화와 침식에 의한 쇄설물	자갈(2 mm 이상)	역암, 각력암
		모래($\frac{1}{16}$ mm ~ 2 mm)	사암
		실트($\frac{1}{16}$ mm ~ $\frac{1}{256}$ mm)	실트암
		점토($\frac{1}{256}$ mm 이하)	셰일, 이암
	화산 쇄설물	화산재, 화산진	응회암
		화산괴, 화산탄	집괴암

구분	퇴적물의 기원	구성 물질	퇴적암
화학적 퇴적물	물에 녹아 있던 물질의 침전물	$CaCO_3$	석회암
		SiO_2	처트
	증발 잔류물	$CaSO_4 \cdot 2H_2O$	석고
		$NaCl$	암염
유기적 퇴적물	동식물의 유해	식물체	석탄
		규질 생물체	처트
		석회질 생물체	석회암

▲ **퇴적물의 기원에 따른 퇴적암의 분류**

2 퇴적 구조와 퇴적 환경

　　퇴적암에는 퇴적 작용이 일어나던 당시의 환경에 따라 다양한 구조적 특징이 나타난다. 이러한 퇴적 구조는 과거의 퇴적 환경에 관한 정보를 제공하며, 지층의 상하를 판단하는 데 이용될 수 있다.

1. 퇴적 구조

탐구 085쪽

퇴적암에는 퇴적물이 쌓여 만들어진 줄무늬인 층리와 여러 가지 퇴적 구조가 나타나며, 퇴적 구조를 해석하여 수심, 유속, 기후 변화 등 과거의 퇴적 환경을 추론할 수 있다. 특히 점이 층리, 사층리, 연흔, 건열과 같은 퇴적 구조는 지층의 상하를 판단하는 데 유용하게 이용된다.

(1) **점이 층리**: 퇴적암의 한 지층 내에서 아래에서 위로 갈수록 입자의 크기가 점점 작아지는 퇴적 구조를 점이 층리라고 한다. 점이 층리는 퇴적물이 빠르게 흐르다가 속도가 갑자기 느려질 때 크고 무거운 입자가 먼저 가라앉고 이후 작고 가벼운 입자들이 서서히 가라앉으면서 형성된다. 점이 층리는 주로 대륙붕의 끝 부분이나 대륙 사면에 쌓여 있던 해저 퇴적물이 해저 지진이나 화산 활동 등에 의해 수심이 깊고 평탄한 대륙대로 한꺼번에 흘러내려 쌓일 때나 홍수가 일어나 퇴적물이 호수로 급격히 유입될 때 형성된다.

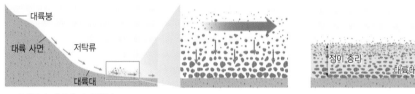

▲ 저탁류와 점이 층리의 형성

(2) **사층리**: 물이나 바람의 방향이 자주 변하는 환경에서는 층리가 나란하지 않고 엇갈린 구조가 생기는데, 이를 사층리라고 한다. 사층리는 모래 크기의 입자에서 잘 나타나는 퇴적 구조로, 수심이 얕은 해안이나 강 주변, 모래가 쌓여 큰 언덕을 이룬 사막 등에서 형성된다. 일정한 방향으로 흐르는 물이나 바람에 의해 퇴적물이 운반되어 형성되므로 사층리의 기울어진 방향은 물이나 바람의 방향을 나타낸다. 또, 층리면이 아래쪽으로 오목하게 들어가며 위쪽으로 갈수록 수평면과 사층리가 이루는 각이 커지는 특징이 있으므로, 이를 통해 지층의 상하를 판단할 수 있다.

물 또는 바람

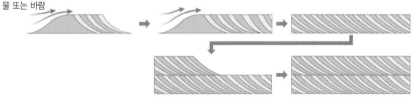

▲ 사층리의 형성 과정

(3) **연흔**: 수심이 얕은 바다나 호수에서 퇴적물이 쌓일 때 잔물결의 영향으로 퇴적물의 표면에 물결 자국이 생기는데, 이를 연흔이라고 한다. 물결 자국의 뾰족한 부분이 위를 향하는 모양으로 형성되므로, 이를 통해 지층의 상하를 판단할 수 있다.

층리
입자의 크기, 색깔, 모양 등의 성질이 다른 퇴적물이 쌓여서 나타나는 거의 평행한 무늬를 층리라고 하며, 각 층의 경계면을 층리면이라고 한다.

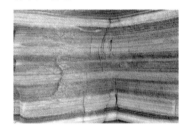

저탁류
대륙붕의 끝 부분이나 대륙 사면에 쌓여 있던 퇴적물이 갑자기 무너져 내리면서 대륙 사면을 타고 흘러내리는 것을 저탁류라 한다. 저탁류가 주로 대륙대에 쌓여 만들어진 암석을 저탁암이라 하며, 저탁암에서는 점이 층리가 잘 나타난다.

대칭적 연흔과 비대칭적 연흔
반복적으로 들어오고 나가는 파도의 움직임에 의해 만들어진 해변 모래 위의 연흔은 대칭적인 모습으로 나타나며, 하천의 사주나 바람의 영향을 받는 사구에서 한 방향으로 움직이는 물 또는 바람에 의해 만들어진 연흔은 비대칭적인 모습을 보인다.

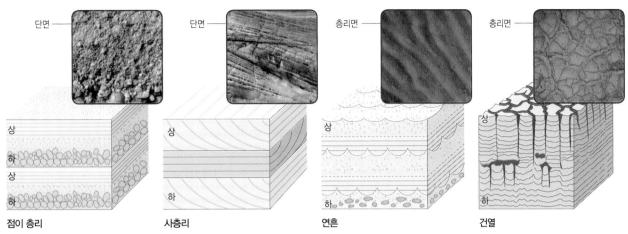

단면	단면	층리면	층리면
상 하 상 하	상 하	상 하	상 하
점이 층리	사층리	연흔	건열

▲ 여러 가지 퇴적 구조

(4) **건열**: 수심이 얕은 물밑에 점토와 같이 입자가 매우 작은 퇴적물이 쌓인 후 표면이 건조한 환경에 노출되어 퇴적물의 표면이 갈라진 구조를 건열이라고 한다. 건열은 가뭄이 들때 논바닥이 갈라지는 것과 같은 구조이며, 건열의 단면은 쐐기 모양으로 위쪽이 넓고 아래쪽으로 갈수록 뾰족하게 나타나는데, 이를 통해 지층의 상하를 판단할 수 있다.

2. 퇴적 환경

지표의 암석이 풍화와 침식을 받아 작은 입자가 되면 물이나 바람, 빙하 등에 의해 다른 곳으로 운반되고 유속의 변화 등에 의해 퇴적되는데, 이렇게 퇴적물 입자가 다시 쌓이는 다양한 환경을 퇴적 환경이라고 한다. 퇴적 환경은 크게 육상 환경, 해양 환경, 연안 환경(전이 환경)으로 구분할 수 있다.

(1) **육상 환경**: 육지 내에서 주로 쇄설성 퇴적물이 퇴적되는 곳으로, 호수, 하천, 사막, 빙하등이 포함된다. 고조면 위의 환경이므로 바다의 영향을 전혀 받지 않는다.

① **하천**: 퇴적물은 입자 크기에 따라 가라앉기 시작하는 유속이 다르므로, 강의 상류에서 하류로 가면서 유속이 감소하며 가장 큰 퇴적물 입자들부터 차례로 가라앉아 퇴적암이 형성된다. 그 결과 하천의 상류에서 생성된 퇴적암은 입자 크기가 크고, 하천의 하류에서 생성된 퇴적암은 입자의 크기가 작다.

고조면과 저조면
만조 시 가장 높은 해수면의 높이를 고조면, 간조 시 가장 낮은 해수면의 높이를 저조면이라고 한다.

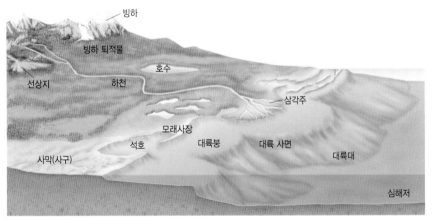

빙하
빙하 퇴적물
호수
선상지
하천
삼각주
모래사장
석호
대륙붕
대륙 사면
사막(사구)
대륙대
심해저

▲ 여러 가지 퇴적 환경

② 호수: 수위 변동이 작은 호수에는 세립질의 모래나 진흙이 쌓여 계절 변화에 따라 평행하고 얇은 층리가 주기적으로 형성된다. 빙하 주변의 호수에서는 호상 점토층이 발달한다.

③ 선상지: 산지와 평지 사이처럼 경사가 급격히 변하는 곳에서 유속이 감소함에 따라 퇴적물이 부채꼴 모양으로 쌓인 선상지를 이룬다. 선상지에서는 급격하게 퇴적 작용이 일어나서 퇴적물의 분급이 불량하며, 선상지의 하부로 갈수록 입자의 평균적인 크기가 작아진다.

④ 사막: 사막에서 바람에 날린 퇴적물은 풍속이 감소하면서 퇴적된다. 다양한 형태의 모래 언덕(사구)이 형성되며, 퇴적물은 주로 석영 입자로 구성되고 분급이 매우 양호하다.

⑤ 빙하: 빙하는 고체로 이동하면서 모난 자갈과 모래, 점토 등이 혼합된 퇴적물을 한꺼번에 운반하며, 얼음이 녹으면서 퇴적물이 쌓여 분급이 매우 불량한 빙퇴석을 형성한다.

▲ 선상지

▲ 사막의 모래 언덕(사구)

(2) **해양 환경**: 저조면 아래의 환경으로, 바다의 영향만 받으며 퇴적 환경 중 가장 넓은 면적을 차지한다. 대륙붕, 대륙 사면, 대륙대, 심해저 등이 포함된다.

① 대륙붕: 대륙 주위에 분포하는 완만한 경사의 해저 지형으로, 퇴적물의 약 60 %가 육지에서 공급되며, 열대나 아열대 해양에서는 생물의 유해가 쌓여 석회암이 생성된다.

② 대륙 사면과 대륙대: 대륙 사면은 대륙붕과 심해저 사이에서 급경사면을 이루는 지형이고, 대륙대는 대륙 사면 하부에서 심해저까지 완만한 경사면을 이루는 지형이다. 대륙 사면에서 발생한 저탁류가 대륙대에 쌓여 만들어진 저탁암에서는 점이 층리가 발달한다.

③ 심해저 환경: 심해저 환경은 평탄하며 수심은 약 4 km~6 km이다. 퇴적물은 주로 육지에서 공급된 점토와 해양 생물의 유해인 유기물로 이루어져 있다.

(3) **연안 환경(전이 환경)**: 육상 환경과 해양 환경의 사이에 위치하며, 담수와 염수, 바람과 파도의 작용과 같이 육지와 바다의 영향을 모두 받는다.

① 삼각주: 하천이 상대적으로 잔잔한 바다나 호수로 흘러 들어가면 유속이 급격하게 감소하여 퇴적 작용이 일어나서 삼각형 모양의 지형이 형성되는데, 이를 삼각주라고 한다.

② 해빈: 파도 등 해수의 흐름에 의해 해안 지역에 모래와 자갈이 퇴적된 지형이다.

③ 사주와 석호: 퇴적물이 해안과 나란하게 길게 쌓여 형성된 지형을 사주(모래톱)라 하고, 사주가 발달하면서 바다로부터 분리되어 형성된 호수를 석호라 한다.

④ 조간대: 고조면과 저조면 사이의 해안으로, 만조 시에는 바닷물이 차오르고 간조 시에는 대기에 노출되므로 바다와 육지의 영향을 모두 받아 변화가 심한 환경이다.

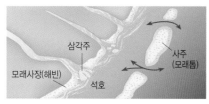

▲ 연안 환경의 모식도

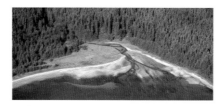

▲ 삼각주

호상 점토층

매년 퇴적되는 층이 뚜렷이 나타나는 지층으로, 밝은색과 어두운색의 층이 교대로 나타난다. 밝은색 실트층은 여름철에 유입되어 퇴적된 물질이며, 어두운색 점토층은 호수에 부유하던 점토 입자가 겨울철에 퇴적된 것이다. 한 쌍의 퇴적층이 1년을 나타내므로 지층의 연대를 추정할 수 있으며, 1년 단위의 지층의 두께와 상태 변화로 기후 변화 양상을 추정할 수 있다.

퇴적물의 분급

퇴적물 입자의 크기가 고르며 서로 비슷한 것들이 모여 있는 경우는 분급이 양호하다고 하고, 입자의 크기가 고르지 않고 서로 다른 것들이 섞여 있는 경우에는 분급이 불량하다고 한다.

③ 여러 가지 지질 구조

퇴적암이 만들어지는 과정에서는 다양한 퇴적 구조가 만들어지는데, 판의 운동이나 마그마의 관입, 지진, 화산 활동과 같은 지각 변동을 받으면서 지각을 이루는 암석과 지층에 습곡, 단층, 절리, 부정합 등의 다양한 지질 구조가 형성된다.

1. 습곡

지각을 이루는 암석은 판의 이동, 마그마의 관입, 지각 변동 등으로 큰 힘을 받는데, 지층이나 암석이 양쪽에서 미는 횡압력을 받아 휘어진 지질 구조를 습곡(fold)이라 한다.

(1) **습곡의 형성:** 지표 부근에서 압력을 받으면 파쇄되는 암석도 고온·고압의 환경에서는 휘어지는 성질이 나타나므로, 비교적 온도와 압력이 높은 지하 깊은 곳에서 지층이 횡압력을 받을 때 습곡이 형성된다. 습곡의 규모는 조산 운동으로 형성된 거대한 습곡 산맥에서부터 수 cm의 작은 크기에 이르기까지 매우 다양하게 나타난다.

(2) **습곡의 구조**

① **배사와 향사:** 습곡 구조에서 위로 볼록한 부분을 배사라고 하고, 아래로 볼록한 부분을 향사라고 한다.

② **습곡축과 날개:** 습곡 구조에서 가장 많이 휘어진 부분을 습곡축이라 하고, 습곡축 양쪽의 경사면을 날개라고 한다. 습곡축을 이은 면을 습곡축면이라고 하며, 습곡축면은 배사(향사)의 봉우리(골짜기)를 지난다.

▲ **습곡이 나타난 지층**

▲ **습곡의 구조**

(3) **습곡의 종류:** 습곡은 습곡축면의 기울기에 따라 정습곡, 경사 습곡, 횡와 습곡 등으로 구분한다.

① **정습곡:** 습곡축면이 수평면에 대하여 수직이고 두 날개의 모양이 대칭적인 습곡이다.

② **경사 습곡:** 습곡축면이 기울어지고 두 날개의 경사가 다른 습곡이다.

③ **횡와 습곡:** 습곡축면이 거의 수평으로 기울어져 있는 습곡이다.

정습곡   경사 습곡   횡와 습곡

▲ **여러 가지 습곡**

> **지질 구조**
> 지층이나 암석이 지각 변동을 받아 여러 모양으로 변형된 상태를 통틀어 지질 구조라고 한다. 지질 구조에는 습곡, 단층, 절리, 부정합 등이 있다.

2. 단층

지층이나 암석에 힘이 작용하여 끊어지고, 끊어진 면을 경계로 양쪽의 암반이 상대적으로 이동하여 서로 어긋나 있는 지질 구조를 단층이라고 한다.

(1) **단층의 형성:** 단층은 장력, 횡압력, 중력 등의 힘이 작용하여 만들어지며, 습곡 작용이 일어나는 깊이보다 온도와 압력이 낮은 지각 상부에서 발달한다.

(2) **단층의 구조:** 단층에 의해 지층이나 암석이 끊어진 면을 단층면이라 하고, 단층이 경사져 있을 때 단층면 위의 암반을 상반, 단층면 아래의 암반을 하반이라고 한다.

암석에 가해지는 힘의 종류
• 장력(인장력): 암석을 양쪽에서 잡아당기는 힘
• 횡압력(압축력): 암석을 양쪽에서 미는 힘
• 전단력: 암석의 양쪽을 서로 반대 방향으로 미는 힘

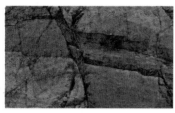
▲ 단층이 나타난 지층(정단층)

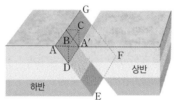
▲ 단층의 구조

□ AEFG : 단층면
AA′ : 실제 이동
BD : 낙차

(3) **단층의 종류:** 단층면에 대한 암반의 상대적인 이동에 따라 정단층, 역단층, 주향 이동 단층 등으로 구분한다.

① **정단층:** 지층에 장력이 작용하여 상반이 하반에 대하여 상대적으로 아래쪽으로 이동한 단층으로, 동일한 지층 사이의 거리가 멀어져서 지표의 면적이 증가한다.

② **역단층:** 지층에 횡압력이 작용하여 상반이 하반에 대하여 상대적으로 위쪽으로 이동한 단층으로, 동일한 지층이 수직으로 겹치므로 지표의 면적이 감소한다.

③ **주향 이동 단층:** 지층에 힘이 수평 방향으로 어긋나게 작용하면 두 암반이 스쳐 지나가는데, 수평 방향으로만 이동한 단층을 주향 이동 단층이라고 한다.

트러스트 단층
역단층 중에서 단층면의 경사가 45° 이하인 단층으로, 단층면의 경사가 10° 이하인 것은 특히 오버트러스트 단층이라고 한다. 오버트러스트 단층에서는 수 km의 변위가 나타나며, 강한 변형 작용을 받은 조산대에서 흔히 볼 수 있다.

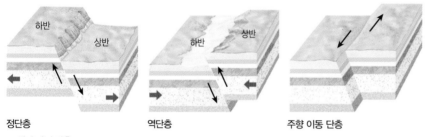

정단층   역단층   주향 이동 단층
▲ 여러 가지 단층

시야확장 ➕ 암석에 가해지는 힘과 암석의 변형

암석에 힘이 가해질 때 일반적으로 다음과 같은 세 단계의 변형 작용을 겪는다.
• 탄성 변형 작용(elastic deformation): 암석이 힘을 받을 때 부피 또는 모양이 가역적으로 변하는 것으로, 응력이 제거되면 원래의 크기와 모양으로 되돌아간다.
• 연성 변형 작용(ductile deformation): 암석이 탄성 한계 이상으로 힘을 받아 영구적으로 변형 작용을 겪고 모양과 부피가 원래대로 돌아가지 못하는 것으로, 대표적인 예는 습곡이다.
• 취성 변형 작용(brittle deformation): 탄성 변형과 연성 변형의 한계를 모두 넘었을 경우에 암석이 깨지는 과정이며, 단층이 해당된다.
같은 암석이라도 온도와 압력이 낮은 지각 상부에서는 취성 물질로 작용하고, 온도와 압력이 높은 지각 하부에서는 연성 물질로 작용한다.

(4) 판 경계에서 형성되는 습곡과 단층

① 발산 경계: 해양 지각이 갈라지는 해령과 대륙 지각이 갈라지는 대륙 열곡대에는 장력에 의해 정단층이 발달해 있으며 습곡은 거의 형성되지 않는다.

② 수렴 경계: 두 대륙판이 충돌하는 습곡 산맥에는 넓은 범위에 횡압력이 작용하여 습곡과 역단층이 발달한다.

③ 보존 경계: 두 판이 서로 어긋나는 경계에서는 주향 이동 단층의 한 종류인 변환 단층이 형성된다.

3. 부정합

(1) 부정합: 지층이 연속적으로 쌓이다가 퇴적이 오랫동안 중단되거나 지각 변동이 일어난 후 다시 퇴적되면 상하 지층 사이에 긴 시간 공백이 나타나는데, 이렇게 상하 지층의 관계가 불연속적인 것을 부정합이라고 한다.

▲ **부정합** 스코틀랜드 시카 포인트의 경사 부정합

(2) 부정합의 종류와 형성 과정

① 평행 부정합: 부정합면을 경계로 상하 지층이 평행한 구조를 이루는 부정합이다. 호수나 바다에서 지층이 퇴적된 후 수면이 낮아지거나 지각이 융기하여 퇴적이 중단되고, 지층이 침식된 후 수면이 상승하거나 지각이 침강하면 새로운 퇴적층이 쌓인 경우이다.

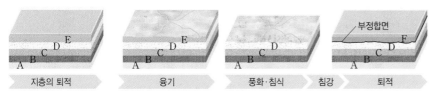

▲ **평행 부정합의 형성 과정**

② 경사 부정합: 부정합면을 경계로 상하 지층이 쌓인 방향과 기울어진 정도가 다른 부정합이다. 지층이 퇴적된 후 지각 변동을 받아 지층이 뒤틀린 후 침식 작용이 일어나고 다시 퇴적물이 쌓인 경우이다.

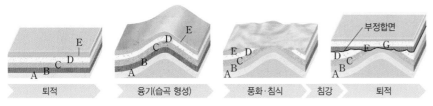

▲ **경사 부정합의 형성 과정**

정합

지층의 퇴적 작용이 중단된 적 없이 연속적으로 쌓였을 때 인접한 상하 지층의 관계를 정합이라고 한다. 어떤 지역에서는 특정 시기를 대표하는 정합층이 발견되지만, 지구 전체 역사를 거쳐 연속적으로 퇴적된 정합층은 발견되지 않는다.

평행 부정합의 확인

평행 부정합의 경우에는 침식의 증거를 발견하지 못하면 부정합을 확인하기 어려운데, 지층의 경계면에 나타나는 기저 역암이나 상하 지층의 화석을 비교하여 부정합의 존재를 확인할 수 있다.

③ 난정합: 지하에서 만들어진 화성암(심성암)이나 변성암이 융기하여 침식된 후 그 위에 새로운 지층이 퇴적되어 형성된 부정합이다. 지하 깊은 곳의 심성암이나 변성암이 지표까지 융기하여 풍화·침식 작용을 받는 데 오랜 시간이 걸리므로 부정합면 위아래 지층의 시간 간격이 매우 크다.

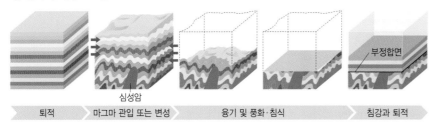

| 퇴적 | 마그마 관입 또는 변성 | 융기 및 풍화·침식 | 침강과 퇴적 |

▲ 난정합의 형성 과정

4. 절리

(1) **절리**: 암석에 가해지는 압력이 변화하거나 온도 변화 등으로 부피가 변화할 때 암석이 끊어져 갈라지거나 쪼개지는 틈이 생기는데, 이 틈을 절리라고 한다.

(2) **화성암에 형성되는 절리**

① **주상 절리**: 길쭉한 기둥 모양의 절리로, 화산암에서 잘 나타난다. 지표로 분출한 용암이 냉각될 때, 공기 중에 노출된 표면부터 냉각되면서 여러 방향에서 같은 간격으로 수축하여 형성되며, 오각형이나 육각형 등 다각형의 기둥 모양의 균열이 만들어진다.

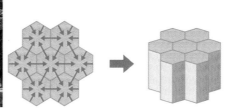

▲ **주상 절리** 제주도 중문 해안의 주상 절리대   ▲ **주상 절리의 형성 원리**

② **판상 절리**: 얇은 판 모양의 절리로, 심성암에서 잘 나타난다. 지하 깊은 곳에서 생성된 심성암이 융기하고 상부의 암석이 풍화·침식 작용으로 제거되면 하부에 작용하는 압력이 감소하면서 서서히 팽창하여 표면에서부터 편평하게 쪼개지는 판상 절리가 만들어진다. 판상 절리가 발달한 암석은 겉 부분이 양파 껍질처럼 벗겨지는 박리 작용이 일어나기도 한다.

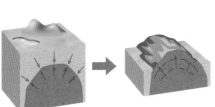

▲ **판상 절리** 북한산 인수봉의 화강암 판상 절리   ▲ **판상 절리의 형성 원리**

절리와 단층의 차이점
절리는 암석에 생긴 틈이나 균열을 따라 양쪽 암석의 상대적인 이동이 없지만, 단층은 단층면을 경계로 양쪽의 암석이 상대적으로 이동한 것이다.

판상 절리의 방향과 간격
판상 절리는 보통 지표에 평행하게 발달하며, 절리의 간격이 지표에 가까울수록 좁고 지하로 갈수록 넓어지는 경향이 있다.

5. 관입과 포획

(1) 관입: 지하 깊은 곳에 있는 마그마는 주변의 암석보다 밀도가 작기 때문에 상승하는데, 이때 마그마가 주변의 암체나 지층의 틈을 뚫고 들어가는 것을 관입이라고 한다. 관입한 고온의 마그마는 주변의 암석에 비해 온도가 매우 높으므로, 주변의 암석은 열을 받아 변성 작용이 일어나며, 주변 암석과 관입한 암석은 뚜렷한 경계를 이룬다. 관입암은 주변의 지층이나 암체보다 나중에 생성된 것이므로, 관입 여부를 해석하여 암석의 상대적인 선후 관계를 알아낼 수 있다.

① **관입암:** 관입한 마그마가 지하에서 천천히 식어 굳어진 암석으로, 심성암이라고도 한다. 대규모의 관입암은 결정의 크기가 큰 조립질 암석이 되며, 가장자리는 비교적 빠르게 냉각되기 때문에 중심부에 비해 결정의 크기가 다소 작게 나타난다.

② **소규모의 관입암체:** 소규모로 산출되는 관입암으로는 관입암상(암상)과 암맥이 있다. 마그마가 주변 암석의 층상 구조에 평행하게 관입한 층 모양의 화성암체를 관입암상이라 하며, 마그마가 주변 암석의 층상 구조를 가로질러 뚫고 들어가 기둥 모양으로 식어 굳어진 화성암체를 암맥이라 한다. 대규모의 관입암체와 달리 관입암상과 암맥은 세립질 조직을 이루는데, 지표 부근의 비교적 차가운 암석에 관입함에 따라 주변 암석과 온도 차이가 커서 대규모의 관입암체에 비해 빠르게 냉각되었기 때문이다.

(2) 포획: 마그마가 주변의 지층이나 암체를 관입할 때 주변 암석의 일부가 떨어져 나와 마그마 속으로 유입되기도 한다. 마그마의 온도가 높거나 암석의 용융점이 낮을 때는 암석 조각이 마그마에 녹아 들어가지만, 그렇지 않은 경우에는 일부 조각들이 마그마에 녹아들어가지 않고 포획물로 남는데, 이러한 과정을 포획이라 하며 포획된 암석을 포획암(xenolith)이라고 한다.

① **포획암과 암석의 생성 순서:** 어떤 암석(A)이 다른 암석(B)의 내부에 포획되려면 포획한 암석(B)보다 이전에 존재해야 하므로, 포획물을 포함하고 있는 관입암(B)은 포획암(A)보다 나중에 생성된 것이다.

② **맨틀 포획암:** 상부 맨틀의 부분 용융으로 생성된 마그마가 상승하는 과정에서 주변의 맨틀 물질을 포획하기도 하는데, 이 마그마가 분출하여 냉각되어 만들어진 현무암 내부에서 감람암질의 맨틀 물질이 포획물로 발견되는 경우가 있다. 이렇게 생성된 맨틀 포획암을 이용하여 맨틀의 구성 성분을 연구할 수 있다.

맨틀 포획암의 중요성
맨틀에서 생성된 현무암질 마그마가 상승하여 분출할 때, 감람암질의 상부 맨틀 물질을 떼어내어 현무암 내부에서 맨틀 포획암으로 발견되기도 한다. 이러한 맨틀 포획암은 맨틀 고유의 조성을 유지하고 있으므로, 맨틀에 관한 직접적인 정보를 얻을 수 있기 때문에 지구 내부 물질 연구에 큰 도움을 준다.

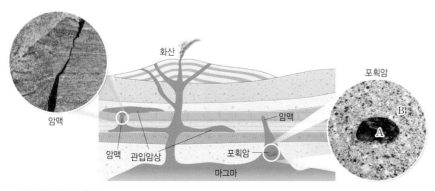

▲ 관입암(암맥)과 포획암

▲ 맨틀 포획암

4 우리나라의 퇴적암 지형

우리나라에는 고생대와 중생대 및 신생대에 생성된 퇴적암 지층이 분포하며, 각 지층에서 산출되는 화석과 퇴적 구조를 통해 퇴적암의 생성 시기와 퇴적 환경을 추정할 수 있다.

1. 전북 부안 채석강

전라북도 부안 변산반도 국립공원의 채석강에는 중생대 백악기에 생성된 셰일과 역암층이 분포한다. 채석강과 그 주변 지역에서는 연흔, 단층, 습곡 등의 구조가 발견되며, 해수의 침식 작용과 융기 작용으로 만들어진 해식 절벽, 해식 동굴, 해식 대지가 발달해 있다.

2. 경남 고성 덕명리 해안

경상남도 고성군 덕명리 해안의 지층은 약 1억 년 전 중생대에 호숫가의 늪지대에서 퇴적된 셰일층으로 이루어져 있다. 셰일층 암반에서는 다양한 공룡 발자국과 새 발자국 화석이 발견되는데, 이를 통해 당시 생물의 생활환경을 유추할 수 있다.

▲ 부안 채석강의 셰일층

▲ 고성 덕명리 해안의 셰일층

3. 제주도 수월봉

제주도 서쪽 해안의 수월봉에는 신생대의 화산 활동으로 분출된 화산 쇄설물이 쌓여 만들어진 응회암층이 분포하며, 지층 생성 당시 화산탄에 의해 퇴적층이 눌린 모습이 발견된다. 수월봉 상부는 용암 분출물로 덮여 있고, 해안에는 해식 절벽이 발달해 있다.

4. 충북 단양 고수동굴

강원도 영월, 평창, 삼척과 충청북도 제천, 단양 일대에는 고생대 초기의 석회암층이 넓게 분포하며, 석회암층이 지하수의 풍화 작용을 받아 만들어진 석회 동굴이 여러 곳에서 발달해 있다. 석회암 지대가 풍화 작용을 받아 형성된 지형을 카르스트 지형이라고 한다.

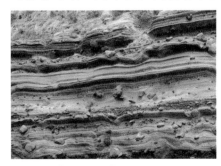

▲ 제주도 수월봉의 응회암층

▲ 단양 고수동굴(석회 동굴)

변산반도 국립공원

전북 부안의 변산반도 국립공원 내의 채석강과 적벽강, 격포 해안 지역에서는 다양한 퇴적암과 퇴적 구조가 분포한다.

· 채석강: 중생대의 셰일과 역암층이 해수의 침식 작용과 융기 작용을 받으며 수십 m 높이의 절벽을 이루고 있다.

· 적벽강: 중생대 말에 퇴적된 응회암층이 소규모로 분포하며, 해안 지역에 분포하는 유문암에는 주상 절리가 발달해 있다.

· 격포 해안 지역: 선캄브리아 시대의 편마암과 중생대에 관입한 화강암이 주변의 퇴적암과 함께 분포하며, 연흔, 층리, 단층, 습곡 등의 다양한 지질 구조를 관찰할 수 있다.

탄낭 구조

화산탄이 화산재층 위에 떨어져 층리가 아래쪽으로 오목한 모양으로 변형된 구조로, 지층이 퇴적되던 당시에 화산재층이 무른 상태였음을 알려 준다.

석회 동굴의 형성 과정

석회암 지대에서 이산화 탄소가 용해된 빗물이나 지표수가 석회암층에 침투하면, 석회암의 주성분인 탄산 칼슘이 물과 이산화 탄소와 반응하여 물에 잘 녹는 탄산수소 칼슘이 되어 화학적 풍화가 일어난다. 이 과정이 계속되면 석회 동굴이 형성된다.

$$CaCO_3 + H_2O + CO_2 \rightarrow Ca(HCO_3)_2$$

① 석회암층의 틈으로 이산화 탄소가 용해된 물이 스며든다.

② 물에 용해된 이산화 탄소가 탄산 칼슘과 반응하여 화학적 풍화가 일어난다.

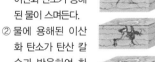

③ 물이 석회암층을 계속해서 침식하며 석회 동굴이 형성된다.

탐구

퇴적암에 나타나는 퇴적 구조 관찰하기

퇴적암에서 볼 수 있는 여러 가지 퇴적 구조를 관찰하고, 각 퇴적 구조에서 나타난 특징을 이용하여 퇴적 당시의 환경을 추론한다.

과정

그림은 퇴적암에서 볼 수 있는 여러 가지 퇴적 구조를 나타낸 것이다.

(가) 사층리

(나) 점이 층리

(다) 연흔

(라) 건열

(가)~(라) 퇴적 구조의 외형적 특징을 정리하고, 각 퇴적 구조가 어떤 환경에서 만들어졌는지 추론해 본다.

결과 및 정리

퇴적 구조	퇴적 구조의 외형적 특징	퇴적 구조가 만들어진 퇴적 환경
(가) 사층리	여러 개의 작은 층리가 비스듬히 엇갈린 구조로 나타나고 층리의 기울어진 정도가 다르다.	물이 흐르거나 바람이 부는 방향 쪽에 퇴적물이 쌓이면서 비스듬하게 기울어진 층리가 형성되므로, 수심이 얕은 곳이나 바람의 방향이 자주 변하는 곳에서 만들어졌을 것이다.
(나) 점이 층리	아래쪽에서 위쪽으로 갈수록 퇴적물 입자의 크기가 점점 작아지는 모습이다.	다양한 크기의 입자가 섞인 물질이 빠르게 이동하다가 유속이 급격히 감소하면서 크고 무거운 입자부터 먼저 가라앉아서 만들어졌을 것이다.
(다) 연흔	암석 표면에 물결 모양의 자국이 남아 있다.	암석 표면에 물결 모양의 자국이 있으므로, 물결의 영향을 받는 수심이 얕은 물밑에서 만들어졌을 것이다.
(라) 건열	가뭄이 들 때 논바닥이 갈라진 것과 같은 틈이 표면에 나타난다.	물밑에 쌓여 있던 입자가 작은 퇴적물이 수면 위의 건조한 환경에 노출되면서 표면의 갈라진 틈이 만들어졌을 것이다.

탐구 확인 문제

〉 정답과 해설 144쪽

01 그림 (가)와 (나)는 서로 다른 퇴적 구조의 단면을 나타낸 것이다.

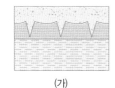
(가)

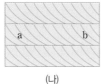
(나)

이에 대한 설명으로 옳은 것만을 보기에서 있는 대로 고르시오.

보기
ㄱ. (가)는 건조한 환경에서 만들어졌다.
ㄴ. (나)는 물이 a→b 방향으로 흘렀음을 알려준다.
ㄷ. (가)와 (나) 중 지층이 역전된 것은 (가)이다.

02 그림 (가)와 (나)는 서로 다른 퇴적 구조의 단면을 나타낸 것이다.

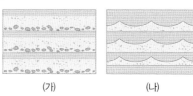
(가)　　　　　　(나)

이에 대한 설명으로 옳은 것은?

① (가)는 유속이 빠른 곳에서 만들어졌다.
② (가)는 물결의 영향을 받아 만들어졌다.
③ (나)는 수심이 깊은 물속에서 만들어졌다.
④ (나)는 역암에서 발달하는 퇴적 구조이다.
⑤ (가)와 (나)는 모두 지층의 상하 판단에 이용된다.

01 퇴적암과 지질 구조

2. 지구의 역사

**❶ 퇴적암의 생성과
퇴적암의 종류**

1 퇴적암의 생성 미고결 상태의 퇴적물이 쌓인 후 퇴적암이 되기까지의 과정을 속성 작용이라 하며, 속성 작용은 압축 작용(다짐 작용)과 (**❶**   )으로 나눌 수 있다.

2 퇴적암의 종류 퇴적물의 종류에 따라 다른 종류의 퇴적암이 만들어진다.

• (**❷**   ) 퇴적암: 자갈, 모래, 점토 등의 쇄설물이 쌓이고 굳어져서 만들어진 퇴적암
• (**❸**   ) 퇴적암: 물속에 녹아 있던 물질이 침전하거나 물이 증발하여 생성된 퇴적암
• (**❹**   ) 퇴적암: 생물의 유해가 쌓여서 만들어진 퇴적암

❷ 퇴적 구조와 퇴적 환경

1 퇴적 구조 퇴적암에는 퇴적 당시의 환경에 따라 다양한 퇴적 구조가 나타난다.

• (**❺**   ): 퇴적암의 한 지층 내에서 아래에서 위로 갈수록 입자의 크기가 점점 작아지는 퇴적 구조
• (**❻**   ): 층리가 나란하지 않고 엇갈린 모양으로 나타나는 퇴적 구조
• (**❼**   ): 퇴적물의 표면에 물결 자국이 남아 있는 퇴적 구조
• (**❽**   ): 가뭄이 들 때 논바닥이 갈라지는 것과 같이 퇴적물의 표면이 갈라진 모양의 퇴적 구조

2 퇴적 환경 퇴적물 입자가 다시 쌓이는 다양한 환경을 퇴적 환경이라 하며, 퇴적 환경은 크게 (**❾**   ), 연안 환경(전이 환경), 해양 환경으로 구분할 수 있다.

❸ 여러 가지 지질 구조

1 습곡 지층이나 암석이 양쪽에서 미는 횡압력을 받아 휘어진 지질 구조이다.

• (**❿**   ): 습곡축면이 수평면에 대하여 수직이고 두 날개의 모양이 대칭적인 습곡
• (**⓫**   ): 습곡축면이 거의 수평으로 기울어져 있는 습곡

2 단층 지층이나 암석이 끊어진 면을 경계로 양쪽의 암반이 상대적으로 이동하여 어긋나 있는 지질 구조이다.

• (**⓬**   ): 수평 방향의 장력에 의해 형성된 단층으로, 상반이 하반에 대하여 아래쪽으로 내려갔다.
• (**⓭**   ): 수평 방향의 횡압력에 의해 형성된 단층으로, 상반이 하반에 대하여 위쪽으로 올라갔다.
• 주향 이동 단층: 양쪽 암반이 수평 방향으로만 이동한 단층이다.

3 부정합 상하 두 지층 사이에 긴 시간 간격이 나타나는 관계이다.

• (**⓮**   ): 부정합면 위아래의 지층이 평행한 부정합
• (**⓯**   ): 부정합면 위아래의 지층이 경사진 부정합
• (**⓰**   ): 심성암이나 변성암이 융기하여 침식된 후 그 위에 새로운 지층이 퇴적된 부정합

4 절리 암석에 가해지는 (**⓱**   )이 변화하거나 온도 변화 등으로 부피가 변하면서 암석이 끊어져 갈라지거나 쪼개진 틈이다.

• (**⓲**   ): 길쭉한 기둥 모양의 절리로, 화산암에서 잘 나타난다.
• 판상 절리: 얇은 판 모양의 절리로, 심성암에서 잘 나타난다.

5 관입과 포획 마그마가 주변의 암체나 지층의 틈을 뚫고 들어가는 현상을 관입이라 하며, 마그마가 관입하는 과정에서 주변 암석의 일부가 마그마 속으로 유입되는 현상을 (**⓳**   )이라고 한다.

**❹ 우리나라의
퇴적암 지형**

• 우리나라에는 고생대와 중생대 및 신생대에 만들어진 퇴적암 지층이 분포하며, 각 지층에서 산출되는 화석과 (**⓴**   )를 통해 지층의 형성 시기와 퇴적 환경을 추정할 수 있다.

01 다음은 퇴적암의 생성 과정에 대한 설명이다.

> 퇴적물이 오랜 시간에 걸쳐 쌓이면 위에 쌓인 퇴적물의 무게로 아래에 놓인 퇴적물이 눌리면서 (ㄱ   )이 줄어들고, 퇴적물 입자 사이의 간격이 치밀해지고 밀도가 증가하는데, 이를 (ㄴ   ) 작용이라고 한다. 이 과정을 거친 퇴적물은 입자 사이의 틈이 완전히 메워지지 않은 상태이므로, 물이 입자 사이를 이동할 수 있다. 이때 물에 용해된 채로 운반되던 석회질, 규질, 철질 등의 물질이 퇴적물 입자 표면에 침전되고 입자들을 서로 붙게 하여 굳는데, 이를 (ㄷ   ) 작용이라고 한다.

빈칸에 알맞은 말을 써 넣으시오.

02 퇴적암의 구성 물질과 퇴적암을 옳게 짝 지으시오.

(1) 모래   •   • ㄱ 석탄
(2) 점토   •   • ㄴ 사암
(3) 화산재   •   • ㄷ 이암
(4) 식물의 잔해 •   • ㄹ 응회암

03 화학적 퇴적암과 유기적 퇴적암을 각각 보기에서 있는 대로 고르시오.

> 보기
> ㄱ. 석고   ㄴ. 석탄   ㄷ. 암염
> ㄹ. 이암   ㅁ. 집괴암   ㅂ. 응회암

(1) 화학적 퇴적암
(2) 유기적 퇴적암

04 퇴적 환경에 대한 설명으로 옳은 것은 ◯, 옳지 않은 것은 ✕로 표시하시오.

(1) 빙하 퇴적물이 쌓이면 분급이 양호한 빙퇴석을 형성한다. ……………………………………… (   )
(2) 산지와 평지 사이처럼 경사가 급격히 변하는 곳에서는 선상지가 발달한다. ………………… (   )
(3) 대륙붕의 끝 부분에 쌓인 퇴적물이 갑자기 흘러내려 쌓인 저탁암에는 점이 층리가 발달한다. ……… (   )

05 그림은 여러 가지 퇴적 구조를 나타낸 것이다. 물음에 답하시오.

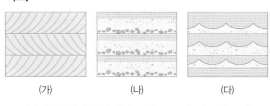

(가)   (나)   (다)

(1) 얕은 물밑에서 만들어진 퇴적 구조의 기호를 쓰시오.
(2) 깊은 바다에서 만들어진 퇴적 구조의 기호를 쓰시오.
(3) 물이나 바람의 방향을 알아낼 수 있는 퇴적 구조의 기호를 쓰시오.

06 그림은 여러 가지 단층을 나타낸 것이다.

(가)   (나)   (다)

이에 대한 설명으로 옳은 것만을 보기에서 있는 대로 고르시오.

> 보기
> ㄱ. 장력에 의해 형성된 단층은 (가)이다.
> ㄴ. 횡압력에 의해 형성된 단층은 (나)이다.
> ㄷ. (다)는 두 판이 서로 어긋나는 경계에 형성된다.

07 그림은 어느 지역의 지층의 단면을 나타낸 것이다.

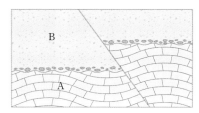

이에 대한 설명으로 옳은 것만을 보기에서 있는 대로 고르시오.

> 보기
> ㄱ. 이 지층에는 횡압력이 작용하였다.
> ㄴ. 상반이 하반에 대하여 아래쪽으로 내려갔다.
> ㄷ. A층과 B층 사이에는 긴 시간 공백이 나타난다.

01 〉퇴적암의 분류

그림 (가)~(바)는 여러 가지 퇴적암의 모습을 나타낸 것이다.

(가) 암염　　(나) 사암　　(다) 석회암

(라) 역암　　(마) 응회암　　(바) 처트

이에 대한 설명으로 옳은 것만을 보기에서 있는 대로 고른 것은?

보기
ㄱ. (가)는 유기적 퇴적암에 해당한다.
ㄴ. (나), (라), (마)는 모두 쇄설성 퇴적암에 해당한다.
ㄷ. (다)와 (바)는 화학적 퇴적암 또는 유기적 퇴적암으로 분류할 수 있다.

① ㄱ　　② ㄴ　　③ ㄱ, ㄷ　　④ ㄴ, ㄷ　　⑤ ㄱ, ㄴ, ㄷ

• 퇴적암은 그 생성 과정에 따라 쇄설성 퇴적암, 화학적 퇴적암, 유기적 퇴적암으로 구분한다.

02 〉퇴적 구조

그림 (가)~(다)는 여러 가지 퇴적 구조를 나타낸 것이다.

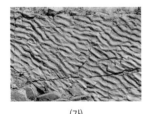

(가)　　(나)　　(다)

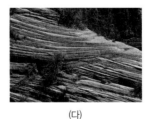

이에 대한 설명으로 옳은 것만을 보기에서 있는 대로 고른 것은?

보기
ㄱ. (가)와 (나)는 층리면의 모습이다.
ㄴ. (다)로부터 물이 흐르거나 바람이 분 방향을 유추할 수 있다.
ㄷ. (가), (나), (다)의 퇴적 구조에서 지층의 역전 여부를 알아낼 수 있다.

① ㄱ　　② ㄷ　　③ ㄱ, ㄴ　　④ ㄴ, ㄷ　　⑤ ㄱ, ㄴ, ㄷ

• 층리면은 위에서 본 모습이고, 단면은 옆에서 본 모습이다. 퇴적 구조를 통해 퇴적 환경을 추론할 수 있다.

› 퇴적 구조
그림은 어떤 퇴적암에서 발견되는 퇴적 구조를 나타낸 것이다.

이 퇴적 구조에 대한 설명으로 옳지 <u>않은</u> 것은?

① 이 퇴적 구조는 점이 층리이다.

② 지층의 역전 여부를 판단할 수 있다.

③ 저탁암에서 잘 나타나는 퇴적 구조이다.

④ 퇴적물의 운반 과정에서 유속이 빨라질 때 형성된다.

⑤ 퇴적물의 입자 크기에 따른 침강 속도 차이로 형성된다.

• 퇴적암에 나타나는 퇴적 구조를 통해 퇴적 과정, 수심, 유속, 기후 변화 등의 퇴적 환경을 추론할 수 있다.

고난도
04 › 지질 구조
그림 (가)와 (나)는 서로 다른 두 지역의 지질 구조를 나타낸 것이다.

(가)

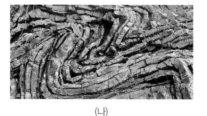
(나)

이에 대한 설명으로 옳은 것만을 보기에서 있는 대로 고른 것은?

> 보기
>
> ㄱ. (가)는 장력이 작용하여 만들어진 정단층이다.
>
> ㄴ. (나)는 횡압력이 작용하여 만들어진 습곡이다.
>
> ㄷ. (가)는 (나)보다 온도와 압력이 높은 지각 하부에서 만들어졌다.

① ㄱ   ② ㄷ   ③ ㄱ, ㄴ   ④ ㄴ, ㄷ   ⑤ ㄱ, ㄴ, ㄷ

• 암석에 힘이 작용하여 휘어진 구조를 습곡이라 하고, 암석에 힘이 작용하여 끊어진 면을 경계로 암반이 상대적으로 이동하여 어긋나 있는 구조를 단층이라고 한다.

05 > 부정합의 종류
그림은 어느 지역의 지층의 단면을 나타낸 것이다.
난정합, 평행 부정합, 경사 부정합이 존재하는 위치를 옳게 짝 지은 것은? (단, A는 변성암, B는 화성암, C~G는 모두 퇴적암이다.)

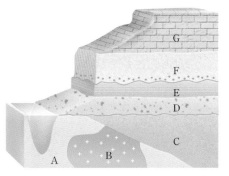

• 상하 지층 사이에 긴 시간 공백이 나타나는 관계를 부정합이라고 하며, 부정합에는 경사 부정합, 평행 부정합, 난정합이 있다.

	난정합	평행 부정합	경사 부정합
①	B와 C 사이	C와 D 사이	E와 F 사이
②	C와 D 사이	E와 F 사이	B와 C 사이
③	B와 C 사이	E와 F 사이	C와 D 사이
④	F와 G 사이	C와 D 사이	B와 C 사이
⑤	A와 C 사이	B와 C 사이	C와 D 사이

06 > 화성암의 지질 구조
그림 (가)와 (나)는 화성암에서 나타나는 서로 다른 지질 구조를 나타낸 것이다.

(가)

(나)

• 암석에 가해지는 압력이 변화하거나 온도 변화 등으로 부피가 변하면 암석이 끊어져 갈라지거나 쪼개지는 틈인 절리가 생긴다.

이에 대한 설명으로 옳은 것만을 보기에서 있는 대로 고른 것은?

보기
ㄱ. (가)는 용암이 급격히 냉각되면서 수축하여 만들어졌다.
ㄴ. (나)는 암석에 가해지는 압력이 증가하면서 만들어졌다.
ㄷ. (가)의 암석은 (나)의 암석보다 깊은 곳에서 만들어졌다.

① ㄱ   ② ㄴ   ③ ㄱ, ㄷ   ④ ㄴ, ㄷ   ⑤ ㄱ, ㄴ, ㄷ

07 › 관입과 포획

그림 (가)는 관입암 A와 주변의 암석 B를, (나)는 관입암 C와 그 내부의 포획암 D를 나타낸 것이다.

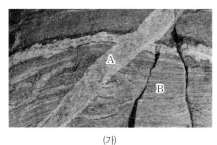

(가)

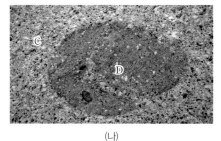

(나)

이에 대한 설명으로 옳은 것만을 보기에서 있는 대로 고른 것은?

보기

ㄱ. A는 조립질 조직을 이룬다.

ㄴ. C는 D보다 먼저 만들어졌다.

ㄷ. D는 관입암 주변의 암석 물질로 이루어져 있다.

① ㄱ   ② ㄴ   ③ ㄷ   ④ ㄱ, ㄴ   ⑤ ㄴ, ㄷ

> • 지하의 마그마가 상승할 때 주변의 암체나 지층의 틈을 뚫고 들어가는 것을 관입이라 하고, 마그마가 주변의 암체를 관입하는 과정에서 암석의 일부를 포획하기도 한다.

08 › 우리나라의 퇴적암 지층

그림 (가)는 전라북도 부안 채석강의 모습을, (나)는 제주도 수월봉의 모습을 나타낸 것이다.

(가)

(나)

이에 대한 설명으로 옳은 것만을 보기에서 있는 대로 고른 것은?

보기

ㄱ. (가) 지역에서는 역암층, 셰일층 등이 관찰된다.

ㄴ. (나)의 지층은 화산 분출물이 퇴적되어 만들어졌다.

ㄷ. (가)와 (나) 모두 해안을 따라 해식 절벽이 발달해 있다.

① ㄱ   ② ㄴ   ③ ㄱ, ㄷ   ④ ㄴ, ㄷ   ⑤ ㄱ, ㄴ, ㄷ

> • 부안의 채석강에는 셰일과 역암 지층이 분포하고, 제주도 수월봉에는 응회암 지층이 분포한다.

02 지질 시대와 환경

학습 Point   지층의 선후 관계 > 상대 연령과 지층 대비 > 절대 연령 > 지질 시대의 환경과 생물

 지층의 선후 관계

지구의 역사는 약 46억 년에 이르며 지구 역사의 대부분은 지층과 암석에 기록되어 있다. 지층과 암석 및 화석을 조사하여 지질 시대에 일어났던 여러 가지 사건을 연구하는 과정에서는 지사학의 기본 원리와 여러 가지 법칙을 이용하여 지층의 선후 관계를 파악한다.

1. 지사학의 기본 원리

(1) **지사학:** 지층과 암석에 기록된 지구의 역사를 연구하는 학문을 지사학이라고 한다. 지사학 연구는 지층과 암석의 선후 관계를 밝히는 것으로 시작된다.

(2) **동일 과정의 원리:** 지각 변동이나 지표의 변화와 같이 현재 지구 상에서 발생하는 여러 지질학적 사건들이 과거에도 동일한 과정으로 일어났다는 가정으로, 영국의 지질학자 허턴이 주장하였다.

2. 지사학의 법칙

(1) **수평 퇴적의 법칙:** 물속에서 퇴적물이 퇴적될 때 중력의 영향으로 수평면과 나란하게 쌓인다는 법칙으로, 덴마크의 지질학자 스테노가 주장하였다. 따라서 어떤 지층이 기울어진 모습으로 분포한다면 이 지층은 퇴적된 후에 지각 변동을 받았다는 사실을 알 수 있다.

(2) **지층 누중의 법칙:** 물이나 바람 등으로 운반된 퇴적물이 쌓일 때, 새로운 퇴적물은 이전에 쌓였던 퇴적물 위에 차곡차곡 쌓이면서 여러 지층을 이룬다. 따라서 지층이 역전되지 않은 경우에는 아래에 놓인 지층이 위에 놓인 지층보다 먼저 퇴적된 것이며, 이를 지층 누중의 법칙이라고 한다. 지층 누중의 법칙은 넓은 범위에 걸쳐 수평으로 놓인 지층뿐만 아니라 기울어져 있는 지층에도 적용할 수 있지만, 지각 변동을 받아 수직으로 세워지거나 역전된 지층에는 적용할 수 없다. 지층이 역전된 경우에는 사층리, 점이 층리, 연흔, 건열 등의 퇴적 구조나 생성 시기를 알 수 있는 화석을 이용하여 지층의 상하를 판단할 수 있다.

▲ 수평으로 쌓인 지층(수평 퇴적의 법칙)

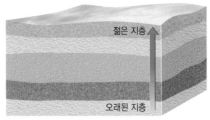

▲ 지층 누중의 법칙

격변설과 동일 과정의 원리

19세기까지 유럽의 과학자들은 지구가 약 6000년 전에 창조되었으며, 지표의 산맥이나 골짜기가 형성된 것은 지구에 일시적으로 거대한 힘이 작용하여 급격한 변화가 일어났기 때문이라고 생각하였고, 이를 격변설이라고 한다. 그러나 18 세기 후반 영국의 지질학자 허턴(Hutton, J., 1726~1797)은 암석의 형성과 지층에 관한 연구 과정에서 암석이 생성되고 풍화, 침식되는 과정이 매우 느리게 일어남을 파악하였다. 허턴은 이러한 변화가 오랜 시간에 걸쳐 서서히 일어나면서 산맥이나 계곡의 형성과 같이 큰 변화가 일어날 수 있다고 생각하였고, 현재 일어나고 있는 여러 자연 현상은 과거에도 동일하게 일어났기 때문에 '현재는 과거를 푸는 열쇠이다'라는 말로 표현되는 동일 과정의 원리를 제안하였다.

스테노(Steno, N., 1638~1686)

덴마크 출신의 의사이자 지질학자로, 높은 산에서 상어의 이빨, 조개껍데기 등 해양 생물의 화석이 산출되는 것을 보고 지층의 생성 과정에 대한 가설을 제시하였다. 스테노는 암석의 생성 순서는 여러 단계로 나누어지며, 화석은 과거에 살던 생물의 유해이고, 지층은 지표면에 수평으로 쌓이고(수평 퇴적의 법칙), 위에 놓인 지층은 아래에 놓인 지층보다 젊다는 사실(지층 누중의 법칙) 등을 주장하였다.

(3) **동물군 천이의 법칙**: 일반적으로 오래된 지층에서 새로운 지층으로 갈수록 지층에 포함된 동물 화석은 더욱 복잡하고 진화된 형태로 변화하는데, 이를 동물군 천이의 법칙이라고 한다. 지층에서 발견되는 화석의 종류와 진화 정도를 해석하면 지층의 선후 관계를 파악할 수 있다. 동물군 천이의 법칙을 적용하면 멀리 떨어져 있는 지층 사이의 생성 순서를 비교할 수 있다.

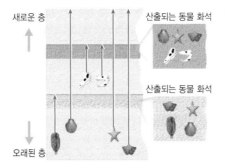

▲ **동물군 천이의 법칙** 상하 지층에서 산출되는 동물군 화석이 다르다.

(4) **관입의 법칙**: 지하 깊은 곳에서 생성된 고온의 마그마가 주변의 암석이나 지층의 틈을 따라 관입하여 생성된 화성암은 관입 당한 주변의 암석이나 지층보다 나중에 생성된 것인데, 이를 관입의 법칙이라고 한다. 마그마가 주변의 지층을 관입할 때 관입암과 접촉하는 주변의 암석은 열로 인한 변성 작용이 일어나기 때문에 관입 여부를 알 수 있다.

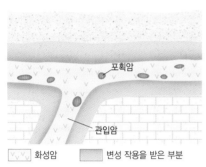

관입암

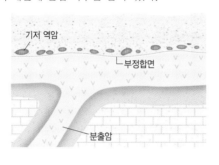

분출암

▲ **관입암과 분출암의 비교** 관입의 법칙을 적용할 때에는 화성암이 관입한 경우와 분출한 경우를 구분해야 한다. 마그마가 관입한 경우는 관입암 속에 주변 암석 조각이 포획된 포획암이 나타나며, 관입암의 상하층 모두 열에 의해 변성된다. 그러나 마그마가 분출한 경우에는 지표에서 냉각되므로 화성암의 상부층은 변성되지 않는다.

(5) **부정합의 법칙**: 매우 긴 퇴적 시간의 단절이 나타나는 상하 두 지층의 관계를 부정합이라고 한다. 따라서 부정합면을 경계로 위아래 두 지층 사이에는 긴 시간 간격이 존재하는데, 이를 부정합의 법칙이라고 한다. 부정합면은 퇴적 환경이 크게 달라지면서 형성되므로, 부정합면 상하 지층의 암석이나 지질 구조 및 동물군 화석이 크게 달라져서 지질 시대의 구분 기준으로 이용되기도 한다.

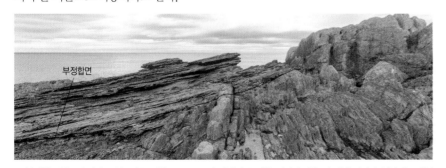

▲ **부정합** 영국의 시카 포인트의 부정합으로, 1788년 허턴이 두 지층 사이에 매우 긴 시간 간격이 있었다는 사실을 알아낸 부정합이다. 부정합면을 경계로 하부 지층은 경사가 급한 고생대 실루리아기의 사암이고, 상부 지층은 경사가 완만한 고생대 데본기의 사암이며, 부정합면 위에는 기저 역암이 분포한다.

절단 관계의 법칙
암석을 자르고 지나간 지질 구조는 잘린 암석이나 지층보다 나중에 만들어진 것이라는 법칙이다. 절단 관계의 법칙으로 암석이나 지질 구조의 선후 관계를 결정할 수 있는데, 관입에 의한 절단, 부정합에 의한 절단, 단층에 의한 절단 등이 있다.

부정합면의 의미
부정합면은 두께가 없는 침식면이지만 부정합면을 경계로 인접한 상하 두 지층 사이에는 오랜 시간 간격이 있음을 의미한다. 부정합의 시간 간격은 보통 수백만 년 이상이므로, 부정합면을 경계로 상하 지층에서 발견되는 생물 종이 크게 변할 수 있어서 지질 시대를 구분하는 기준이 된다. 부정합면 위에는 일반적으로 역암이 존재하는데, 이를 기저 역암이라고 한다. 기저 역암은 부정합면 하부의 지층이 침식 작용을 받아 생성된 것이다.

② 지질 연대 측정

탐구 104쪽

지층의 선후 관계와 생성 시기를 파악하면 과거에 일어났던 지질학적 사건을 재구성할 수 있다. 지질학적 사건이 일어난 시기를 파악하는 방법에는 상대적인 순서를 비교하는 방법과 지층의 연령을 직접 측정하는 방법이 있다.

1. 상대 연령과 지층 대비

(1) 상대 연령: 지사학의 법칙을 이용하여 지층이나 암석의 생성 시기와 지질학적 사건의 발생 순서를 상대적인 선후 관계로 나타낸 것을 상대 연령이라고 한다. 상대 연령은 한 지역에 분포하며 서로 접촉하고 있는 지층과 암석의 생성 순서를 나타낼 때 이용되며, 지층 누중의 법칙, 동물군 천이의 법칙, 관입의 법칙, 부정합의 법칙 등 지사학의 법칙을 적용하여 상대 연령을 알아낼 수 있다.

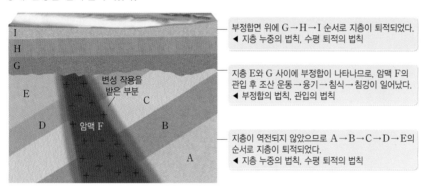

부정합면 위에 G→H→I 순서로 지층이 퇴적되었다.
◀ 지층 누중의 법칙, 수평 퇴적의 법칙

지층 E와 G 사이에 부정합이 나타나므로, 암맥 F의 관입 후 조산 운동→융기→침식→침강이 일어났다.
◀ 부정합의 법칙, 관입의 법칙

지층이 역전되지 않았으므로 A→B→C→D→E의 순서로 지층이 퇴적되었다.
◀ 지층 누중의 법칙, 수평 퇴적의 법칙

▲ **지층의 상대 연령** 지사학의 법칙을 적용하여 지층의 상대 연령을 결정할 수 있다.

(2) 지층 대비: 여러 지역에 분포하는 지층을 서로 비교하여 지층의 상대적인 선후 관계를 결정하는 것을 지층 대비라고 한다. 지층 대비에는 암상에 의한 대비와 화석에 의한 대비가 있다.

① **암상에 의한 대비:** 지층을 이루는 암석의 성분, 조직, 색, 퇴적 구조 등을 조사하여 여러 지역의 지층이 동일한 시기에 퇴적된 것인지 판단하는 방법이다. 암상에 의한 대비를 할 때는 응회암층, 석회암층, 석탄층과 같이 특징이 뚜렷하고 비교적 짧은 시간에 넓은 지역에서 생성된 지층을 이용하는데, 이러한 지층을 건층 또는 열쇠층이라고 한다. 암상에 의한 대비는 비교적 가까운 거리에 있는 지층을 대비할 때 이용된다.

건층(열쇠층)

멀리 떨어진 지층을 비교할 때는 다른 층과 확연히 구분되면서 넓은 지역에 한 번에 쌓이는 특징을 가진 층이 유용하게 이용된다. 특히, 응회암층은 특정한 화산이 폭발할 때 방출된 화산재가 넓은 지역에 퍼져 쌓인 것이고, 석탄층은 육상 식물이 번성한 지역에서 특정한 시기에 생성된 것이므로 건층으로 이용할 수 있다.

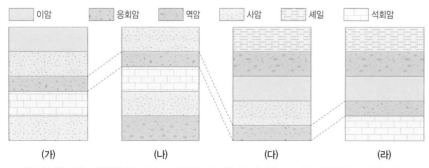

| 이암 | 응회암 | 역암 | 사암 | 셰일 | 석회암 |

(가)   (나)   (다)   (라)

▲ **암상에 의한 대비** 응회암층을 기준으로 같은 종류의 지층끼리 연결하고, 오래된 지층이 있는 지역부터 나열하면 (가)~(라) 지역에는 총 8개의 지층이 분포하며, 가장 오래된 지층은 (나) 지역의 역암층이고 가장 나중에 만들어진 지층은 (다)와 (라) 지역의 셰일층임을 알 수 있다.

② **화석에 의한 대비:** 멀리 떨어진 지층에서 특정한 시기에만 번성했던 생물의 화석이 공통적으로 발견되면 동물군 천이의 법칙에 따라 이 지층들은 같은 시기에 생성된 것이다. 화석에 의한 대비는 가까운 거리뿐만 아니라 멀리 떨어져 있는 지층의 대비에도 이용된다.

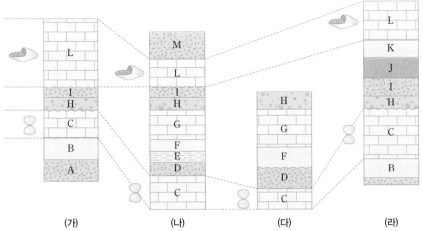

(가) (나) (다) (라)

▲ **화석에 의한 대비** 멀리 떨어진 지역 (가)~(라)에서 같은 화석이 산출되는 지층끼리 연결하면 이 지역에는 총 13개의 지층(A~M)이 분포하고, 부정합면은 (가) 지역의 C층과 H층 사이 및 I층과 L층 사이, (나) 지역의 I층과 L층 사이, (다) 지역의 D층과 F층 사이, (라) 지역의 C층과 H층 사이에 분포하는 것을 알 수 있다.

2. 절대 연령

(1) **절대 연령:** 상대 연령은 지층이나 암석의 선후 관계만을 나타낼 뿐 정확한 생성 시기를 알려주지 못한다. 지층이나 암석의 정확한 생성 시기를 절대 연령이라고 하며, 암석의 절대 연령은 방사성 동위 원소를 분석하여 계산할 수 있다.

(2) **방사성 동위 원소:** 동위 원소 중 자연적으로 붕괴하여 방사선을 방출하면서 안정한 원소로 변해가는 것을 방사성 동위 원소라고 한다. 방사성 동위 원소는 온도나 압력 조건에 관계없이 항상 일정한 비율로 붕괴하여 안정한 원소가 된다.

① **모원소와 자원소:** 방사성 동위 원소를 모원소라고 하고, 모원소의 방사성 붕괴로 생성된 안정한 원소를 자원소라고 한다.

② **반감기:** 방사성 동위 원소가 붕괴하여 모원소의 양이 처음의 절반으로 줄어드는 데 걸리는 시간을 반감기라고 하며, 반감기는 원소에 따라 특정한 값을 갖는다.

$$N = N_0 \times \left(\frac{1}{2}\right)^{\frac{t}{T}}$$

(N: t년 후 모원소의 양, N_0: 처음 모원소의 양, T: 반감기, t: 절대 연령)

모원소	자원소	반감기	효과적인 연대 결정 범위(년)	포함 광물
^{238}U	^{206}Pb	44.7억 년	1000만~46억	지르콘, 우라니나이트, 피치블렌드
^{235}U	^{207}Pb	7.0억 년	1000만~46억	지르콘, 우라니나이트, 피치블렌드
^{232}Th	^{208}Pb	140.5억 년	1000만~46억	지르콘, 우라니나이트
^{40}K	^{40}Ar	12.7억 년	5만~46억	흑운모, 백운모, 정장석, 휘석, 화산암
^{87}Rb	^{87}Sr	492억 년	1000만~46억	흑운모, 백운모, 정장석, 각섬석
^{14}C	^{14}N	5730년	100~7만	뼈, 나무 등 탄소를 포함한 유기물

▲ **절대 연령 측정에 사용되는 주요 방사성 동위 원소**

동위 원소

원자핵의 양성자수가 같아서 원자 번호는 같지만, 중성자수가 달라서 질량수가 다른 원소를 동위 원소라고 한다. 같은 종류의 원자도 중성자수가 다르면 물리적 성질이 달라진다. 예를 들어, 수소, 중수소, 삼중수소는 모두 양성자가 1개이므로 화학적 성질은 같지만, 중성자수가 달라서 녹는점이나 끓는점 등의 물리적 성질이 다르다.

$^{1}_{1}H$ $^{2}_{1}H$ $^{3}_{1}H$
수소   중수소   삼중수소

(3) **절대 연령 측정의 원리:** 모원소가 붕괴하여 자원소가 생성됨에 따라 반감기가 한 번 지나면 모원소의 양은 $\frac{1}{2}$로 줄어들고, 반감기가 두 번 지나면 $\frac{1}{4}$, 세 번 지나면 $\frac{1}{8}$로 줄어든다. 따라서 방사성 동위 원소를 함유한 광물이나 암석에 들어 있는 모원소와 자원소의 비율과 반감기를 이용하면 절대 연령을 계산할 수 있다.

방사성 동위 원소의 모원소와 자원소의 비율과 반감기의 경과 횟수와의 관계

$\dfrac{N}{N_0} = \left(\dfrac{1}{2}\right)^{\frac{t}{T}} = \left(\dfrac{1}{2}\right)^{n}$

$\dfrac{t}{T} = n$

$t = n \times T$

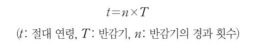

$$t = n \times T$$
$$(t:\ \text{절대 연령},\ T:\ \text{반감기},\ n:\ \text{반감기의 경과 횟수})$$

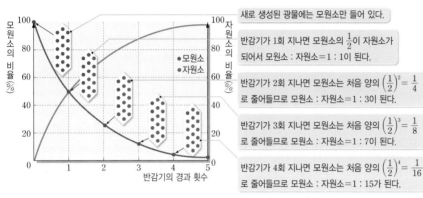

새로 생성된 광물에는 모원소만 들어 있다.

반감기가 1회 지나면 모원소의 $\frac{1}{2}$이 자원소가 되어서 모원소 : 자원소=1 : 1이 된다.

반감기가 2회 지나면 모원소는 처음 양의 $\left(\frac{1}{2}\right)^2 = \frac{1}{4}$로 줄어들므로 모원소 : 자원소=1 : 3이 된다.

반감기가 3회 지나면 모원소는 처음 양의 $\left(\frac{1}{2}\right)^3 = \frac{1}{8}$로 줄어들므로 모원소 : 자원소=1 : 7이 된다.

반감기가 4회 지나면 모원소는 처음 양의 $\left(\frac{1}{2}\right)^4 = \frac{1}{16}$로 줄어들므로 모원소 : 자원소=1 : 15가 된다.

▲ 반감기에 따른 모원소의 비율과 절대 연령의 계산

(4) **절대 연령 측정의 유의 사항:** 방사성 동위 원소를 함유하는 광물은 모든 종류의 암석에 포함될 수 있지만, 방사성 동위 원소를 이용하여 구한 절대 연령은 모든 암석의 생성 시기를 나타내지는 않는다. 화성암에서 측정한 절대 연령은 마그마가 식어서 광물이 생성된 시기를 나타내지만, 퇴적암의 경우에는 퇴적물이 기원한 암석의 절대 연령이 측정되므로 퇴적암에서 측정한 절대 연령은 퇴적 시기의 상한선을 나타낸다. 변성암에서 측정한 절대 연령은 변성암이 생성된 시기 또는 변성 작용이 일어난 후 냉각된 시기를 나타낸다.

(5) **절대 연령 측정의 활용:** 방사성 동위 원소를 이용하여 절대 연령을 측정할 때는 반감기가 적절한 동위 원소를 선택해야 한다. 측정하려는 암석의 연령에 비해 방사성 동위 원소의 반감기가 너무 길면 자원소의 양이 너무 적고, 암석의 연령에 비해 반감기가 너무 짧으면 모원소가 대부분 붕괴되어 절대 연령을 측정하기 어렵다. 따라서 오래된 지질 시대의 연령을 측정할 때는 반감기가 긴 우라늄(U)이나 토륨(Th), 칼륨(K), 루비듐(Rb) 등을 이용하고, 가까운 지질 시대의 연령 측정과 지구 환경 변화의 연구 및 고고학 분야의 연구에는 반감기가 비교적 짧은 탄소(C) 등을 이용한다.

예제

어떤 석회암 지층에서 발견된 조개껍데기에 포함된 탄소(^{14}C)의 양을 측정하였더니, 처음 양의 $\frac{1}{8}$로 줄어들어 있었다. 조개껍데기를 포함하고 있는 석회암층의 절대 연령을 계산하시오. (단, ^{14}C의 반감기는 5700년으로 계산한다.)

정답 방사성 동위 원소인 ^{14}C의 양이 처음의 $\frac{1}{8}$로 줄었다면 반감기가 3회 지난 것이므로, 조개껍데기의 절대 연령은 5700×3=17100(년)이다. 따라서 조개껍데기를 포함하고 있는 석회암층도 17100년 전에 생성된 것이다.

③ 지질 시대의 환경과 생물

지층과 암석에 남겨진 기록을 해석하면 지질학적 사건의 발생과 그 순서를 알아낼 수 있듯이 지구 탄생 이후 현재까지의 지질 시대 동안 남겨진 여러 가지 흔적을 해석하면 과거의 지구 환경 변화를 유추하여 지구의 역사를 밝혀낼 수 있다.

1. 표준 화석과 시상 화석

화석은 과거에 지질 시대에 서식했던 동식물의 유해나 생물이 활동한 흔적이 암석에 보존된 것으로, 주로 퇴적암에서 발견된다.

(1) **화석의 생성:** 퇴적물과 함께 묻힌 생물의 유해가 오랜 시간이 지나면서 화석화 작용을 거치면 화석으로 보존된다. 어떤 생물이 화석으로 보존되려면 생물체의 개체 수가 많아야 하고, 넓은 지역에 분포해야 하며, 생물체에 뼈나 줄기, 껍데기 등과 같은 단단한 부분이 있거나 땅속에 빨리 매몰되어 미생물에 의해 분해되지 않아야 한다.

(2) **표준 화석과 시상 화석:** 지질 시대 동안 시기와 환경에 따라 다양한 생물이 존재했으므로, 화석을 연구하면 지층이 생성된 시기나 당시의 환경을 유추할 수 있다.

① **표준 화석:** 특정 시기에 출현하여 일정 기간 동안 번성하다가 멸종한 생물의 화석은 지층이 생성된 시기를 판단하는 근거로 이용될 수 있다. 이렇게 지층의 상대 연령이나 지층 대비에 사용되는 화석을 표준 화석이라고 한다. 표준 화석으로는 일반적으로 생존 기간이 짧고, 넓은 지역에 걸쳐 분포하며, 개체 수가 많은 생물을 이용한다. 대표적인 표준 화석으로는 고생대의 삼엽충, 중생대의 공룡과 암모나이트, 신생대의 매머드와 화폐석 등이 있다.

고생대의 삼엽충 　　중생대의 공룡 　　신생대의 매머드

▲ 표준 화석

② **시상 화석:** 환경 변화에 민감한 생물은 특정한 환경에서 번성하므로 그 생물의 화석을 통해 과거에 생물이 살던 시기의 환경을 추정할 수 있다. 이를 시상 화석이라고 하며, 생존 기간이 길고 특정한 환경에 제한적으로 분포하며 환경 변화에 민감한 생물의 화석을 이용한다. 현재 산호는 따뜻하고 수심이 얕은 바다에 서식하므로 어떤 지층에서 산호 화석이 발견되면 그 지층은 따뜻하고 얕은 바다에서 퇴적되었다고 볼 수 있다.

따뜻하고 수심이 얕은 바다에 서식하는 산호 　　따뜻하고 습한 육지에 서식하는 고사리

▲ 시상 화석

화석화 작용
화석화 작용(fossilization)이란 생물의 유해가 매몰된 후에 단단한 암석처럼 변하기까지의 과정이다. 동물의 뼈, 이빨, 뿔 등의 골격이나 식물의 줄기와 같은 다공질 부분에 지하수에 용해되어 있던 규산이나 탄산 칼슘 등의 물질이 침투하여 굳어지거나, 생물체의 조직 전체를 규산 성분이 치환하여 굳어지면 돌처럼 단단한 화석이 된다(예: 규화목). 또 생물체가 대부분 탄소 화합물이므로 지하에 묻히고 산소의 유입이 차단된 상태에서 지열과 압력을 받으면 탄화 작용이 일어나 주로 탄소 성분만 남은 화석이 된다(예: 석탄).

화석의 형태
- 몰드: 생물의 유해가 퇴적물과 함께 쌓인 후 오랜 시간이 지나 지하수에 용해되어 사라지고, 그 생물의 겉모양만 화석으로 남은 것
- 캐스트: 몰드에 다른 물질이 채워져 굳어지며 원래 생물의 형태와 같은 복제물이 된 것

▲ 삼엽충의 캐스트(왼쪽)와 몰드(오른쪽)

화석의 종류
- 체화석(몸체화석): 화석 중에서 생물의 뼈, 이빨, 껍데기와 같이 주로 골격으로 이루어진 화석
- 생흔 화석: 생물의 발자국이나 배설물, 생물이 판 구멍 등이 퇴적암에 남아 있는 화석

2. 지질 시대의 기후

과거의 기후를 정확히 알 수 있는 방법은 당시의 관측 자료를 참고하는 것이지만 인간이 기후를 관측하여 기록한 것은 지난 수백 년에 불과하다. 기상 관측 이전의 기후를 고기후라고 하며, 고기후 연구를 통해 과거 기후를 추정하고 복원할 수 있다.

(1) 고기후 연구 방법: 수십 만 년 전 이내의 과거의 기후는 빙하 코어, 종유석과 석순, 나무의 나이테, 산호의 골격, 꽃가루 화석 등을 통해 추정할 수 있고, 지질 시대와 같이 먼 과거의 기후는 고생물 화석이나 빙하의 흔적, 지층의 퇴적물 등을 통해 추정할 수 있다.

빙하 코어	지표에 눈이 내려 만들어진 빙하 속에는 꽃가루와 당시의 대기 성분이 포함될 수 있다. ➡ 꽃가루로 당시 환경을 추정할 수 있으며, 빙하 내의 공기 방울을 분석하여 과거 대기 조성을 알 수 있고, 산소 동위 원소비를 분석하여 기온을 추정할 수 있다.
동굴 생성물 (종유석과 석순)	강수량에 따라 석회 동굴에 공급되는 지하수의 양이 달라지며, 기온에 따라 종유석이나 석순의 산소 동위 원소비가 달라진다. ➡ 탄소 동위 원소를 분석하여 석순의 형성 시기를 계산하고, 산소 동위 원소비를 이용하면 당시 기온을 추정할 수 있다.
꽃가루 화석	기후가 한랭하면 침엽수의 꽃가루가 많아지고, 기후가 온난하면 활엽수의 꽃가루가 많아진다. ➡ 퇴적층의 절대 연령을 측정하고, 그 퇴적층에 분포하는 꽃가루 화석을 분석하여 과거의 기후를 추정할 수 있다.
시상 화석	시상 화석은 특정한 환경에 제한적으로 분포하는 생물의 화석이다. ➡ 시상 화석을 조사하면 그 생물이 살았던 당시의 기후 환경을 추정할 수 있다.
산호의 골격	계절 변화와 수온에 따라 산호를 이루는 골격의 밀도가 달라져서 나이테와 같은 성장선이 만들어진다. ➡ 산호의 성장선을 분석하여 기온 변화를 추정할 수 있고, 산소 동위 원소 질량비를 통해 과거의 수온 변화를 추정할 수 있다.
나무의 나이테	나이테는 나무가 1년 동안 성장한 속도를 나타내므로 성장 속도를 조사하여 그 해의 기후를 알 수 있다. ➡ 나이테를 분석하여 기온과 강수량, 일조량 등 나무의 생장에 영향을 미치는 기후 요소의 변화를 추정할 수 있다.
지층 퇴적물	호상점토층과 같이 호수에 쌓인 퇴적물은 기후에 따라 퇴적층의 구조가 다르게 나타난다. ➡ 각 퇴적층의 절대 연령을 측정하고, 그 퇴적층의 구조를 분석하여 기후 환경을 추정할 수 있다.

(2) 지질 시대의 기후 변화: 지질 시대 동안 여러 가지 요인에 의해 온난한 기후와 한랭한 기후가 반복되었으며, 여러 차례에 걸쳐 전 지구적인 규모의 커다란 빙하기가 있었다.

산소 동위 원소를 이용한 빙하 코어 연구
기온이 낮을수록 빙하를 구성하는 물 분자(H_2O)의 산소 안정 동위 원소의 질량비($\frac{^{18}O}{^{16}O}$)가 작아지므로, 빙하를 구성하는 물 분자의 산소 동위 원소비를 이용하여 과거의 기후를 추정할 수 있다.

지질 시대 동안 대규모의 빙하기
지질 시대 동안 전 지구적인 규모의 빙하기는 5회 있었던 것으로 알려진다. 그 시기는 선캄브리아 시대의 원생대 초(약 23억 년 전), 원생대 말(약 8억 5000만 년 전~6억 년 전), 고생대 오르도비스기 말(약 4억 4000만 년 전), 석탄기(약 3억 5000만 년 전~3억 년 전)와 신생대 제4기 초(약 200만 년 전~11000년 전)로 추정된다.

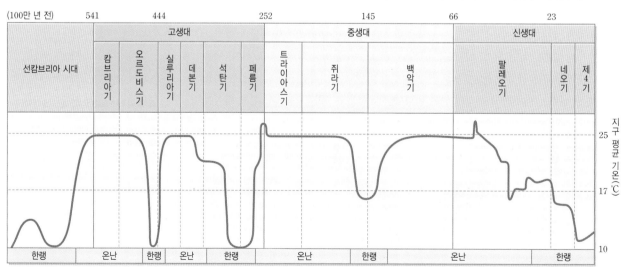

▲ 지구 평균 기온 변화

3. 지질 시대의 구분

지구가 탄생한 약 46억 년 전부터 현재까지를 지질 시대라고 한다. 층서학과 화석 연구를 통해 지질 시대를 구분하고, 암석의 절대 연령 측정을 통해 각 지질 시대의 지속 기간을 결정한다.

⑴ **지질 시대의 구분 기준:** 지질 시대는 지층 속에 화석으로 남아 있는 고생물의 출현과 멸종 등 생물계의 큰 변화를 기준으로 구분한다. 생물의 생존이 지구 환경 변화에 큰 영향을 받으므로, 지질학적 시간 척도는 화석군에 확연한 변화가 나타날 때를 경계로 한다.

⑵ **지질 시대의 구분:** 지질 시대는 누대, 대, 기로 구분한다.

① 누대(Eon): 지질 시대를 구분하는 가장 큰 시간 단위로, 시생 누대, 원생 누대, 현생 누대로 구분한다. 생물체가 없거나 적어서 화석이 거의 발견되지 않는 시생 누대와 원생 누대를 선캄브리아 시대라고도 하며, 전체 지질 시대의 약 88 %를 차지한다. 현생 누대는 눈에 보이는 생물이 살던 시대를 뜻하며, 화석이 비교적 풍부하게 산출된다.

② 대(Era): 생물의 출현과 진화 등 생물계에 큰 변화가 나타난 시기를 기준으로 구분하는 시간 단위이다. 현생 누대는 하등 동물이나 원시 어류, 양서류 등의 생물이 화석으로 산출되는 고생대, 거대한 파충류나 암모나이트 등의 생물이 화석으로 산출되는 중생대, 포유류와 같이 현존하는 생물과 비슷한 생물이 화석으로 산출되는 신생대로 구분하며, 각 대의 구분은 전 지구적인 규모에서 생명체들의 중요한 변화가 나타났음을 뜻한다.

③ 기(Period): 대를 세분화한 시간 단위로, 지층 대비를 통해 여러 지역에 흩어져 있는 지층의 선후 관계를 결정한 후에 그 시대 지층이 처음 발견된 곳의 지명이나 시대적 특징을 가장 잘 반영하고 있는 지층의 소재지 또는 지층의 특성을 따라 명명되었다. 고생대는 캄브리아기, 오르도비스기, 실루리아기, 데본기, 석탄기, 페름기로, 중생대는 트라이아스기, 쥐라기, 백악기로, 신생대는 팔레오기, 네오기, 제4기로 구분한다.

시생 누대와 원생 누대

시생 누대는 생명이 시작된 시대를, 원생 누대는 원시적인 생물이 살던 시대를 뜻하며, 현생 누대는 눈에 보이는 생물들이 살던 시대를 뜻한다.

지질 시대				생물의 변천		
누대	대	기	절대 연대 (100만 년 전)	표준 화석	생물계의 변화	
현생 누대	신생대	제4기	2.6	매머드	포유류 번성, 현생 인류 출현	
		네오기	23	화폐석	초식성 포유류와 속씨식물 번성	
		팔레오기	66		영장류 · 코끼리 출현	5차 대멸종
	중생대	백악기	145	공룡, 암모나이트	속씨식물 출현	
		쥐라기	201		파충류 번성, 시조새 출현	4차 대멸종
		트라이아스기	252		포유류 출현	3차 대멸종 (해양 생물 종의 약 90 % 멸종)
	고생대	페름기	299	방추충 (푸줄리나)	겉씨식물 출현	
		석탄기	359		파충류 출현	2차 대멸종
		데본기	419	갑주어	어류 번성, 곤충류 · 양서류 · 폐어류 출현	
		실루리아기	444	삼엽충	육상 생물 출현	1차 대멸종
		오르도비스기	485	필석	필석류 번성	
		캄브리아기	541		삼엽충 번성	생물 대폭발
원생 누대	선캄브리아 시대				다세포 생물 출현	
시생 누대			4600		단세포 생물 출현	

▲ **지질 시대의 구분과 생물계의 변화**

4. 지질 시대의 환경과 생물

지질 시대 동안 지구 환경은 끊임없이 변하였으며, 그 과정에서 다양한 생물들이 출현하고 번성하였다가 사라졌고, 환경 변화에 적응한 생물은 진화하여 다양해졌다.

(1) 선캄브리아 시대의 환경과 생물: 선캄브리아 시대로 불리는 시생 누대와 원생 누대에는 생물의 종류와 수가 적었고, 오랜 시간 동안 지각 변동을 받으면서 대부분의 지층과 화석이 변형되거나 소실되었기 때문에 이 시기의 환경이나 생물을 추정하기 매우 어렵다.

① **지각 변동:** 시생 누대에 대륙 지각이 형성되기 시작하였고, 이후 대륙들이 하나로 모여 초대륙을 형성하다가 흩어지기를 반복하며 선캄브리아 시대 후기에는 초대륙 로디니아가 형성되었다가 분리되기 시작하였다.

② **기후 변화:** 시생 누대의 지층에서 두꺼운 석회암층이 발견되고 석회 조류의 화석이 산출되므로 온난한 기후였을 것으로 추정된다. 이후 원생 누대 초기와 후기 지층에 빙하 퇴적물이 전세계적으로 분포하는 것으로 보아 대규모의 빙하가 존재했을 것으로 추정된다.

③ **생물계의 변화:** 시생 누대 초기의 대기는 주로 질소와 이산화 탄소로 이루어져 있고 산소는 거의 없었으며, 오존층이 없어서 육지에 강한 자외선이 도달하여 생명체가 육지에 살 수 없었다. 최초의 생명체는 바다에서 탄생하였고, 약 38억 년 전에 단세포 원핵생물이 출현하였다. 약 35억 년 전부터 남세균의 광합성에 의해 산소가 생성되며 해수에 용해된 철 이온과 산소가 결합하여 호상 철광층이 형성되었다. 이후 대기 중 산소의 양이 증가함에 따라 진핵생물이 출현하였고, 원생 누대 말인 약 7억 년 전에 다세포 생물이 출현하였다. 선캄브리아 시대의 대표적인 화석으로는 남세균의 활동으로 형성된 구조인 스트로마톨라이트와 다세포 무척추동물인 에디아카라 동물군 화석 등이 있다.

▲ 스트로마톨라이트

▲ 호상 철광층

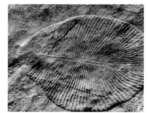
▲ 에디아카라 동물군 화석

시야 확장 ➕ 스트로마톨라이트

스트로마톨라이트는 남세균(시아노박테리아)이 성장하며 물속을 부유하던 작은 퇴적물 입자를 붙잡아두면서 만들어진 층 모양의 무늬가 있는 독특한 퇴적 구조로, 1년에 수 mm 정도 성장하는 것으로 알려져 있다. 스트로마톨라이트는 선캄브리아 시대의 지층뿐만 아니라 여러 지질 시대의 지층에서 발견되고, 현재 오스트레일리아 서부 해안에서 현생 스트로마톨라이트가 성장하고 있다.

▲ 현생 스트로마톨라이트(오스트레일리아 샤크베이)

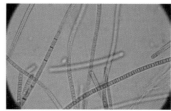
▲ 남세균(현미경 사진)

선캄브리아 시대의 지층
선캄브리아 시대의 지층은 캐나다와 유럽 북서부, 동북아시아, 오스트레일리아 등 각 대륙의 중심부에 위치한 순상지에 주로 분포한다. 편암이나 편마암과 같은 변성암이 대부분을 차지하므로, 선캄브리아 시대의 환경이나 생물을 추정하기 매우 어렵다.

호상 철광층(banded iron formation)
약 35억 년 전부터 남세균의 광합성으로 산소가 생성되면서 당시 해수에 다량으로 용해되어 있던 철 이온과 결합하여 산화철 광물이 침전하여 만들어진 퇴적층이다. 호상 철광층은 철 성분이 15 % 이상 들어 있으며, 밝고 어두운색의 층리가 반복되는 줄무늬 모양을 나타낸다.

에디아카라 동물군
원생 누대 말기에 나타났던 다세포 무척추동물의 화석으로, 오스트레일리아 남부 에디아카라 언덕에서 처음으로 발견되었다. 원시 환형동물의 형태 또는 원시 자포동물과 같이 해파리와 유사한 형태의 화석으로 발견되며, 아프리카, 중국, 시베리아, 캐나다 등의 지역에서 유사한 동물 화석군을 포함하는 지층이 발견되었다.

(2) **고생대의 환경과 생물**: 고생대는 약 5억 4100만 년 전부터 약 2억 5200만 년 전까지의 기간으로, 지질 시대의 약 6.3 %를 차지하며 이 기간 동안 지구 상에 많은 생물이 출현하였다. 고생대의 지층에서는 선캄브리아 시대의 지층에 비해 화석이 많이 발견되어 고생대의 생물과 환경을 해석하는 데 도움이 된다.

① **지각 변동**: 고생대 전기에는 여러 대륙이 흩어져 있었지만, 페름기 말에 대륙이 하나로 모여 초대륙 판게아를 형성하면서 대규모 조산 운동이 일어났다.

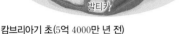

캄브리아기 초(5억 4000만 년 전)

페름기 말(2억 6000만 년 전)

▲ **고생대의 수륙 분포**

② **기후 변화**: 고생대 전기 지층에 석회암과 증발암이 두껍게 분포하므로, 전기에는 온난하고 건조한 기후로 추정된다. 고생대 중기에는 한랭한 기후가 나타났다가 온난해졌다. 고생대 말에 빙하기가 있었는데, 남극 대륙 부근은 한랭하였으나 적도 부근은 온난하였다.

③ **생물계의 변화**: 고생대가 시작되며 해양 생물의 종 수가 급격히 증가했고, 대기 중 산소가 증가하고 오존층이 형성되어 자외선이 차단됨에 따라 육지에서도 생물이 살 수 있게 되었다. 그 결과 다양한 무척추동물, 어류, 양서류, 파충류, 겉씨식물이 출현하였다.

• **캄브리아기**: 바다에서 눈, 껍데기, 가시 등을 가진 다양한 동물들이 출현하였으며, 온난한 바다에서 삼엽충, 완족류 등의 해양 무척추동물이 번성하였다.

• **오르도비스기**: 삼엽충과 완족류, 두족류, 필석류 등이 번성하였고, 최초의 척추동물인 어류가 출현하였다.

• **실루리아기**: 갑주어, 바다전갈 등이 번성하였고, 대기 중에 오존층이 형성됨에 따라 해안의 낮은 습지에 최초의 육상 식물(쿡소니아: 관다발식물)이 출현하였다.

• **데본기**: 바다에서 어류가 크게 번성하여 어류의 시대라고도 하며, 육지에서 양서류가 출현하였다.

• **석탄기**: 바다에서 방추충, 산호류, 완족류 등이 번성하였고, 육지에서는 양서류와 양치식물이 번성하였다. 무성한 숲을 이루던 양치식물이 매몰되어 두꺼운 석탄층을 형성하였다.

• **페름기**: 은행나무, 소철 등의 겉씨식물이 출현하였고, 페름기 말에는 삼엽충, 필석류, 방추충을 비롯한 해양 생물 종의 90 % 이상이 절멸하는 대멸종이 일어났다.

고생대 초부터 화석이 많이 발견되는 까닭
고생대가 시작되면서 단단한 껍데기와 골격을 가진 생물 종의 수가 급격히 증가하였고, 생물의 개체수와 개체의 평균 크기가 증가하여 화석으로 보존된 생물의 수가 증가하였기 때문이다.

캄브리아기 폭발(Cambrian explosion)
캄브리아기에는 선캄브리아 시대에는 존재하지 않았던 해파리, 해면 동물, 연체동물(조개류), 절지동물 등의 해양 무척추동물이 출현하여 번성하였는데, 이렇게 전 세계의 바다에서 생물종이 급격하게 증가한 사건을 캄브리아기 폭발이라고 한다. 캄브리아기에 다양한 생물이 출현한 까닭은 눈을 가진 생물이 등장하며 생존 경쟁을 위한 진화가 시작되었고, 그 과정에서 생물 다양성이 증가하였다는 가설이 유력하다. 현재 지구상에 존재하는 동물 문(門)의 대부분은 약 5억 2000만 년 전에 등장한 것으로 알려져 있다.

▲ **캄브리아기의 해양 생물(상상도)**

삼엽충

완족류

필석

에우립테루스(바다전갈류)

방추충

▲ **고생대 생물의 화석**

(3) **중생대의 환경과 생물**: 중생대는 약 2억 5200만 년 전부터 약 6600만 년 전까지의 기간으로, 지질 시대의 약 4.1 %를 차지한다. 비교적 온난한 기후가 지속되면서 다양한 형태의 파충류가 번성하여 파충류의 시대로 불리기도 한다.

① **지각 변동**: 초대륙 판게아가 트라이아스기 말부터 여러 대륙으로 분리되면서 쥐라기에는 대서양이, 백악기에는 인도양이 확장되기 시작하였고, 해양판이 섭입하면서 로키산맥이나 안데스산맥과 같은 습곡 산맥이 형성되기 시작하였다.

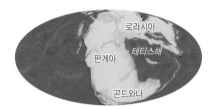

쥐라기(약 1억 8000만 년 전)　　　　　백악기 초(약 1억 3000만 년 전)

▲ **중생대의 수륙 분포**

② **기후 변화**: 전반적으로 온난한 기후가 지속되었으며, 빙하기는 없었다. 판게아가 분리되며 해안선의 길이가 길어져서 고온 다습한 지역의 면적이 증가하여 육상 식물이 널리 퍼질 수 있게 되었다.

③ **생물계의 변화**: 고생대 페름기 말 대멸종 이후 중생대에는 공룡, 파충류, 암모나이트가 전 기간에 걸쳐 번성하였다.

• **트라이아스기**: 트라이아스기에는 양서류가 쇠퇴하고 파충류가 번성하기 시작하였다. 바다에서 두족류에 속하는 암모나이트가 번성하였으며, 육지에서는 최초의 포유류가 출현하였고, 양치식물이 쇠퇴하고 겉씨식물이 번성하였다.

• **쥐라기**: 기온이 높고 강수량이 많아서 동물과 식물의 종류가 다양해지고 개체의 크기가 커졌다. 공룡으로 대표되는 파충류가 번성하였으며, 쥐라기 말에는 파충류와 조류의 특징을 모두 가지고 있는 시조새가 출현하였다.

• **백악기**: 공룡과 암모나이트가 번성하여 전성기를 이루었고, 속씨식물이 출현하여 겉씨식물을 대체하기 시작하였다. 백악기 말에 대멸종으로 암모나이트와 공룡을 비롯한 많은 생물이 갑자기 멸종하였는데, 대멸종의 원인으로는 소행성 충돌에 의한 급격한 환경 변화 때문이라는 가설이 유력하다.

공룡, 익룡, 어룡
공룡은 곧은 다리를 가진 파충류로 주로 육지에서 살았고, 어룡은 해양 파충류로, 비교적 얕은 바다에 서식하였으며, 익룡은 날개를 가진 파충류이다. 우리나라에서는 다양한 공룡 발자국 화석이 발견되며, 전라남도 해남 우항리에서는 익룡 발자국 화석이 발견되기도 하였다.

▲ **쥐라기의 환경(상상도)**

암모나이트　　　　　공룡

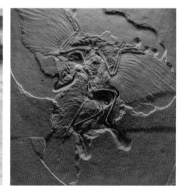

시조새

▲ **중생대 생물의 화석**

(4) **신생대의 환경과 생물:** 신생대는 약 6600만 년 전부터 현재까지의 기간으로, 지질 시대의 약 1.4%를 차지한다. 육상에서 포유류가 파충류를 대체하였고, 속씨식물이 겉씨식물을 대체하였다.

① 지각 변동: 대륙이 계속해서 이동하면서 현재와 비슷한 수륙 분포를 이루었다. 아프리카 대륙과 인도 대륙이 유라시아 대륙과 충돌하면서 테티스해가 소멸되고, 알프스-히말라야 조산대가 형성되었고, 대서양과 인도양이 확장되었으며, 태평양은 축소되었다.

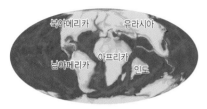 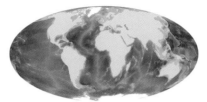

약 5000만 년 전(팔레오기)   현재

▲ **신생대의 수륙 분포**

② 기후 변화: 팔레오기와 네오기는 대체로 온난하였으나, 제4기에는 점차 한랭해져서 여러 차례의 빙하기와 간빙기가 나타났다. 마지막 빙하기는 약 1만 년 전에 끝났다.

③ 생물계의 변화: 바다에서는 화폐석이, 육지에서는 포유류와 속씨식물이 번성하였다.

• 팔레오기와 네오기: 겉씨식물이 쇠퇴하고 속씨식물이 번성하여 삼림을 이루었고, 넓은 초원이 형성되면서 포유류가 번성할 수 있었다. 바다에서는 화폐석이 출현하여 번성하다가 멸종하였다.

• 제4기: 매머드 등의 대형 포유류가 넓은 지역에 분포하였으며, 인류의 조상이 출현하였다.

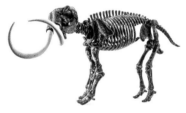 

매머드   화폐석

▲ **신생대 생물의 화석**

신생대에 포유류가 번성한 까닭
• 두개골 용적이 증가하여 보다 지능적인 행동을 할 수 있었다.
• 몸 표면에 덮인 털이 체온을 유지하고 외부 기온 변화의 영향을 크게 받지 않게 하였다.
• 이빨의 기능이 분리되어 충분한 영양분 섭취가 가능하였다.

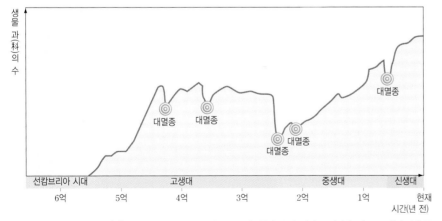

▲ **지질 시대 동안 생물 과(科)의 수 변화와 대멸종** 해양 동물의 과(科) 수의 변화를 나타낸 것으로, 지질 시대 동안 5차례의 대멸종이 일어났다.

지층의 상대 연령과 절대 연령 구하기

지사학의 법칙을 이용하여 지층의 상대 연령을 판단하고, 방사성 동위 원소의 반감기를 이용하여 지층의 절대 연령을 계산하여 주변 지층의 절대 연령을 추정할 수 있다.

[과정 및 결과]

그림 (가)는 어느 지역의 지층의 단면을 나타낸 것으로, A~J는 퇴적암이고 암맥 P와 Q는 화성암이다. 그림 (나)는 암맥 P와 Q에 포함된 방사성 동위 원소 X의 붕괴 곡선을 나타낸 것이다.

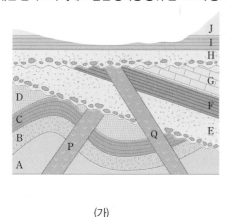

(가)

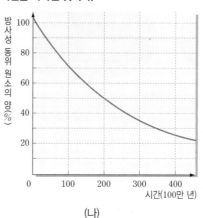

(나)

1 그림 (가)를 해석하여 이 지역에서 일어난 지질학적 사건의 순서를 과거부터 차례대로 나열하여 상대 연령을 구한다.

➡ 지층 A, B, C, D 퇴적(수평 퇴적의 법칙, 지층 누중의 법칙) → 습곡 형성 → 암맥 P 관입(관입의 법칙) → 융기 → 침식 → 침강(부정합의 법칙) → 지층 E, F, G 퇴적 → 지각 변동, 융기 → 암맥 Q 관입(관입의 법칙) → 융기 → 침식 → 침강(부정합의 법칙) → 지층 H, I, J 퇴적(수평 퇴적의 법칙, 지층 누중의 법칙) → 융기 → 침식

2 그림 (나)를 해석하여 방사성 동위 원소 X의 반감기를 구한다.

➡ 방사성 동위 원소의 반감기는 모원소가 처음 양의 50 %가 되는 데 걸린 시간이므로, 방사성 동위 원소 X의 반감기는 2억 년이다.

3 암맥 P와 Q에 포함된 방사성 동위 원소 X의 모원소와 자원소의 비율이 각각 1 : 3, 1 : 1일 때, 암맥 P와 Q의 절대 연령을 구한다.

➡ 암맥 P와 Q에 남아 있는 방사성 동위 원소 X의 모원소와 자원소의 비율이 각각 1 : 3, 1 : 1이므로, 암맥 P는 반감기가 2회 경과하였고 암맥 Q는 반감기가 1회 경과하였다. 방사성 동위 원소 X의 반감기는 2억 년이므로, 암맥 P와 Q의 절대 연령은 각각 4억 년과 2억 년이다.

구분	암맥 P	암맥 Q
모원소와 자원소의 비율	1 : 3	1 : 1
반감기의 경과 횟수	2회	1회
절대 연령	2억 년×2=4억 년	2억 년×1=2억 년

4 지층 E, F, G의 절대 연령을 추정해 본다.

➡ 암맥 P와 Q의 절대 연령이 각각 4억 년, 2억 년이므로 암맥 P는 약 4억 년 전에 관입했고, 암맥 Q는 약 2억 년 전에 관입했다. 지층 E~G는 암맥 P가 관입한 후부터 암맥 Q가 관입하기 전까지 생성되었으므로, 지층 E~G의 절대 연령은 약 2억 년~4억 년이다.

절대 연령 측정 원리

방사성 동위 원소(모원소)는 시간이 지남에 따라 일정한 속도로 붕괴하여 안정한 원소(자원소)로 변한다. 이때 방사성 동위 원소의 양이 처음 양의 반으로 줄어드는 데 걸리는 시간을 반감기라 하며, 암석의 절대 연령은 방사성 동위 원소의 반감기와 반감기 경과 횟수의 곱으로 구할 수 있다.

$$t = T \times n$$

(t: 절대 연령, T: 반감기, n: 반감기 경과 횟수)

- 암석에 들어 있는 방사성 동위 원소의 양과 그 반감기를 알고 있을 때, 다음과 같은 방법으로 지층의 절대 연령을 계산할 수 있다.
  ① 암석에 들어 있는 방사성 동위 원소의 반감기(T)를 확인한다.
  ② 방사성 동위 원소의 처음 양에 대한 남은 양의 비를 이용하여 반감기의 경과 횟수(n)를 구한다.
  ③ 반감기(T)에 반감기의 경과 횟수(n)를 곱하여 절대 연령(t)을 계산한다.
    절대 연령(t)＝반감기(T)×반감기의 경과 횟수(n)
- 화성암의 절대 연령은 화성암이 생성된 시기를 나타내고, 변성암의 절대 연령은 기존 암석에 변성 작용이 일어난 시기를 나타낸다. 하지만 쇄설성 퇴적암의 절대 연령은 퇴적암을 구성하는 퇴적물의 원암의 생성 시기를 뜻하므로, 퇴적암의 생성 시기는 방사성 동위 원소로 구할 수 없다.
- 절대 연령은 암석이나 지층의 생성 시기와 지질학적 사건의 발생 시기를 나타내지만, 지각에 존재하는 모든 암석과 지층에 절대 연령 측정 방법을 적용할 수 없기 때문에 상대 연령과 상호 보완적으로 사용하여 암석이나 지층의 생성 시기를 알아낼 수 있다.

탐구 확인 문제

▶ 정답과 해설 **146**쪽

01 그림은 어느 지역의 지층의 단면을 나타낸 것으로, A~G는 퇴적암이고 P와 Q는 화성암, X–X′은 부정합면, f–f'은 단층면이다.

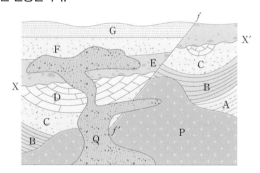

이 지역에서 일어났던 지질학적 사건의 순서를 과거부터 차례로 서술하시오. (단, 화성암 P는 부정합면 X–X′보다 먼저 관입하였다.)

02 그림 (가)는 어느 지역의 지층의 단면을 나타낸 것으로, A와 B는 퇴적암이고 암맥 C와 D는 화성암이다. 그림 (나)는 암맥 C와 D에 들어 있는 방사성 동위 원소 X의 붕괴 곡선으로, 방사성 동위 원소 X는 암맥 C에는 처음 양의 25 %가 남아 있고, 암맥 D에는 처음 양의 50 %가 남아 있다.

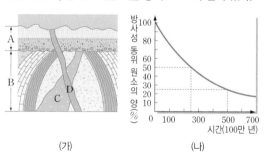

(가)   (나)

이에 대한 설명으로 옳은 것만을 보기에서 있는 대로 고른 것은?

보기
ㄱ. 지층 B와 A의 생성 시기 사이에 큰 시간 간격이 있다.
ㄴ. 암맥 C가 생성된 후 방사성 동위 원소 X의 반감기가 2회 경과하였다.
ㄷ. 암맥 C의 절대 연령은 5000만 년이고, 암맥 D의 절대 연령은 2500만 년이다.

① ㄱ   ② ㄷ   ③ ㄱ, ㄴ
④ ㄴ, ㄷ   ⑤ ㄱ, ㄴ, ㄷ

빙하 코어 분석을 통한 고기후 연구

최근 고기후 연구에서 가장 많이 쓰이는 방법이 빙하를 이용하는 것이다. 남극이나 그린란드의 내륙 지방은 1년 내내 기온이 영하에 머물기 때문에 내린 눈이 녹지 않고 계속 쌓여 수천 m 두께의 빙하를 형성한다. 극지방의 빙하에서 채취한 빙하 코어는 고기후에 관한 중요한 정보를 알려준다.

❶ 빙하 코어 분석

매년 내리는 눈이 쌓여 만들어지는 빙하는 나이테와 같이 겹겹이 층을 이루는데, 빙하 코어의 줄무늬를 분석하면 매년 형성된 빙하를 구분할 수 있고, 대기의 조성이나 화산 활동 등 과거의 기후에 관한 정보를 알아낼 수 있다. 또 과거에 눈이 쌓일 때 당시의 공기 방울이 포함되고, 그 위로 많은 눈이 쌓여 압축되어 빙하가 생성되면서 공기 방울이 빙하 속에 보존된다. 이 공기 방울을 분석하면 과거의 지구 대기 조성을 알아낼 수 있다.

▲ 남극 빙하 코어 채취　　　　▲ 그린란드의 빙하 코어

❷ 빙하의 산소 동위 원소 분석

산소는 대부분 ^{16}O로 존재하지만, 안정 동위 원소인 ^{18}O도 소량 존재한다. 물 분자(H_2O)는 ^{16}O 또는 ^{18}O로 이루어질 수 있는데, ^{16}O로 이루어진 물 분자에 비해 ^{18}O로 이루어진 물 분자는 상대적으로 무거워서 증발되기 어렵다. 기온이 높아지면 평상시에 비해 ^{18}O로 이루어진 물 분자의 증발이 활발해지고, 기온이 낮아지면 ^{18}O로 이루어진 물 분자의 증발이 감소한다. 이러한 원리를 이용하면 빙하에 포함된 물 분자의 산소 동위 원소비로부터 과거의 기온을 추정할 수 있다. 온난한 간빙기에는 ^{18}O로 이루어진 물 분자가 활발하게 증발하고, ^{18}O 함량이 높은 수증기가 응결하여 눈으로 내리며, 이렇게 만들어진 빙하는 산소 동위 원소비 $\frac{^{18}O}{^{16}O}$가 커진다. 반대로 빙하기에 만들어진 빙하는 산소 동위 원소비 $\frac{^{18}O}{^{16}O}$가 작아진다.

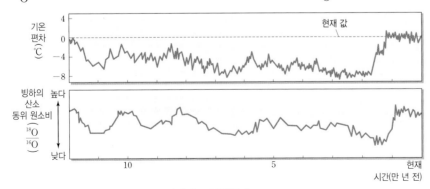

▲ 과거 약 12만 년 동안의 기온 변화와 빙하의 산소 동위 원소비

02 지질 시대와 환경

❶ 지층의 선후 관계

1 지사학의 기본 원리 현재 지구 상에서 발생하는 지질학적 사건들이 과거에도 동일하게 일어났다고 가정하는 것을 (**❶**　　　)라고 한다.

2 지사학의 법칙

- (**❷**　　　): 거의 모든 퇴적층에서 퇴적물이 쌓일 때 수평으로 퇴적된다.
- (**❸**　　　): 먼저 쌓인 지층이 나중에 쌓인 지층보다 아래에 위치한다.
- (**❹**　　　): 지층에서 발견되는 화석의 종류와 진화 정도에 따라 지층의 생성 순서를 밝힐 수 있다.
- (**❺**　　　): 관입 당한 암석은 관입암보다 먼저 생성되었다.
- (**❻**　　　): 부정합면을 기준으로 위아래 두 지층 사이에는 큰 시간 간격이 있다.

❷ 지질 연대 측정

1 상대 연령과 지층 대비 지사학의 법칙을 이용하여 지층이나 암석의 생성 시기와 지질학적 사건의 발생 순서를 상대적인 선후 관계로 나타낸 것을 (**❼**　　　)이라 하고, 여러 지역에 분포하는 지층을 서로 비교하여 선후 관계를 결정하는 것을 (**❽**　　　)라고 한다.

- (**❾**　　　)에 의한 대비: 지층을 이루는 암석의 성분, 퇴적 구조 등을 조사하여 지층이 동일한 시기에 퇴적된 것인지 판단하는 방법으로, 비교적 짧은 시간에 넓은 지역에서 생성된 (**❿**　　　)을 이용한다.
- (**⓫**　　　)에 의한 대비: 멀리 떨어진 지층에서 특정한 시기에만 번성했던 생물의 화석을 이용하여 지층을 대비하는 방법으로, 멀리 떨어져 있는 지층을 대비할 때도 이용할 수 있다.

2 절대 연령 지층이나 암석의 정확한 생성 시기를 절대 연령이라 하며, 암석에 포함된 (**⓬**　　　)를 분석하여 계산할 수 있다.

- 방사성 동위 원소를 모원소라 하고, 모원소의 방사성 붕괴로 생성된 안정한 원소를 (**⓭**　　　)라고 한다.
- 방사성 동위 원소가 붕괴하여 모원소의 양이 처음의 절반으로 줄어드는 데 걸리는 시간을 (**⓮**　　　)라고 한다.

❸ 지질 시대의 환경과 생물

1 표준 화석과 시상 화석

- (**⓯**　　　): 지층이 퇴적된 시기를 알려 주는 화석으로, 개체수가 많고 넓은 지역에 분포하며 생존 기간이 짧아서 그 시대를 대표한다.
- (**⓰**　　　): 지층이 퇴적될 당시의 환경을 알려주는 화석으로, 특정 환경에서만 서식하고 생존 기간이 길어서 화석이 만들어질 당시의 환경을 알 수 있다.

2 지질 시대의 기후 과거의 기후는 (**⓱**　　　) 코어, 동굴 생성물, 나무 나이테, 산호 골격, 꽃가루 화석, 고생물 화석이나 빙하 흔적, 지층 퇴적물 등을 이용하여 추정할 수 있다.

3 지질 시대의 구분 지질 시대는 생물계의 큰 변화를 기준으로 (**⓲**　　　), 대, 기 등으로 구분한다.

- 선캄브리아 시대: 시생 누대와 (**⓳**　　　)로 구분한다.
- 고생대: 캄브리아기에 생물 종의 수가 급격히 증가하였고, 오르도비스기에는 최초의 척추동물인 (**⓴**　　　)가 출현하였으며, 실루리아기에는 최초의 육상 식물이 출현하였다. 데본기에는 어류가 번성하였으며, 석탄기에는 양서류와 양치식물이 번성하였으며, 페름기에는 겉씨식물이 출현하였고, 페름기 말에 대멸종이 일어났다.
- 중생대: (**㉑**　　　)에 파충류가 번성하기 시작하였으며, 최초의 포유류가 출현하고 겉씨식물이 번성하였으며, 쥐라기에는 공룡이 번성하였다. 백악기에는 공룡과 암모나이트가 번성하였고 속씨식물이 출현하였으나 백악기 말 대멸종으로 공룡과 암모나이트 등을 비롯한 수많은 생물이 멸종하였다.
- 신생대: (**㉒**　　　)가 파충류를 대체하여 육상의 지배적인 동물이 되었고, 속씨식물이 번성하였다. 제4기에는 빙하기와 간빙기가 여러 차례 나타났다.

01 다음 설명에 해당하는 지사학의 법칙을 각각 쓰시오.

(1) 물속에서 퇴적물이 쌓일 때 수평면과 나란하게 쌓인다.

(2) 지층이 역전되지 않은 경우에는 아래에 놓인 지층이 위에 놓인 지층보다 먼저 생성된 것이다.

(3) 어떤 지층에 부정합면이 분포할 때, 부정합면의 위아래 두 지층 사이에는 긴 시간 간격이 존재한다.

(4) 마그마가 기존의 암석을 관입하였을 때 관입 당한 암석은 관입한 화성암보다 먼저 생성된 것이다.

(5) 오래된 지층에서 새로운 지층으로 갈수록 지층에 포함된 동물 화석은 더욱 복잡한 형태로 변화한다.

03 그림 (가)와 (나)는 두 지역의 지층의 단면을 나타낸 것이다.

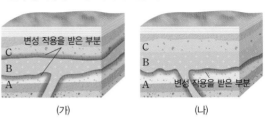

(가)　　　　　(나)

다음 물음에 답하시오. (단, A와 C는 퇴적암이고, B는 화성암이며, 두 지역 모두 지층의 역전은 일어나지 않았다.)

(1) (가) 지역에서 지층의 생성 순서대로 기호를 쓰시오.

(2) (나) 지역에서 지층의 생성 순서대로 기호를 쓰시오.

02 그림 (가)와 (나)는 인접한 두 지역의 지층의 단면과 각 지층에서 발견되는 화석을 나타낸 것이다.

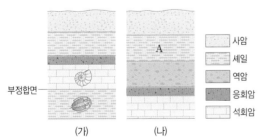

(가)　　　　　(나)

이에 대한 설명으로 옳은 것만을 보기에서 있는 대로 고르시오.

보기
ㄱ. (가) 지역은 과거에 퇴적이 중단된 시기가 있었다.

ㄴ. (나) 지역의 A층에서 삼엽충 화석이 발견될 수 있다.

ㄷ. (가), (나) 두 지역 모두 화산 활동의 영향을 받았다.

04 그림 (가)는 어느 지역의 지층의 단면을 나타낸 것으로, A와 B는 퇴적암이고, P와 Q는 화성암이다. 그림 (나)는 화성암 Q에 포함된 방사성 동위 원소 X의 붕괴 곡선을 나타낸 것이다.

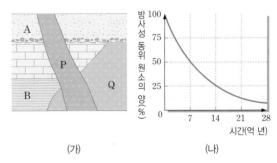

(가)　　　　　(나)

이에 대한 설명으로 옳은 것만을 보기에서 있는 대로 고르시오. (단, 화성암 Q에 포함된 방사성 동위 원소 X의 양은 처음 양의 25 %이다.)

보기
ㄱ. (가)의 지층은 역전되었다.

ㄴ. B의 절대 연령은 14억 년보다 크다.

ㄷ. 관입암 P는 관입암 Q보다 나중에 생성되었다.

05 생물이 화석으로 보존되기 위한 조건으로 적절한 것만을 보기에서 있는 대로 고르시오.

보기
ㄱ. 생물체의 개체 수가 많아야 한다.
ㄴ. 생물의 유해가 땅속에 천천히 매몰되어야 한다.
ㄷ. 생물체에 뼈나 줄기, 껍데기 등과 같이 단단한 부분이 있어야 한다.
ㄹ. 생물의 유해가 퇴적물과 함께 매몰된 후 화석화 작용을 거쳐야 한다.

06 그림은 표준 화석과 시상 화석으로 이용할 수 있는 생물의 조건을 순서 없이 나타낸 것이다. 이에 대한 설명으로 옳은 것만을 보기에서 있는 대로 고르시오.

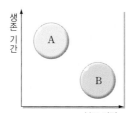

생존 기간 / 분포 면적

보기
ㄱ. 고사리, 산호는 A에 해당한다.
ㄴ. 삼엽충, 공룡은 B에 해당한다.
ㄷ. A는 시상 화석이고, B는 표준 화석이다.
ㄹ. A는 B보다 지질 시대 구분에 많이 이용된다.

07 지질 시대의 구분에 대한 설명으로 옳은 것만을 보기에서 있는 대로 고르시오.

보기
ㄱ. 지질 시대는 누대 — 대 — 기로 구분한다.
ㄴ. 시생 누대와 현생 누대를 선캄브리아 시대라고 한다.
ㄷ. 현생 누대는 생물의 출현과 멸종을 기준으로 고생대, 중생대, 신생대로 구분한다.

08 다음은 지질 시대의 생물에 대한 설명을 순서 없이 나열한 것이다.

(가) 화폐석, 매머드, 속씨식물이 번성하였다.
(나) 삼엽충, 방추충, 갑주어 등이 번성하였다.
(다) 파충류의 시대라고도 하며, 공룡이 번성하였다.
(라) 남세균의 광합성으로 산소가 생성되기 시작하였다.

(가)~(라)를 오래된 것부터 순서대로 나열하시오.

09 지질 시대의 기후에 대한 설명으로 옳은 것은 ○, 옳지 않은 것은 ×로 표시하시오.
(1) 선캄브리아 시대와 중생대에는 빙하기가 없었다.
.... (   )
(2) 고생대 말 빙하기에는 적도 지방까지 빙하가 분포하였다. .... (   )
(3) 신생대 제4기에는 빙하기와 간빙기가 여러 차례 반복되었다. .... (   )

10 그림은 지질 시대 동안 대륙의 분포가 (가)에서 (나)로 변화하는 모습을 나타낸 것이다.

(가)   (나)

이에 대한 설명으로 옳은 것만을 보기에서 있는 대로 고르시오.

보기
ㄱ. (가)는 중생대 말, (나)는 신생대 초의 수륙 분포를 나타낸 것이다.
ㄴ. (가)의 지질 시대 말에 해양 생물의 약 90 %가 멸종하는 대멸종이 일어났다.
ㄷ. (나)의 지질 시대에는 육지에서 파충류가, 바다에서는 암모나이트가 번성하였다.

01 ▷ 지층의 선후 관계

그림 (가)~(라)는 서로 다른 네 지역의 지층의 단면을 나타낸 것이다.

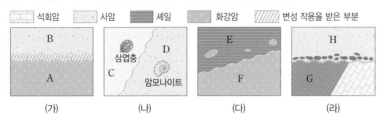

석회암   사암   셰일   화강암   변성 작용을 받은 부분

지층의 선후 관계를 판단하는 데 이용한 지사학의 법칙으로 옳은 것만을 보기에서 있는 대로 고른 것은? (단, A, F는 화성암이고, B, C, D, E, G, H는 퇴적암이다.)

보기
ㄱ. (가) 지역에서는 지층 누중의 법칙에 의해 A가 B보다 오래된 암석이다.
ㄴ. (나) 지역에서는 동물군 천이의 법칙에 의해 C가 D보다 오래된 지층이다.
ㄷ. (다) 지역에서는 관입의 법칙에 의해 E가 F보다 오래된 지층이다.
ㄹ. (라) 지역에서는 부정합의 법칙에 의해 G가 H보다 오래된 지층이다.

① ㄱ, ㄴ   ② ㄱ, ㄷ   ③ ㄴ, ㄹ   ④ ㄴ, ㄷ   ⑤ ㄷ, ㄹ

· 지사학의 법칙으로는 수평 퇴적의 법칙, 지층 누중의 법칙, 동물군 천이의 법칙, 관입의 법칙, 부정합의 법칙 등이 있다.

02 ▷ 지층의 선후 관계

그림 (가)와 (나)는 서로 다른 두 지역의 지층의 단면을 나타낸 것이다.

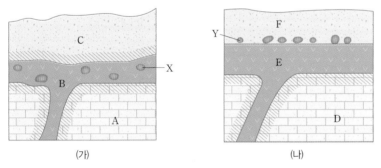

(가)   (나)

이에 대한 설명으로 옳은 것만을 보기에서 있는 대로 고른 것은? (단, A, C, D, F는 퇴적암이고, B, E는 화성암이며, X와 Y는 암석 조각이다. 빗금 친 부분은 변성 작용을 받은 부분이다.)

보기
ㄱ. (가) 지역에서 B는 C보다 오래된 암석이다.
ㄴ. (가) 지역의 X는 마그마의 관입으로 포획된 것이다.
ㄷ. (나) 지역에서 암석의 생성 순서는 D → F → E이다.
ㄹ. (나) 지역의 Y는 기저 역암이다.

① ㄱ, ㄴ   ② ㄱ, ㄷ   ③ ㄱ, ㄹ   ④ ㄴ, ㄷ   ⑤ ㄴ, ㄹ

· 마그마가 주변의 암석이나 지층의 틈을 따라 관입하여 생성된 화성암은 주변의 암석이나 지층보다 나중에 생성된 것이다.

03 > 지층의 선후 관계

그림 (가)와 (나)는 서로 다른 두 지역의 지층의 단면을 나타낸 것이다.

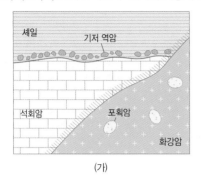

(가)

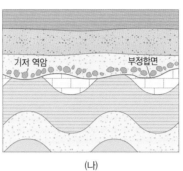

(나)

이에 대한 설명으로 옳은 것만을 보기에서 있는 대로 고른 것은? (단, (가)에서 빗금 친 부분은 변성 작용을 받은 부분이다.)

┌─ 보기 ──
│ ㄱ. (가)의 포획암은 마그마가 관입할 때 포획된 것이다.
│ ㄴ. (나)의 부정합은 평행 부정합에 해당한다.
│ ㄷ. (가)와 (나)에서 기저 역암은 융기하여 침식 작용을 받았다는 증거이다.
└──

① ㄴ　　　② ㄷ　　　③ ㄱ, ㄴ　　　④ ㄱ, ㄷ　　　⑤ ㄱ, ㄴ, ㄷ

> 기저 역암은 부정합면 위에 분포하고, 포획암은 마그마가 관입할 때 기존의 암석 조각이 포획된 것이다.

---

04 > 지층 대비

그림 (가)~(라)는 인접한 네 지역의 지층의 단면을 나타낸 것이다.

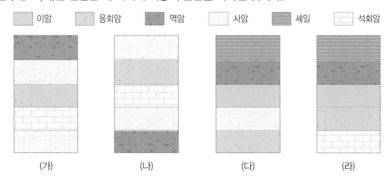

이암　응회암　역암　사암　셰일　석회암

(가)　　(나)　　(다)　　(라)

이에 대한 설명으로 옳은 것만을 보기에서 있는 대로 고른 것은?

┌─ 보기 ──
│ ㄱ. (가)~(라) 지역에는 총 8개의 지층이 분포한다.
│ ㄴ. (가) 지역의 지층에는 부정합면이 분포하지 않는다.
│ ㄷ. 가장 오래된 지층은 (나) 지역의 역암층이고, 가장 최근에 퇴적된 지층은 (다)와 (라)
│ 　　지역의 셰일층이다.
└──

① ㄱ　　　② ㄴ　　　③ ㄱ, ㄷ　　　④ ㄴ, ㄷ　　　⑤ ㄱ, ㄴ, ㄷ

> 인접한 지역의 지층의 단면에서 같은 종류의 지층을 연결하면 지층의 선후 관계를 파악할 수 있다.

05 ▶지층 대비
그림은 인접한 세 지역 (가)~(다)의 지층의 단면과 각 지층에서 산출되는 화석을 나타낸 것이다.

고사리
암모나이트
방추충
삼엽충

(가)　　　　(나)　　　　(다)

이에 대한 설명으로 옳은 것만을 보기에서 있는 대로 고른 것은?

보기
ㄱ. (가) 지역의 A층에서는 암모나이트 화석이 산출될 수 있다.
ㄴ. (나) 지역에는 오랫동안 퇴적이 중단된 시기가 존재한다.
ㄷ. (다) 지역에는 육지에서 퇴적된 지층이 존재한다.

① ㄱ　　　② ㄴ　　　③ ㄱ, ㄷ　　　④ ㄴ, ㄷ　　　⑤ ㄱ, ㄴ, ㄷ

• 세 지역의 지층에서 공통적으로 산출되는 화석이 포함된 지층을 기준으로 대비하여 지층의 선후 관계를 결정할 수 있다.

06 고난도
▶지층의 절대 연령
그림 (가)는 어느 지역의 지층의 단면을, (나)는 방사성 동위 원소 X, Y의 붕괴 곡선을 나타낸 것이다.

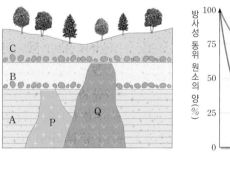

(가)　　　　　　　　(나)

• 암석의 절대 연령은 암석에 포함된 방사성 동위 원소의 반감기와 모원소와 자원소의 비율을 이용하여 구할 수 있다.

이에 대한 설명으로 옳은 것만을 보기에서 있는 대로 고른 것은? (단, 화성암 P에는 방사성 동위 원소 X가 처음 양의 50 % 남아 있고, 화성암 Q에는 방사성 동위 원소 Y가 처음 양의 25 % 남아 있다.)

보기
ㄱ. 화성암 P의 절대 연령은 2억 년이다.
ㄴ. 화성암 Q가 생성된 이후에 방사성 동위 원소 Y의 반감기는 2회 지났다.
ㄷ. 지층 B는 고생대에 퇴적된 지층이다.
ㄹ. 이 지역은 최소한 3회 이상 융기하였다.

① ㄱ, ㄴ　　　② ㄴ, ㄷ　　　③ ㄷ, ㄹ　　　④ ㄱ, ㄴ, ㄹ　　　⑤ ㄴ, ㄷ, ㄹ

07 그림은 어느 지역의 지층의 단면을 나타낸 것이다.

이에 대한 설명으로 옳은 것만을 보기에서 있는 대로 고른 것은? (단, 화성암 P와 Q에 포함된 방사성 동위 원소 X의 양은 각각 처음 양의 50 %, 12.5 %이고, 방사성 동위 원소 X의 반감기는 1억 년이다.)

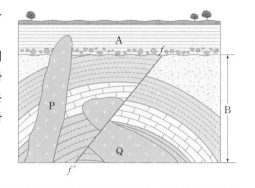

• 방사성 동위 원소의 반감기는 모원소의 양이 처음의 절반으로 줄어드는 데 걸리는 시간이다.

─ 보기 ─
ㄱ. P와 Q의 절대 연령은 각각 1억 년과 3억 년이다.
ㄴ. A에서는 P의 암석이 포획암으로 나타날 수 있다.
ㄷ. B 지층군에서는 중생대의 화석이 산출될 수 있다.
ㄹ. 단층 $f-f'$은 역단층으로, Q가 관입한 이후에 형성되었다.

① ㄱ, ㄴ   ② ㄱ, ㄹ   ③ ㄴ, ㄷ   ④ ㄱ, ㄷ, ㄹ   ⑤ ㄴ, ㄷ, ㄹ

08 그림 (가)~(다)는 지질 시대에 살았던 생물의 화석을 나타낸 것이다.

(가) 삼엽충

(나) 암모나이트

(다) 산호

• 특정 시기에 출현하여 일정 기간 동안 번성하거나 멸종한 생물의 화석은 지층의 생성 시기를 판단하는 근거로 이용할 수 있고, 환경 변화에 민감한 생물의 화석을 통해서는 과거에 그 생물이 살던 시기의 환경을 추정할 수 있다.

이에 대한 설명으로 옳은 것만을 보기에서 있는 대로 고른 것은?

─ 보기 ─
ㄱ. (가)와 (나)는 모두 표준 화석이다.
ㄴ. (가)와 (나)는 동일한 지층에서 함께 발견될 수 있다.
ㄷ. (다)는 (가)와 (나)에 비해 분포 면적이 넓고 생존 기간이 짧다.

① ㄱ   ② ㄴ   ③ ㄷ   ④ ㄱ, ㄴ   ⑤ ㄴ, ㄷ

09 > 지질 시대 생물군의 변화
그림은 고생대부터 신생대까지 해양 동물과 육상 식물의 생물 과(科)의 수 변화를 나타낸 것이다.

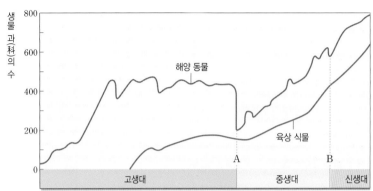

이에 대한 설명으로 옳은 것만을 보기에서 있는 대로 고른 것은?

보기
ㄱ. A 시기에 가장 많이 멸종한 해양 생물은 삼엽충이다.
ㄴ. 초대륙 판게아가 존재했던 시기는 A에서 B까지이다.
ㄷ. 지질 시대의 구분에는 육상 식물보다 해양 동물이 적절하다.

① ㄱ   ② ㄴ   ③ ㄱ, ㄷ   ④ ㄴ, ㄷ   ⑤ ㄱ, ㄴ, ㄷ

• 지질 시대 동안 지구 환경이 끊임없이 변화하였으며, 그 과정에서 다양한 생물이 출현하고 번성하다가 멸종하였다.

10 > 지질 시대의 기온 변화
그림은 지질 시대의 기온 변화를 나타낸 것이다.

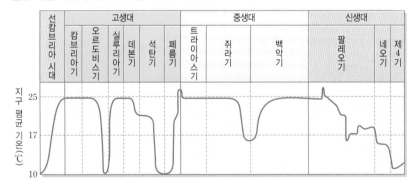

이에 대한 설명으로 옳은 것만을 보기에서 있는 대로 고른 것은?

보기
ㄱ. 고생대 말 빙하기에는 적도 부근까지 빙하가 분포하였다.
ㄴ. 중생대에는 대체로 온난한 기후였다.
ㄷ. 신생대 제4기에는 빙하기와 간빙기가 여러 차례 반복되었다.

① ㄱ   ② ㄴ   ③ ㄱ, ㄷ   ④ ㄴ, ㄷ   ⑤ ㄱ, ㄴ, ㄷ

• 지질 시대 동안 여러 가지 요인에 의해 온난한 기후와 한랭한 기후가 반복되었으며, 여러 차례에 걸쳐 큰 빙하기가 있었다.

지구의 나이는 어떻게 알 수 있을까?

□ 켈빈(Kelvin, W. T.,
        1824~1907)
영국의 물리학자이자 공학자로,
절대 온도의 단위인 켈빈(K)은 그
의 이름을 딴 것이다. 전자기학,
열역학, 지구 물리학 등 여러 분야
에서 많은 업적을 남겼다.

인류는 오래 전부터 지구의 나이가 얼마나 되는지 관심이 많았다. 17세기 무렵에는 기독교의 성서에 근거하여 지구의 나이는 6000년 가량 되었다고 믿었다. 그러나 많은 과학자들이 지구 나이를 과학적으로 산출하려는 시도를 하였는데, 그 중 대표적인 과학자는 켈빈과 졸리였다. 켈빈은 지구 생성 당시의 온도가 태양의 표면 온도와 같다는 가정 하에 지구가 현재와 같은 온도로 냉각되는 데 걸리는 시간을 계산하여 지구 나이는 약 2000만 년이라고 주장하였다. 한편 졸리는 해수에 녹아 있는 소금의 총량과 1년에 바다로 유입되는 소금의 양에 근거하여 지구 나이는 약 9000만 년이라고 계산하였다. 하지만 라이엘과 같은 지질학자들은 지구에서 일어나는 침식 작용과 풍화 작용 및 퇴적 작용이 매우 서서히 일어나므로 지구의 실제 나이는 캘빈이나 졸리가 구한 나이보다 매우 많다고 주장하였다.

20세기 들어 방사성 동위 원소를 이용한 연대 측정법이 개발되면서 지구의 나이를 한층 더 정확하게 측정할 수 있게 되었다. 1905년 미국의 볼트우드는 지구의 나이를 약 22억 년, 태양계의 나이를 약 50억 년으로 계산했다. 맨틀 대류설을 제안한 영국의 홈스는 우라늄(U)이 납(Pb)으로 붕괴하는 반감기를 이용하여 지구의 나이가 약 30억 년이란 결과를 얻어냈다. 그러나 지구에 존재하는 암석 중 가장 오래된 것이라 해도 지구가 태어난 지 한참 후에 만들어진 것이므로 이 방법에는 한계가 있다.

지금까지 발견된 지구 상에서 가장 오래된 암석은 캐나다의 허드슨 만에 분포하는 42억 8000만 년 된 암석으로 알려져 있다. 그러나 지구가 형성될 때 생성된 지구 최초의 암석은 오랜 시간에 걸쳐 풍화와 침식 작용, 변성 작용 등 여러 작용을 받아 모두 없어지고 현재는 거의 존재하지 않는다. 따라서 우리는 지구의 연령을 지구 상의 광물이나 암석을 이용하여 직접 측정할 수 없다.

과학자들은 지구의 진짜 나이를 알기 위해 외계에서 날아온 운석에 눈을 돌리기 시작했다. 운석은 지구와 마찬가지로 태양계가 생성될 때 만들어졌기 때문에 운석의 연령을 측정하면 지구의 연령을 간접적으로 추정할 수 있기 때문이다. 1953년 미국의 패터슨은 질량 분석기를 이용하여 운석과 지구의 나이가 약 45억 년이라는 사실을 알아내었다. 3년 후 그는 지구의 나이를 45억 5000만 년으로 수정했고, 그 수치는 지금까지 거의 변함이 없다.

그 후 아폴로의 우주 비행사들이 달에서 채취해 온 암석의 연령을 U-Pb 방법과 K-Ar 방법으로 측정한 결과 약 45억 년~약 46억 년으로 밝혀졌다. 또 수많은 운석의 절대 연령을 측정한 결과 달의 연령과 같이 약 44억 5000만 년~46억 년으로 나타났다. 따라서 지구와 태양계의 나이는 약 46억 년으로 추정된다.

▲ 태양계 생성 초기에 만들어진 운석의 단면

01 ＞ 퇴적암의 종류
표는 퇴적암을 퇴적물의 기원에 따라 분류하고 그 예를 나타낸 것이다.

구분	퇴적물의 기원	퇴적암의 예
쇄설성 퇴적암	(A)	응회암
	풍화 · 침식 쇄설물	역암, 사암, 이암
유기적 퇴적암	식물체	석탄
	(B)	석회암
화학적 퇴적암	해수에 녹아 있던 NaCl	(C)

이에 대한 설명으로 옳은 것만을 보기에서 있는 대로 고른 것은?

> 보기
ㄱ. A는 화산 쇄설물이다.
ㄴ. B는 탄산 칼슘 성분을 포함한 석회질 생물체이다.
ㄷ. C는 석고이다.

① ㄱ　　② ㄷ　　③ ㄱ, ㄴ　　④ ㄴ, ㄷ　　⑤ ㄱ, ㄴ, ㄷ

퇴적암은 퇴적물의 기원에 따라 쇄설성 퇴적암, 유기적 퇴적암, 화학적 퇴적암으로 구분한다.

02 ＞ 퇴적암의 구분
그림은 퇴적암을 퇴적물의 기원에 따라 분류하는 과정을 나타낸 것이다.

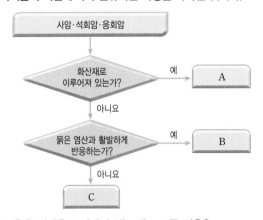

이에 대한 설명으로 옳은 것만을 보기에서 있는 대로 고른 것은?

> 보기
ㄱ. A는 응회암이다.
ㄴ. B는 화학적 퇴적암 또는 유기적 퇴적암에 속한다.
ㄷ. C는 주로 석영 성분의 모래로 이루어진 암석이다.

① ㄱ　　② ㄴ　　③ ㄱ, ㄷ　　④ ㄴ, ㄷ　　⑤ ㄱ, ㄴ, ㄷ

쇄설성 퇴적암에는 풍화와 침식에 의한 쇄설물로 만들어진 암석과 화산 쇄설물로 만들어진 암석이 포함된다.

03
> 퇴적 구조

그림 (가)~(다)는 여러 가지 퇴적 구조를 나타낸 것이다.

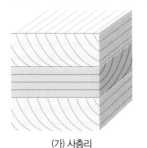
(가) 사층리

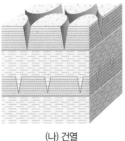
(나) 건열

(다) 점이 층리

이에 대한 설명으로 옳은 것만을 보기에서 있는 대로 고른 것은?

보기
ㄱ. (가)에서 물이 흐른 방향이나 바람의 방향을 알 수 있다.
ㄴ. (나)는 비가 많이 내리는 환경에서 형성되었다.
ㄷ. (다)는 입자 크기에 따른 퇴적 속도 차이에 의해 형성되었다.

① ㄱ   ② ㄴ   ③ ㄱ, ㄷ   ④ ㄴ, ㄷ   ⑤ ㄱ, ㄴ, ㄷ

• 퇴적암에서 나타나는 여러 가지 퇴적 구조를 해석하여 과거의 퇴적 환경을 추론할 수 있고, 지층의 상하를 판단할 수 있다.

04
> 퇴적 구조

다음은 어떤 퇴적 구조의 형성 과정을 알아보기 위한 실험 과정이다.

(가) 긴 원통에 물을 채우고, 다양한 크기의 입자로 구성된 흙을 원통에 부은 후 모두 가라앉을 때까지 기다린다.
(나) 원통의 입구를 마개로 막고 원통의 상하를 빠르게 뒤집은 후 흙이 쌓인 모습을 관찰한다.

(가)   (나)

이에 대한 설명으로 옳은 것만을 보기에서 있는 대로 고른 것은?

보기
ㄱ. 이 퇴적 구조는 심해 환경에서 만들어질 수 있다.
ㄴ. 이 실험으로 사층리의 형성 과정을 설명할 수 있다.
ㄷ. (나)에서 입자의 크기가 작을수록 아래쪽에 쌓인다.

① ㄱ   ② ㄷ   ③ ㄱ, ㄴ   ④ ㄴ, ㄷ   ⑤ ㄱ, ㄴ, ㄷ

• 점이 층리는 주로 대륙붕의 끝 부분이나 대륙 사면에 쌓여 있던 해저 퇴적물이 대륙대로 한꺼번에 흘러내려 쌓일 때나 홍수가 일어나 퇴적물이 호수로 급격히 유입될 때 형성된다.

05 > 지질 구조

그림 (가)와 (나)는 서로 다른 지질 구조가 나타나는 두 지역을 나타낸 것이다.

(가)

(나)

이에 대한 설명으로 옳은 것만을 보기에서 있는 대로 고른 것은?

보기
ㄱ. (가)에서는 경사 부정합이 관찰된다.
ㄴ. (나)와 같은 지질 구조는 판의 발산 경계에서 발달한다.
ㄷ. (가)와 (나)의 지질 구조는 모두 장력에 의해 형성된 것이다.

① ㄱ   ② ㄷ   ③ ㄱ, ㄴ   ④ ㄴ, ㄷ   ⑤ ㄱ, ㄴ, ㄷ

● 부정합은 부정합면을 경계로 상하 지층이 쌓인 방향과 기울어진 정도에 따라 경사 부정합과 평행 부정합으로 구분하며, 단층은 단층면에 대한 암반의 상대적인 이동에 따라 정단층, 역단층, 주향 이동 단층으로 구분한다.

06 > 지사학의 법칙과 상대 연령

그림은 어느 지역의 지층의 단면을 나타낸 것이다.

이에 대한 설명으로 옳은 것만을 보기에서 있는 대로 고른 것은? (단, P는 화성암이고 A~C는 퇴적암이며, 빗금친 부분은 변성 작용을 받은 부분이다.)

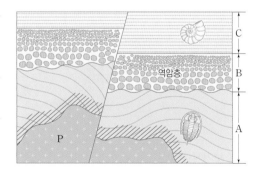

보기
ㄱ. 화성암 P와 퇴적암 A의 선후 관계는 관입의 법칙을 적용하여 알 수 있다.
ㄴ. 지층 A와 지층 B의 선후 관계는 지층 누중의 법칙을 적용하여 알 수 있다.
ㄷ. 지층 A와 지층 C의 선후 관계는 동물군 천이의 법칙을 적용하여 알 수 있다.

① ㄱ   ② ㄴ   ③ ㄷ   ④ ㄱ, ㄷ   ⑤ ㄴ, ㄷ

● 관입의 법칙은 화성암이 다른 암석이나 지층을 관입하였을 때 적용되고, 부정합의 법칙은 상하 두 지층 사이에 큰 시간차가 있을 때 적용되며, 동물군 천이의 법칙은 시대가 다른 지층에서 서로 다른 생물의 화석이 산출될 때 적용된다.

그림은 어느 지역의 지층의 단면과 산출되는 화석 및 퇴적 구조를 나타낸 것이다.

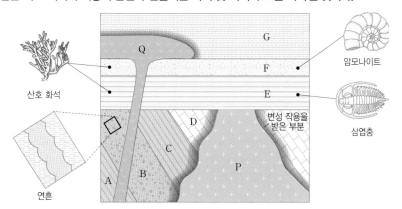

이에 대한 설명으로 옳은 것만을 보기에서 있는 대로 고른 것은? (단, A~G는 퇴적암이고, P 와 Q는 모두 관입한 화성암이다.)

보기

ㄱ. 지층 B가 퇴적될 당시 이 지역은 얕은 바다나 호수 환경이었다.

ㄴ. 지층 E와 F는 생성된 지질 시대와 퇴적 환경이 모두 달랐다.

ㄷ. 화성암 P는 고생대 이전에 관입하였고, Q는 중생대 이후에 관입하였다.

① ㄱ   ② ㄴ   ③ ㄱ, ㄷ   ④ ㄴ, ㄷ   ⑤ ㄱ, ㄴ, ㄷ

> 지사학의 법칙을 적용하여 지층의 선후 관계를 파악할 수 있고, 지층에서 산출되는 표준 화석을 이용하여 지층이 생성된 지질 시대를 알아낼 수 있다. 또 퇴적 구조와 시상 화석을 이용하며 지층이 생성되던 당시의 퇴적 환경을 추정할 수 있다.

그림은 어떤 암석에 포함된 방사성 동위 원소 ^{232}Th과 ^{238}U의 붕괴 곡선을 나타낸 것이다.
이에 대한 설명으로 옳은 것만을 보기에서 있는 대로 고른 것은? (단, 이 암석이 처음 생성될 때 방사성 동위 원소 ^{238}U과 ^{232}Th의 함량은 같았다.)

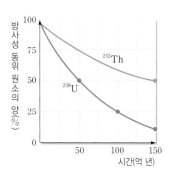

보기

ㄱ. 반감기는 ^{232}Th이 ^{238}U보다 3배 길다.

ㄴ. 붕괴 속도는 ^{232}Th이 ^{238}U보다 느리다.

ㄷ. 150억 년 후에 암석 속에 남아 있는 ^{232}Th의 양은 ^{238}U의 양의 3배이다.

① ㄱ   ② ㄷ   ③ ㄱ, ㄴ   ④ ㄴ, ㄷ   ⑤ ㄱ, ㄴ, ㄷ

> 방사성 동위 원소가 붕괴하여 모 원소의 양이 처음의 절반으로 줄어드는 데 걸리는 시간을 반감기라고 한다. 반감기는 온도나 압력에 관계없이 항상 일정하다.

09 > 지질 구조와 암석의 연령
그림 (가)는 어느 지역의 지층의 단면을, (나)는 방사성 동위 원소 X의 붕괴 곡선을 나타낸 것이다.

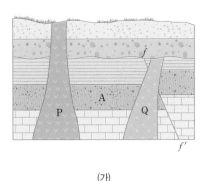

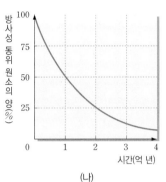

(가)   (나)

이에 대한 설명으로 옳은 것만을 보기에서 있는 대로 고른 것은? (단, (가)에서 화성암 P와 Q에 포함된 방사성 동위 원소 X의 양은 각각 암석이 생성될 당시의 $\frac{1}{4}$과 $\frac{1}{8}$이고, A는 퇴적암이며, f-f'은 단층이다.)

> 보기
>
> ㄱ. 단층 f-f'은 역단층으로 화성암 Q보다 먼저 형성되었다.
> ㄴ. 이 지역은 현재까지 최소 2회의 침강과 2회의 융기를 겪었다.
> ㄷ. 화성암 P의 절대 연령은 2억 년이고, 화성암 Q의 절대 연령은 3억 년이다.

① ㄱ   ② ㄴ   ③ ㄱ, ㄷ   ④ ㄴ, ㄷ   ⑤ ㄱ, ㄴ, ㄷ

• 방사성 동위 원소의 남은 양이 처음 양의 $\frac{1}{4}$이면 반감기가 2회 지난 것이고, $\frac{1}{8}$이면 반감기가 3회 지난 것이다.

10 > 지질 시대와 생물
다음은 지질 시대의 어떤 식물에 대한 자료이다.

> • 명칭: 쿡소니아
> • 발견 장소: 1937년 영국의 웨일스와 아일랜드
> • 특징: 최초로 출현한 육상 식물로, Y자 모양의 가지 끝에 포자낭이 달려 있으며, 뿌리가 발달하지 못하여 땅속 줄기로 물을 흡수하였다.

이 식물에 대한 설명으로 옳은 것만을 보기에서 있는 대로 고른 것은?

> 보기
>
> ㄱ. 이 식물은 속씨식물이다.
> ㄴ. 오존층이 생성되어서 육지에 이 식물이 출현할 수 있었다.
> ㄷ. 이 식물이 최초로 출현했던 시기에 바다에는 암모나이트가 번성했다.

① ㄱ   ② ㄴ   ③ ㄱ, ㄷ   ④ ㄴ, ㄷ   ⑤ ㄱ, ㄴ, ㄷ

• 육상으로 생물이 진출할 수 있게 된 까닭은 대기 중 산소 농도가 증가하고 오존층이 형성되어 생물체에 해로운 자외선이 차단되었기 때문이다. 최초의 육상 식물인 쿡소니아는 고생대 실루리아기에 출현하였다.

11 ▶지질 시대와 대륙의 이동

그림 (가)~(다)는 서로 다른 지질 시대의 수륙 분포를 나타낸 것이다.

(가)   (나)   (다)

이에 대한 설명으로 옳은 것만을 보기에서 있는 대로 고른 것은?

──── 보기 ────

ㄱ. (가)는 초대륙 로디니아의 분포를 나타낸 것이다.

ㄴ. (나)의 지질 시대에는 빙하기가 없었고 기후가 대체로 온난하였다.

ㄷ. (다)의 지질 시대에는 포유류와 속씨식물이 번성하였다.

① ㄱ   ② ㄴ   ③ ㄱ, ㄷ   ④ ㄴ, ㄷ   ⑤ ㄱ, ㄴ, ㄷ

12 ▶지질 시대와 생물

그림은 현생 이언의 생물 과(科) 수와 생물 A~C의 생존 시기를 나타낸 것이다.

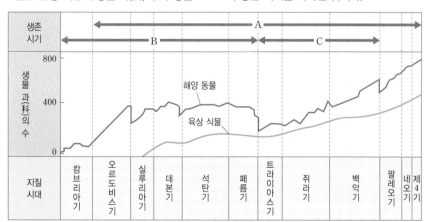

이에 대한 설명으로 옳은 것만을 보기에서 있는 대로 고른 것은?

──── 보기 ────

ㄱ. A, B, C에 해당하는 대표적인 화석은 각각 산호, 삼엽충, 암모나이트이다.

ㄴ. 페름기 말에 해양 동물의 수가 크게 감소한 까닭은 판게아의 형성과 관련있다.

ㄷ. 실루리아기에 육상에 식물이 출현하여 점차 번성한 것은 오존층의 형성과 관련있다.

① ㄱ   ② ㄷ   ③ ㄱ, ㄴ   ④ ㄴ, ㄷ   ⑤ ㄱ, ㄴ, ㄷ

01 그림은 어느 지역에서 나타나는 퇴적 구조의 단면을 나타낸 것이다.

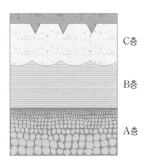

KEY WORDS
• 연흔
• 건열
• 점이 층리

(1) A~C층에서 나타나는 퇴적 구조를 각각 서술하시오.

_____

(2) A~C층에서 나타나는 퇴적 구조로부터 각각 어떤 사실을 알아낼 수 있는지 서술하시오.

_____

02 그림은 어느 지역의 지층의 단면을 나타낸 것이고, 표는 화성암 P와 Q에 포함된 방사성 동위 원소 X(모원소)와 이 원소가 붕괴하여 생성된 원소 Y(자원소)의 비를 나타낸 것이다. (단, 방사성 동위 원소 X의 반감기는 1억 년이다.)

KEY WORDS
• 지층의 선후 관계
• 지사학의 법칙
• 절대 연령
• 방사성 동위 원소

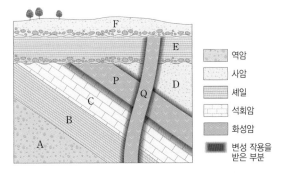

역암		
사암		
셰일		
석회암		
화성암		
변성 작용을 받은 부분		

화성암	X : Y
P	1 : 3
Q	1 : 1

(1) 화성암 P와 Q의 절대 연령을 각각 구하고, 그 과정을 방사성 동위 원소의 반감기와 관련지어 서술하시오.

_____

(2) 이 지역에서 일어났던 지질학적 사건을 순서대로 서술하시오.

_____

03 그림은 서로 다른 세 지역의 지층의 단면을 나타낸 것이다.

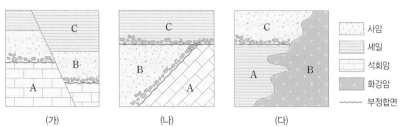

(가)　　　　　　(나)　　　　　　(다)

사암
셰일
석회암
화강암
〜〜〜 부정합면

(가)〜(다) 중 생성 순서가 A → B → C인 것만을 있는 대로 고르고, 그렇게 판단한 까닭을 서술하시오. (단, (가)〜(다) 지역에서 지층의 역전은 없었다.)

04 다음은 어느 지역의 지층의 단면과 특징에 대한 자료이다.

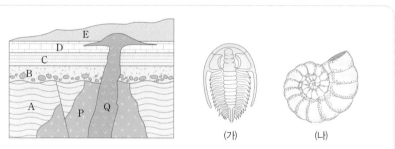

(가)　　　　　　(나)

• (가)와 (나)는 지질 시대의 해양 동물 화석이다.
• 지층 A〜E는 퇴적암이고, P와 Q는 화성암이다.
• 지층은 역전되지 않았고, E층에서는 화폐석이 산출된다.
• 화성암 P와 Q에는 반감기가 1억 5000만 년인 방사성 동위 원소가 각각 처음 양의 $\frac{1}{4}$ 과 $\frac{1}{2}$ 씩 남아 있다.

(1) 이 지역에서 일어났던 지질학적 사건을 순서대로 서술하고, 그렇게 판단하는 데 이용한 지사학의 법칙을 모두 쓰시오.

(2) A〜E 중에서 (가), (나)의 화석이 산출될 수 있는 지층을 각각 쓰고, 그렇게 판단한 까닭을 서술하시오.

05 그림 (가)는 어느 지역의 지층의 단면을, 표 (나)는 이 지역의 지층에서 산출되는 화석을 나타 낸 것이다.

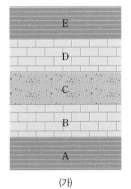
(가)

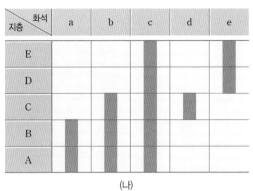
(나)

(1) 화석 a~e 중에서 표준 화석으로 가장 적절한 것을 골라 기호를 쓰고, 그 까닭을 서술하시오.

(2) 지층 A~E의 경계 중 지질 시대를 구분할 수 있는 기준이 되는 경계는 어디인지 쓰고, 그 까닭을 서술하시오.

06 그림은 어느 지역의 지층의 단면을 나타낸 것이다. (단, B와 C, C와 D는 부정합 관계이 며, P, Q는 화성암이고, 화성암 P, Q의 절 대 연령은 각각 2억 5000만 년, 1억 5000 만 년이다.)

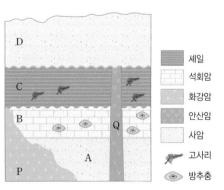

(1) 지층 B와 C가 생성된 지질 시대를 각각 쓰시오.

(2) 지층 C가 생성되었던 당시 이 지역의 환경을 서술하시오.

(3) 이 지역에서 일어났던 지질학적 사건의 순서를 과거부터 차례로 서술하시오.

07 그림은 현생 누대 동안 해양 동물과 육상 식물의 과(科)의 수 변화를 나타낸 것이다.

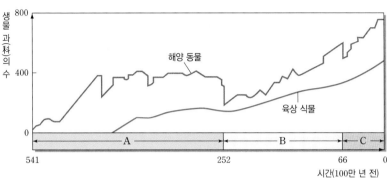

KEY WORDS
· 지질 시대의 구분

(1) A → B → C 시기로 가면서 육상 식물은 어떻게 변화하였는지 서술하시오.

_____

(2) A 시기 말과 B 시기 말에 해양 동물 과(科)의 수가 급격하게 감소한 까닭을 각각 서술하시오.

_____

08 그림은 남극 빙하 코어에서 측정한 과거 12만 년 동안 빙하의 산소 동위 원소비$\left(\dfrac{^{18}O}{^{16}O}\right)$와 이를 통해 추정한 과거의 기온 변화를 나타낸 것이다.

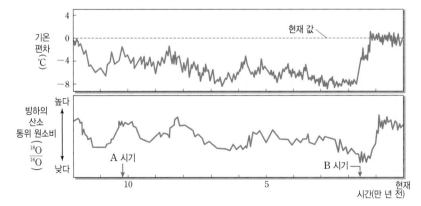

KEY WORDS
· 상대 연령과 절대 연령
· 표준 화석과 시상 화석

(1) A 시기와 B 시기에 해수에서 증발되는 물 분자의 산소 동위 원소비를 비교하여 서술하시오.

_____

(2) B 시기의 빙하의 면적을 현재와 비교하고, 그 까닭을 서술하시오.

_____

예시 문제

다음 제시문을 읽고 물음에 답하시오.

〈제시문 1〉 독일의 베게너는 1915년 『대륙과 해양의 기원』이라는 저서를 통해 대륙의 위치는 고정된 것이 아니고 이동한다는 대륙 이동설을 발표하였다. 그는 여러 가지 증거를 들어 고생대 말에서 중생대 초에 걸쳐 모든 대륙이 하나로 합쳐져 판게아(Pangea)라는 초대륙을 형성하였으며, 이 초대륙은 약 2억 년 전부터 분리, 이동하여 현재와 같은 대륙의 분포를 이루게 되었다고 주장하였다. 그러나 베게너는 대륙 이동의 원동력을 과학적으로 설명하지 못하였고, 이에 따라 대부분의 학자들은 대륙 이동설이 터무니없는 주장이라고 생각하고 받아들이지 않았다.

| 고생대 말기 | 중생대 중기 | 현재 |
| (약 3억 년 전) | (약 1억 3500만 년 전) | |

〈제시문 2〉 1928년 영국의 홈스는 맨틀 내에서 열대류가 일어난다는 맨틀 대류설을 발표하였다. 그 결과 맨틀 위에 떠 있는 지각이 뗏목처럼 맨틀 대류를 따라 이동하므로 대륙도 이동한다고 주장하였다. 이후 1950년대 초에 고지자기 연구를 통하여 대륙이 이동하였다는 것이 확인되고, 베게너의 대륙 이동설이 부활하게 되었다.

1 대륙 이동설이 발표될 당시 베게너가 제시한 대륙 이동의 증거를 3가지 이상 서술하시오.

2 홈스의 맨틀 대류설에서 맨틀의 대류가 일어나는 까닭이 무엇인지 서술하시오.

3 고지자기란 무엇이며, 고지자기의 연구로 대륙 이동설이 부활하게 된 까닭이 무엇인지 서술하시오.

● 출제 의도
대륙 이동설의 증거를 제시하고 대륙이 이동하는 원동력으로 맨틀 대류설을 설명할 수 있으며, 대륙 이동설이 부활하게 된 까닭을 논리적으로 서술하는 능력을 평가한다.

1 남아메리카와 아프리카 해안선 모습의 유사성과 지질 구조의 연속성, 고생물 화석 분포의 연속성, 빙하 퇴적층의 분포 등을 들어 설명한다.

2 맨틀에서 대류가 일어나는 까닭을 맨틀 상하부의 온도 차에 따른 열대류로 설명한다.

3 고지자기(잔류 자기)의 형성 원인을 설명하고, 북아메리카와 유럽에서 측정한 지자기 북극의 이동 경로에 대해 설명한다.

● 문제 해결을 위한 배경 지식

● **베게너가 제시한 대륙 이동의 증거:** 남아메리카와 아프리카 해안선의 윤곽 및 지질 구조의 연속성, 고생대 말의 고생물 화석의 분포, 고생대 말 빙하 퇴적층의 분포 등을 제시하였다.

● **맨틀 대류설:** 홈스는 맨틀 상하부의 온도 차로 인해 맨틀에서 대류 운동이 일어나고, 그에 따라 대륙이 이동한다고 주장하였다.

● **고지자기와 대륙의 이동:** 유럽과 북아메리카에서 측정한 고지자기의 지자기 북극의 이동 경로를 조사한 결과 두 대륙에서 지자기 북극의 위치가 다르고 이동 경로도 일치하지 않는다는 사실로부터 대륙이 이동하였음을 밝혀냈다.

예시 답안

1 첫째, 남아메리카 동해안과 아프리카 서해안의 해안선 모양이 유사하다는 것을 들 수 있다. 둘째, 아프리카 남부의 습곡 산맥과 남아메리카 남부의 습곡 산맥이 같은 시대에 형성된 비슷한 습곡 산맥으로 지질 구조가 서로 연결된다는 것이다. 셋째, 아프리카 남부, 인도 남부, 오스트레일리아 및 남극 대륙에서 고생대 후기에 살았던 글로소프테리스라는 식물 화석이 공통으로 발견된다. 이 식물 화석은 남극에서 적도까지의 다양한 기후대에서 살 수 없으므로 당시의 대륙들이 한곳에 모여있었다고 해석할 수 있다. 이 식물 화석 외에도 메소사우루스 등 고생대 후기의 파충류 화석도 공통으로 발견된다. 넷째, 현재는 대부분 온대나 열대 지역인 인도, 아프리카, 남아메리카, 오스트레일리아의 대륙에서 발견되는 고생대 말에 형성된 빙하 퇴적물 분포가 대륙이 이동하였음을 지시한다.

2 홈스는 방사성 동위 원소의 붕괴열과 고온인 지구 중심부에서 맨틀로 올라오는 열에 의해 맨틀 상부와 하부 사이에 온도 차가 생기고, 그 결과 매우 느리게 열대류가 일어나면서 맨틀 위에 떠 있는 지각이 뗏목처럼 맨틀 대류를 따라 이동하므로 대륙도 이동한다고 주장하였다.

3 마그마가 지표로 분출되어 냉각될 때 마그마 속에 포함된 자성 광물은 당시의 지구 자기장 방향으로 자화된다. 암석에 기록된 자기의 성질을 잔류 자기라 하고, 특히 지질 시대에 생성된 암석에 남아 있는 잔류 자기를 고지자기라고 한다. 암석에 기록된 잔류 자기는 지각 변동을 겪어도 암석 속에 보존되어 있으므로 여러 지점의 암석에 기록된 잔류 자기의 복각을 측정하면 지질 시대 동안 대륙의 이동 과정을 추정할 수 있다. 1950년대 초 유럽과 북아메리카에서 약 5억 년 간의 지자기 북극의 이동 방향을 조사한 결과, 지자기 북극의 위치가 각각 다르고, 지자기 북극이 2개로 나뉘어 있었으며 이동 경로도 일치하지 않았다. 이는 지구의 지자기 북극은 하나라는 전제 조건에 위배된다. 이러한 모순점을 해결하기 위해 두 대륙에서 지자기 북극의 이동 경로를 겹쳐 보면 과거에 두 대륙이 붙어 있었음을 알 수 있다. 따라서 고지자기 북극이 지질 시대 동안 이동한 것처럼 보이는 것은 실제 지자기 북극이 이동한 것이 아니라 대륙이 이동하였기 때문에 나타나는 현상이다. 즉, 지자기 북극의 겉보기 이동은 유럽과 북아메리카 대륙이 이동하였다는 것을 지시하는 확실한 증거가 된다. 이러한 연구 결과는 베게너의 대륙 이동설을 부활시키는 계기가 되었다.

실전 문제

> 정답과 해설 **154**쪽

• 출제 의도
판 구조론에 따른 지각 변동을 논리적으로 설명하는 능력을 평가한다.

1 다음 제시문을 읽고 물음에 답하시오.

> 1960년대 초에 고지자기의 연구로 대륙 이동설이 부활되고, 제2차 세계 대전이 끝난 후 해저 지형에 대한 탐사가 활발히 이루어지면서 1961년 미국의 헤스는 해령을 중심축으로 하여 해령 양쪽으로 해저 지각이 멀어져 간다는 해저 확장설을 발표하였다. 1960년대 후반에 캐나다의 윌슨은 대륙 이동설, 맨틀 대류설, 해저 확장설을 통합하여 새로운 지각 변동 이론인 판 구조론을 주장하였는데, 판 구조론은 지진대와 화산대의 분포, 해령과 해구의 분포, 조산 운동과 습곡 산맥의 분포 등의 지질 현상을 종합적으로 설명할 수 있는 이론이다.

▲ 전 세계 주요 판의 분포와 이동 방향(→) 및 속도

• 문제 해결을 위한 배경 지식
• 판 구조론: 지구 표면 부근의 단단한 암석으로 되어 있는 암석권(판)이 연약권에 일어나는 맨틀 대류를 따라 이동하면서 판의 경계부에서 지진과 화산 활동, 조산 운동을 일으킨다는 이론이 판 구조론이다. 판의 경계에는 판이 생성되는 발산 경계(해령), 두 판이 접근하는 수렴 경계(습곡 산맥, 해구), 판의 생성이나 소멸이 없는 보존 경계(변환 단층)가 있다.

(1) 판 구조론이란 어떤 이론인지 200자 내외로 서술하시오.

(2) 판의 상대적인 이동 방향에 따라 판 경계를 3가지로 구분하고, 각 판 경계에서 일어나는 지각 변동을 서술하시오.

답안

다음 제시문을 읽고 물음에 답하시오.

대부분의 화산은 판 경계에 위치하지만 하와이섬과 같이 판 경계에서 멀리 떨어진 곳에 위치한 화산들도 많다. 판 경계에서 일어나는 현상으로 설명할 수 없는 화산 활동이 발생하는 곳을 열점이라고 한다. 그림은 하와이 열도의 배열을 나타낸 것인데, 하와이섬에서 멀어질수록 화산섬의 연령이 증가한다. 열점의 생성 원인을 설명하기 위해 최근에 등장한 이론이 플룸 구조론이다.

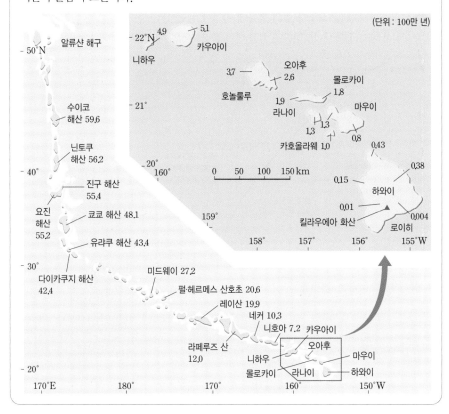

(1) 열점이 형성되는 까닭을 플룸 구조론과 관련지어 서술하시오.

(2) 하와이 열도의 연령이 하와이섬에서 멀어질수록 증가하는 까닭을 서술하시오.

답안

3 다음 제시문을 읽고 물음에 답하시오.

● 출제 의도
마그마가 생성되는 조건을 파악하고 판의 경계부에서 마그마가 생성되는 과정을 논리적으로 설명하며, 마그마의 종류에 따른 화성암의 종류와 화성암의 분류를 체계적으로 서술하는 능력을 평가한다.

마그마는 지각의 하부나 상부 맨틀의 물질이 온도와 압력의 영향으로 부분 용융되어 생성된 물질이다. 지하에서 마그마가 생성되기 위해서는 온도와 압력의 변화가 있어야 한다. 그림은 깊이에 따른 지하의 온도 분포와 암석의 용융 곡선을 나타낸 것이다. 지하로 깊이 들어갈수록 온도와 압력이 높아지고 맨틀 물질의 용융점도 높아진다. 마그마가 생성되려면 마그마가 생성되는 장소의 온도가 그 곳에 존재하는 암석의 용융점보다 높아야 하는데, 맨틀의 용융점은 같은 깊이에서 지구 내부의 온도보다 높기 때문에 마그마가 형성되기 어렵다. 따라서 맨틀 물질이 용융되어 마그마가 생성되려면 A처럼 맨틀 물질이 상승하여 압력이 낮아져야 한다. 물이 포함된 맨틀 물질의 용융점은 물이 포함되지 않은 맨틀 물질보다 낮으므로 B처럼 용융점이 낮아지면 마그마가 생성된다. 한편 대륙 지각을 구성하는 화강암은 물을 포함하고 있으며, 지각 하부의 온도가 상승하면 C처럼 화강암질 마그마가 생성될 수 있다.

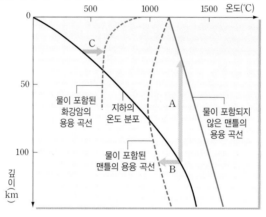

(1) 그림은 판의 운동과 마그마의 생성 위치를 나타낸 것이다.

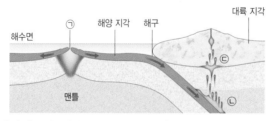

㉠~㉢에서 각각 생성되는 마그마의 종류와 생성 과정을 서술하시오.

(2) 마그마를 화학 조성(SiO₂ 함량)에 따라 크게 3가지로 분류하고 각각의 마그마에서 생성되는 화성암의 종류를 서술하시오.

(3) 화성암을 산출 상태에 따라 크게 2가지로 분류하고, 조직에서 어떤 차이가 나는지를 서술하시오.

● 문제 해결을 위한 배경 지식
● 마그마의 생성과 종류: 맨틀 물질이 용융되어 마그마가 생성되기 위해서는 압력이 감소하거나 용융점이 낮아져야 한다. 압력의 감소로 현무암질 마그마가 생성되는 경우는 맨틀 대류의 상승부인 해령 하부와 열점이고, 용융 온도가 낮아져 현무암질 마그마가 생성되는 경우는 해구의 섭입대에서 물이 빠져나와 맨틀 물질에 공급되는 경우이다.
● 마그마의 분류와 화성암의 종류: 마그마는 SiO₂ 함량에 따라 염기성, 중성, 산성 마그마로 분류할 수 있다. 염기성 마그마에 의해 생성되는 화성암은 현무암, 반려암이고, 중성 마그마에 의해 생성되는 화성암은 안산암, 섬록암이며, 산성 마그마에 의해 생성되는 화성암은 유문암, 화강암이다.

답안

---

4 다음 제시문을 읽고 물음에 답하시오.

> 지구의 역사를 밝혀내는 데 가장 중요하게 이용되는 것은 지층과 화석이다. 지층은 지구의 역사책과 같은데, 그 까닭은 지층 속에는 지질 시대부터 현재에 이르기까지 일어난 지각 변동과 당시에 살았던 생물의 화석이 기록되어 있기 때문이다. 특히 지층 속에 포함되어 있는 화석은 그 지층의 생성 시기와 지층이 퇴적될 당시의 환경을 알려주기 때문에 지구의 역사를 밝히는 데 매우 중요한 자료가 된다. 지층과 화석을 통해 지구의 역사를 밝히기 위해서는 수평 퇴적의 법칙, 지층 누중의 법칙, 부정합의 법칙, 동물군 천이의 법칙, 관입의 법칙 등과 같은 지사학의 법칙을 이용한다.

(1) 지사학의 법칙을 이용하여 지구의 역사를 밝히기 위해서는 '현재는 과거를 푸는 열쇠이다.'는 지사학의 기본 원리를 바탕으로 해야 한다. 그 원리는 무엇이며, 어떤 내용인지를 서술하시오.

(2) 부정합의 법칙과 동물군 천이의 법칙은 각각 무엇인지 서술하시오.

(3) 그림은 어느 지역의 지층의 단면을 나타낸 것으로, 이 지역의 화성암 A와 B에 포함된 방사성 동위 원소 X(반감기 7000만 년)의 양은 각각 암석이 생성될 당시의 50 %와 12.5 %였다.
화성암 A와 B의 절대 연령이 각각 얼마인지 구하고, 이 지역에서 있었던 지각 변동을 오래된 것부터 차례대로 지사학의 법칙과 관련지어 서술하시오.

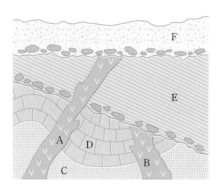

출제 의도
지구 역사를 해석하는 데 이용되는 지사학의 법칙을 이해하고, 각 법칙이 적용되는 예를 설명하는 능력을 평가한다.

문제 해결을 위한 배경 지식
· 동일 과정의 법칙: 현재 일어나고 있는 지질 현상을 바탕으로 과거에 일어났던 지각 변동이나 지질학적 사건을 해석할 수 있다는 것이 동일 과정의 법칙이다.
· 부정합의 법칙: 인접한 상하 두 지층 사이에 큰 시간 간격이 있을 때 부정합면(침식면)을 경계로 상하 두 지층은 지질 구조나 화석에서 크게 차이가 난다는 법칙이다.
· 동물군 천이의 법칙: 지질 시대가 다른 지층에서는 서로 다른 종의 생물 화석이 산출되며, 오래된 지층에서 새로운 지층으로 갈수록 점차 진화된 생물의 화석이 나타난다는 법칙이다.

답안

_____

_____

_____

_____

_____

_____

부록

정답과 해설

I 고체 지구의 변화

1. 지권의 변동

01 대륙의 이동과 판 구조론

탐구 확인 문제   019쪽

01 ①   **02** ④

---

01 ㄱ. 수심이 깊을수록 음파가 해저면에서 반사되어 되돌아오는 데 걸리는 시간이 길다.

바로 알기 ㄴ. 탐사 지점 1에서 음파의 왕복 시간이 6초이므로, 수심은 $\frac{1}{2} \times 1500 \times 6 = 4500(m)$이다.

ㄷ. 해령은 대양 한가운데에 산맥처럼 솟아오른 지형인데, 탐사 지점 1~3 사이에서는 음파의 왕복 시간이 9.4초(탐사 지점 2)로 길어지므로 수심이 깊어진다.

02 ④ 지점 B에서 음파의 왕복 시간이 4초이므로 수심은 $\frac{1}{2} \times 1500 \times 4 = 3000(m)$이다.

바로 알기 ① 지점 A로 갈수록 음파의 왕복 시간이 길어지므로 수심이 깊어지는 것을 의미한다. 따라서 지점 A에는 해구가 분포한다.

② 지점 B로 갈수록 음파의 왕복 시간이 짧아지므로 수심이 얕아지는 것을 의미한다. 따라서 지점 B에는 해령이 분포한다.

③ 지점 A에서 음파의 왕복 시간이 10초이므로 수심은 $\frac{1}{2} \times 1500 \times 10 = 7500(m)$이다.

⑤ 해령 주변에서 지각 열류량이 높고, 해구에서 해령 쪽으로 갈수록 지각 열류량이 증가한다. 따라서 지점 A에서 B로 갈수록 지각 열류량이 증가한다.

개념 모아 정리하기   020쪽

❶ 판게아   ❷ 해안선   ❸ 빙하   ❹ 원동력   ❺ 대류
❻ 상승   ❼ 음향 측심법   ❽ 해령   ❾ 용암   ❿ 퇴적물
⓫ 고지자기   ⓬ 반대   ⓭ 지진   ⓮ 맨틀   ⓯ 경계

개념 기본 문제   021쪽

01 ㄴ, ㄷ, ㄹ   **02** ㄱ, ㄴ   **03** (1) ㄱ (2) ㄷ (3) ㄴ
04 3000 m   **05** ㄴ, ㄷ
06 (1) ○ (2) × (3) ○ (4) × (5) ○   **07** ㄱ, ㄴ

---

01 ㄴ, ㄷ, ㄹ 베게너가 제시한 대륙 이동설의 증거에는 해안선 모습의 유사성, 대륙 간 지질 구조의 연속성, 고생물 화석 분포, 빙하 퇴적층과 빙하 흔적의 분포 등이 있다.

바로 알기 ㄱ. 지진대와 화산대가 특정한 지역에 띠 모양으로 분포하는 것은 판 경계와 관련이 있다.

02 ㄱ, ㄴ 맨틀 상하부의 온도 차이로 맨틀이 대류하며, 맨틀 대류의 상승부에서 대류 지각이 분리된다.

바로 알기 ㄷ. 맨틀 대류설은 발표 당시의 탐사 기술로는 맨틀 대류를 확인할 수 없었기 때문에 학자들에게 인정받지 못하였다. 베게너의 대륙 이동설과 홈스의 맨틀 대류설은 탐사 기술이 발달하여 해저 지형과 지각 변동에 관한 자세한 연구가 진행된 후 재조명 받았다.

03 (1) 음향 측심법을 이용하여 수심을 측정하여 해저 지형의 모습을 밝혀냈고, 해저 지형도를 제작하였다. 그 결과 대양 한가운데에 솟아오른 해령을 발견하였다.

(2) 자력계를 이용하여 해양 지각의 고지자기를 측정한 결과, 해령을 중심으로 고지자기 역전 줄무늬가 대칭적으로 나타나는 것을 발견하였다.

(3) 1960년대 이후 표준화된 지진계를 이용한 전 지구적인 지진 관측을 통해 섭입대 주변의 진원 깊이를 알아냈다.

04 해양에서 음파의 속력이 1500 m/s이고 주어진 지점에서 음파의 왕복 시간이 4초이므로, 수심은 $\frac{1}{2} \times 1500 \times 4 = 3000(m)$이다.

05 ㄴ, ㄷ 해령 부근의 해양 지각에서 나타나는 고지자기 역전 줄무늬는 지구 자기장이 역전되고 해양 지각이 확장되면서 새로운 해양 지각이 만들어질 당시의 지구 자기장 방향으로 광물이 자화되어 만들어진다.

06 ① 해령은 맨틀 물질이 상승하는 곳이다.

② 해령에서 새로운 해양 지각이 생성되어 해령의 양쪽으로 멀어지므로, 해령에서 해구 쪽으로 갈수록 해양 지각의 연령이 증가한다.

③ 해령에서 생성된 해양 지각은 해구에서 섭입하여 맨틀 속으로 하강한다.

④ 해령에서 멀어질수록 해양 지각의 연령이 증가하므로 해저 퇴적물의 나이와 두께가 증가한다.

⑤ 해령을 중심으로 고지자기 역전 줄무늬가 대칭적으로 나타난다.

07 ㄱ, ㄴ 판 구조론이 정립될 당시에는 해령 주변에 분포하는 변환 단층의 발견과 섭입대 주변의 진원 분포가 증거로 제시되었다.

바로 알기 ㄷ. 판 구조론이 정립된 이후에 지진파 단층 촬영법을 통해 맨틀 물질의 움직임을 확인할 수 있었다.

개념 적용 문제   022쪽

| 01 ④ | 02 ③ | 03 ③ | 04 ③ | 05 ③ | 06 ④ |
| 07 ⑤ | 08 ④ | | | | |

01 ㄴ. 고생대 말 빙하의 흔적과 이동 방향은 한곳에서 흩어져 나간 모양을 이루며, 이로부터 빙하의 이동 방향을 역으로 추정하면 고생대 말에는 대륙들이 한곳에 모여 있었음을 알 수 있다.

ㄷ. 베게너가 대륙 이동설을 주장할 당시에 고생물 화석 분포의 연속성(가)과 고생대 말 빙하의 흔적과 이동 방향(나) 및 해안선 모양의 유사성, 유럽과 북아메리카의 지질 구조의 연속성 등을 증거로 제시하였다.

바로 알기 ㄱ. 메소사우루스는 바다를 건너 헤엄칠 수 없으므로 메소사우루스 화석이 두 대륙에서 발견되는 것은 고생대에 두 대륙이 붙어 있었다는 것을 의미한다.

02 ㄱ. 중생대에 초대륙 판게아가 여러 대륙으로 갈라지면서 남아메리카 대륙과 아프리카 대륙이 분리되고 대서양이 생겨났고, 대서양이 넓어지면서 상대적으로 태평양은 좁아졌다.

ㄴ. 고생대 후기에 곤드와나 대륙의 일부를 이루고 있던 인도 대륙에 빙하가 분포하였다.

바로 알기 ㄷ. 대륙 이동의 원동력은 상부 맨틀의 연약권에서 일어나는 맨틀 대류 때문이다.

03 ㄱ. 탐사 지점 5에서 음파의 왕복 시간이 8.0초이므로, 수심은 $\frac{1}{2} \times 1500 \times 8 = 6000(\mathrm{m})$이다.

ㄴ. 탐사 지점 6에서 음파의 왕복 시간이 10초로 가장 길고 수심은 $\frac{1}{2} \times 1500 \times 10 = 7500(\mathrm{m})$이므로 이 지점에 해구가 분포한다.

바로 알기 ㄷ. 새로운 해양 지각이 생성되는 곳인 해령은 대양 한가운데에 산맥처럼 솟아오른 지형으로, 주변의 해저 지형보다 수심이 얕다. 이 해역에서는 대양 한가운데에서 수심이 얕아지는 구간이 분포하지 않으므로, 새로운 해양 지각이 만들어지는 해령이 분포한다고 볼 수 없다.

04 ㄱ. 해저 퇴적물의 두께는 해령에서 멀수록 두꺼워지므로, 해령에서 더 먼 거리에 있는 A가 B보다 해저 퇴적물의 두께가 두껍다.

ㄷ. 대서양 중앙 해령에서는 마그마의 분출로 새로운 해양 지각이 생성된다.

바로 알기 ㄴ. 지각 열류량은 해령에서 가장 높고 해령에서 멀수록 낮아진다. 따라서 해령 부근인 B에서 A와 C로 갈수록 지각 열류량이 낮아진다.

05 ㄱ. 고지자기 역전 줄무늬는 해령을 중심으로 대칭적으로 나타난다.

ㄴ. 해양 지각의 암석 연령은 해령에서 멀어질수록 증가한다.

바로 알기 ㄷ. A와 B는 암석의 연령이 같지만 A는 B보다 해령으로부터의 거리가 멀기 때문에 해양 지각의 이동 속도는 태평양 지역이 대서양 지역보다 빠르다는 것을 알 수 있다.

06 ① 해령의 하부 A에서는 맨틀 대류가 상승하면서 마그마가 상승한다.

②, ③ 해령에서 1000 km 거리에 위치한 X 지점의 수심이 4 km이므로, 그림 (나)에서 해양 지각의 연령은 2000만 년임을 알 수 있다. 따라서 해양 지각의 평균 이동 속도는 $\frac{10^8 \, \mathrm{cm}}{2 \times 10^7 \mathrm{년}} = 5 \, \mathrm{cm}/\mathrm{년}$이다.

⑤ 해령에서 멀어질수록 해양 지각의 연령이 증가하므로 해저 퇴적물의 두께와 연령이 증가한다.

바로 알기 ④ 해저 지각 열류량은 마그마가 상승하는 해령에서 가장 높고, 해령에서 멀어질수록 마그마가 상승하는 곳으로부터 멀어지므로 지각 열류량이 감소한다.

07 ㄱ. A는 상대적으로 밀도가 큰 태평양판이 밀도가 작은 필리핀판 아래로 섭입하는 지역으로, 마리아나 해구가 발달해 있다.

ㄴ. (나)는 천발 지진부터 심발 지진까지 발생하는 섭입대의 진원 분포에 해당하므로 해양판이 다른 판 아래로 섭입하는 지역이다. 따라서 태평양판이 필리핀판 아래로 섭입하는 A의 진원 분포를 나타낸다.

ㄷ. 섭입대의 진원 분포는 판 구조론이 정립되는 근거가 되었다.

08 ㄱ. 학설이 등장한 순서는 '(다)베게너의 대륙 이동설 → (나)홈스의 맨틀 대류설 → (가)헤스와 디츠의 해양저 확장설 → (라)윌슨의 변환 단층 발견' 순이다.

ㄷ. 해령과 해령 사이에서 해양 지각이 서로 반대 방향으로 움직이는 부분에 변환 단층이 생성되며, 변환 단층의 발견은 판 구조론 정립의 계기가 되었다.

바로 알기 ㄴ. 음향 측심법을 통한 해저 지형 탐사 결과를 바탕으로 발표된 학설은 (가)의 해양저 확장설이다.

02 대륙 분포의 변화와 판 이동의 원동력

개념 모아 정리하기 039쪽

❶복각 ❷편각 ❸편각 ❹지자기 북극(자북극) ❺로디니아
❻판게아 ❼윌슨 주기 ❽발산 경계 ❾대륙 열곡대
❿수렴 경계 ⓫호상 열도 ⓬해양판 ⓭습곡 산맥
⓮보존 경계 ⓯변환 단층 ⓰맨틀 대류 ⓱열점
⓲뜨거운 플룸 ⓳차가운 플룸

개념 기본 문제 040쪽

| **01** ㄱ | **02** (1) × (2) ○ (3) × | **03** (1) C (2) B (3) D |
| **04** ㄱ | **05** ㄱ, ㄴ, ㄷ | **06** ㄴ, ㄷ |

01 ㄱ. 현재 지리상 북극과 지자기 북극은 일치하지 않는다.
바로 알기 ㄴ, ㄷ 나침반의 자침이 수평면과 이루는 각을 복각이라고 하고, 나침반의 자침이 지리상 북극과 이루는 각을 편각이라고 한다.

02 (1) 로디니아는 선캄브리아 시대에 존재하던 초대륙이고, 판게아는 고생대 후기~중생대 전기에 존재하던 초대륙이다.

(2) 판게아는 남북으로 긴 모양으로, 북반구의 로라시아와 남반구의 곤드와나로 이루어져 있었다.

(3) 인도 대륙은 약 1억 년 전에 오스트레일리아 대륙에서 분리되어 북상하기 시작하였고, 약 5000만 년 전부터 유라시아 대륙과 충돌하기 시작하였다.

03 (1) C는 태평양판과 북아메리카판이 서로 반대 방향으로 어긋나게 이동하면서 형성된 변환 단층인 산안드레아스 단층으로, 판의 보존 경계에 해당한다.

(2) B는 태평양판이 유라시아판 아래로 섭입하여 형성된 일본 해구로, 판의 수렴 경계로서 해구가 발달한 곳에 해당한다.

(3) D는 대서양 중앙 해령으로, 새로운 판이 생성되어 확장되는 발산 경계로서 해령이 발달한 곳에 해당한다.

04 ㄱ. A는 해양판과 해양판이 수렴하는 경계로, 해구가 발달해 있다.
바로 알기 ㄴ. B는 두 판이 서로 어긋나는 보존 경계로, 천발 지진이 발생하지만 화산 활동은 일어나지 않는다.

ㄷ. C는 해령으로, 천발 지진과 화산 활동이 일어나지만 심발 지진은 발생하지 않는다.

ㄹ. 해령에서 새로운 해양 지각이 생성되므로 C(해령)에서 D(해구) 쪽으로 갈수록 해양 지각의 연령이 증가한다.

05 ㄱ. 하와이섬에서는 현재 화산 활동이 일어나고 있으므로, 하와이섬은 열점 위에 위치한다.

ㄴ. 하와이섬의 화산 활동은 열점에서 상승하는 마그마에 의한 것이고, 열점에서 생성된 화산섬은 태평양판의 이동에 따라 이동해 가므로, 하와이섬에서 북서쪽으로 갈수록 화산섬의 연령이 증가한다.

ㄷ. 태평양판이 계속 북서쪽으로 이동함에 따라 하와이섬의 남동쪽에 새로운 화산섬이 만들어질 것이다.

06 ㄴ. 지진파 단층 촬영법으로 맨틀의 내부 구조를 분석한 결과, 현재 아시아 대륙 하부에는 하강하는 차가운 플룸이 위치하는 것을 알아냈다.

ㄷ. 뜨거운 플룸은 과거에 존재했던 초대륙을 분리시키는 역할을 하였을 것으로 추정되며, 대규모의 뜨거운 플룸은 대륙을 분열시킬 수 있다.

바로 알기 ㄱ. 플룸 구조론에서는 맨틀 대류가 상부 맨틀뿐만 아니라 맨틀 전체에서 일어난다고 설명한다.

개념 적용 문제   041쪽

01 ④   02 ③   03 ③   04 ⑤   05 ⑤   06 ①
07 ②   08 ⑤   09 ④   10 ②

01 ㄴ. 지질 시대 동안 자극의 겉보기 이동은 대륙 이동의 명백한 증거가 된다.

ㄷ. 유라시아 대륙과 북아메리카 대륙은 과거에 그림 (나)처럼 붙어 있었으므로 두 대륙에 분포하는 습곡 산맥의 지질 구조가 연결될 수 있다.

바로 알기 ㄱ. 지자기 북극은 이동하지만, 동시에 2개의 지자기 북극이 존재할 수는 없다.

02 ㄱ. 암석에 남아있는 고지자기의 복각을 분석하면 암석이 생성될 당시의 위도를 알아낼 수 있고, 이로부터 대륙의 위치 및 이동 경로를 복원할 수 있다.

ㄴ. 7100만 년 전에 인도 대륙의 복각이 (−)의 값을 나타내므로, 인도 대륙은 남반구에 위치하였음을 알 수 있다.

바로 알기 ㄷ. 인도 대륙과 유라시아 대륙의 충돌은 약 5000만 년 전에 시작되었으며, 인도 대륙의 이동은 현재까지도 계속되고 있다.

03 ㄱ, ㄴ 인도 대륙이 북상하며 테티스 해가 좁아졌고, 남반구의 곤드와나 대륙에 포함되었던 인도 대륙이 북상하였다.

바로 알기 ㄷ. 초대륙이 여러 대륙으로 분리되면 대륙의 면적은 크게 변하지 않으나, 해안선의 길이가 길어진다.

04 ㄱ, ㄴ 대륙 지각에 장력이 작용하여 얇아진 곳에 열곡이 형성되고, 맨틀 물질의 상승으로 마그마가 분출하여 새로운 해양 지각이 만들어진다.

ㄷ. 동아프리카 열곡대는 대륙판이 분리되는 초기 단계에 해당하는 곳으로, 킬리만자로산과 케냐산과 같은 높은 화산이 분포한다.

05 ① 두 해양판이 수렴하는 E 지역에는 해구가 발달한다.

② 두 대륙판이 수렴하는 F 지역에는 습곡 산맥이 발달한다.

③ 해양판이 맨틀 속으로 섭입하는 (가)에서 (나)보다 화산 활동이 활발하다. (가)에서는 화산 활동과 함께 지진이 활발하게 일어나지만, (나)에서는 화산 활동은 없고 지진만 발생한다.

④ 판 A가 판 B의 아래로 섭입하므로 판 A의 밀도는 판 B의 밀도보다 크다.

바로 알기 ⑤ 대륙 지각은 연약권보다 밀도가 작아서 맨틀 속으로 섭입할 수 없다.

06 ㄱ. A는 해양판이 섭입하며 맨틀이 부분 용융하여 만들어진 마그마가 분출하는 호상 열도로서, 화산 활동이 활발하게 일어난다.

바로 알기 ㄴ. B는 변환 단층으로, 판이 생성되거나 소멸하지 않으며, 화산 활동은 일어나지 않고 천발 지진이 일어난다.

ㄷ. 해구인 D에서는 천발 지진부터 심발 지진까지 모두 발생하는 반면, 해령인 C에서는 천발 지진이 일어나지만 심발 지진은 일어나지 않는다.

07 ㄱ. A는 대륙판과 대륙판이, B와 D는 해양판과 대륙판이, C는 해양판과 해양판이 수렴하는 경계이다.

ㄹ. A에는 습곡 산맥인 히말라야산맥이 발달해 있고, B, C, D에는 해구가 발달해 있다.

바로 알기 ㄴ. 필리핀판과 태평양판 사이에 해구(마리아나 해구)가 발달한 것은 상대적으로 밀도가 큰 태평양판이 필리핀판 아래로 섭입하기 때문이다.

ㄷ. 습곡 산맥인 A에서는 지진은 발생하지만 화산 활동은 일어나지 않는다. 해구인 B, C, D에서는 지진과 화산 활동이 활발하다.

08 ① A를 경계로 아프리카판과 아라비아판이 서로 멀어지고 있으므로 A의 바다는 점차 넓어질 것이다.

② B(동아프리카 열곡대)를 경계로 동아프리카는 분리될 것이다.

③, ④ A는 해령, B는 동아프리카 열곡대, C는 인도양 해령으로, 모두 발산 경계에 해당하며 화산 활동과 함께 천발 지진이 발생하며, 그 하부에서 맨틀 대류가 상승한다.

바로 알기 ⑤ B(동아프리카 열곡대)는 판의 발산 경계이고, 북아메리카의 산안드레아스 단층은 판의 보존 경계인 변환 단층이다.

09 ㄴ. 엠퍼러 해산군이 형성되는 약 6500만 년 전부터 약 4200만 년 전까지 태평양판은 북북서 방향으로 이동하였고, 약 4200만 년부터 현재까지 하와이 열도가 생성되는 동안 태평양판은 대략 서북서 방향으로 이동하였다. 따라서 태평양판의 이동 방향은 약 4200만 년 전에 바뀌었다고 볼 수 있다.

ㄷ. 미드웨이섬의 연령이 약 2700만 년이고 하와이섬에서 미드웨이섬까지의 거리가 약 2700 km이므로 태평양판의 평균 이동 속도는 약 $\dfrac{2.7\times10^8\,\text{cm}}{2.7\times10^7\text{년}}=10$ cm/년이다.

바로 알기 ㄱ. 뜨거운 플룸의 상승으로 생성된 열점의 위치는 변하지 않으므로, 태평양판이 이동함에 따라 새로운 화산섬은 하와이섬의 남동쪽에 위치할 것이다.

10 ① 뜨거운 플룸은 맨틀과 외핵의 경계부에서 생성되어 상승한다.

③ 차가운 플룸은 하부 맨틀까지 하강한다.

④ 하와이는 뜨거운 플룸의 상승에 의해 생성된 열점에 위치하여 화산 활동을 일으킨다.

⑤ 플룸 구조론은 맨틀 전체의 대류 및 판의 운동과 관계있는 지구 내부 구조 운동을 설명한다.

바로 알기 ② 플룸 구조론은 맨틀 전체 규모로 일어나는 대류 운동을 설명하는 이론이다.

03 변동대와 화성암

집중 분석 055쪽

유제 ⑤

유제 • A는 맨틀 물질이 상승하여 압력이 감소하여 맨틀의 용융 곡선과 만나 용융하는 과정으로, 해령 하부에서의 압력 감소에 따른 현무암질 마그마의 생성 과정에 해당한다.

• B는 맨틀 물질에 물이 첨가되어 암석의 용융 곡선의 위치가 변화하여 맨틀 물질이 용융하는 과정으로, 섭입대에서 섭입하는 해양판에 포함된 물이 빠져나와 그 상부의 맨틀로 공급되면서 맨틀 물질이 용융하여 현무암질 마그마가 생성되는 과정에 해당한다.

• C는 암석의 온도가 상승하여 지하의 온도 분포 곡선이 화강암의 용융 곡선과 만나 용융하는 과정으로, 대륙 지각 하부가 가열되어 유문암질 마그마가 생성되는 과정에 해당한다.

개념 모아 정리하기 056쪽

❶유문암 ❷압력 ❸물 ❹해령 ❺압력 ❻해구 ❼용융점(녹는점) ❽유문암질 ❾안산암질 ❿조립질 ⓫세립질 ⓬화산암(분출암) ⓭현무암 ⓮심성암(관입암) ⓯화강암 ⓰고철질암 ⓱반려암 ⓲중성암 ⓳유문암 ⓴중생대

개념 기본 문제 057쪽

01 (1) × (2) ○ (3) ○ (4) × **02** ㄱ, ㄷ **03** ㄱ, ㄷ
04 (1) ○ (2) × (3) × **05** (1) 현무암 (2) 화강암 (3) 사장석

01 (1) 마그마는 지하의 암석이 용융된 물질로, 주변 암석보다 밀도가 작아서 상승한다.

(2) 맨틀 물질의 온도가 높아지면 용융 곡선과 만나서 용융하여 마그마가 생성될 수 있다.

(3) 맨틀 물질이 상승하여 압력이 낮아지면 용융하여 마그마가 생성될 수 있다.

(4) 맨틀 물질에 물이 공급되면 용융점이 낮아져서 마그마가 생성될 수 있다.

02 ㄱ. A 과정은 압력이 감소하여 맨틀의 용융 곡선과 만나 마그마가 생성되는 과정으로, 해령에서 맨틀 물질이 상승하여 현무암질 마그마가 생성되는 과정에 해당한다.

ㄷ. C 과정은 온도가 상승하여 화강암의 용융 곡선과 만나 마그마가 생성되는 과정으로, 섭입대에서 섭입하는 해양판 위에 놓인 대륙 지각 하부가 가열되어 유문암질 마그마가 생성되는 과정에 해당한다.

바로 알기 ㄴ. B 과정은 맨틀 물질에 물이 공급되어 맨틀의 용융 곡선이 변화하여 마그마가 생성되는 과정으로, 섭입대에서 현무암질 마그마가 생성되는 과정에 해당한다.

03 ㄱ. 현무암과 유문암은 모두 화산암으로, 세립질 조직이 잘 나타난다.

ㄷ. 마그마가 지하 깊은 곳에서 천천히 냉각되면 광물 결정이 성장하여 조립질 조직이 발달한다.

바로 알기 ㄴ. 유리질 조직은 지표에서 암석이 매우 빠르게 냉각되어서 광물 결정이 형성되지 않은 것이다.

04 (1) SiO_2 함량이 52 % 이하인 화성암을 염기성암 또는 고철질암이라 하며, 상대적으로 Ca, Fe, Mg의 함량이 많다.

(2) SiO_2 함량이 63 % 이상인 화성암을 산성암 또는 규장질암이라 하며, 무색 광물의 함량이 많아서 암석의 색이 밝은 편이다.

(3) SiO_2 함량이 52 % ~ 63 %인 중성암의 대표적인 예는 안산암, 섬록암 등이 해당하며 화강암은 산성암에 해당한다.

05 (1) SiO_2 함량이 52 % 이하인 화성암 중 대표적인 화산암은 현무암이다.

(2) SiO_2 함량이 63 % 이상인 화성암 중 대표적인 심성암은 화강암이다.

(3) 화성암의 주요 조암 광물 중 염기성암(고철질암)과 산성암(규장질암)에서 모두 높은 비율을 차지하는 광물은 사장석이다.

개념 적용 문제

058쪽

01 ③　　**02** ③　　**03** ②　　**04** ③　　**05** ④　　**06** ④

01 ㄱ. 용암은 SiO_2 함량에 따라 현무암질, 안산암질, 유문암질 용암으로 구분하며, 화산의 분출 형태나 화산체의 모양은 용암의 성질에 따라 다르게 나타난다.

ㄴ. 현무암질 용암은 SiO_2 함량이 적고 용융점이 높으며 점성이 작고 유동성이 크다. 현무암질 용암이 분출하면 순상 화산이나 용암 대지가 만들어진다.

바로 알기 ㄷ. 유문암질 용암은 SiO_2 함량이 많고 용융점이 낮으며, 점성이 크고 유동성이 작고, 휘발 성분을 많이 포함한다. 유문암질 용암이 분출하면 경사가 급한 종상 화산이나 용암 돔이 만들어진다.

02 ㄱ. 맨틀 물질은 자연 상태에서는 현무암의 용융 곡선과 만나지 않으므로 용융될 수 없다.

ㄴ. A → B 과정은 해령의 하부에서 맨틀 물질이 상승하면서 압력이 감소하여 현무암질 마그마가 생성되는 과정에 해당한다.

바로 알기 ㄷ. 대륙 지각의 하부인 C 지점은 화강암질 암석으로 이루어져 있으므로, 암석의 온도가 상승하여 화강암의 용융 곡선과 만나면 용융하여 유문암질(화강암질) 마그마가 생성될 수 있다. 그러나 방사성 동위 원소의 붕괴열만으로는 화강암이 용융하여 마그마가 생성될 수 없다.

03 ㄴ. B에서는 섭입하는 해양 지각의 암석과 해저 퇴적물에서 빠져나온 물이 그 상부의 맨틀에 공급되며 맨틀 물질의 용융점이 낮아져서 맨틀 물질의 부분 용융으로 현무암질 마그마가 생성된다.

바로 알기 ㄱ. A는 해령으로, 맨틀 물질이 상승하면서 압력이 감소하여 현무암질 마그마가 생성된다.

ㄷ. C에서는 B에서 상승한 마그마의 영향으로 대륙 지각의 하부가 가열되어 용융하여 유문암질 마그마가 생성된다.

04 ①, ⑤ SiO_2 함량이 A가 B보다 적으므로 밝은색을 띠는 규장질 광물의 구성비는 A가 B보다 낮다. 따라서 A의 색이 B의 색보다 어둡고, 구성 광물 중 석영의 함량은 A가 B보다 적다.

② SiO_2 함량이 낮은 A는 고철질 광물이 많으므로 Mg과 Fe의 함량비가 B보다 높다.

④ A는 구성 광물 입자의 크기가 크므로 심성암이고, B는 구성 광물 입자의 크기가 작으므로 화산암이다. 따라서 마그마의 냉각 속도는 A가 B보다 느리다.

바로 알기 ③ 심성암인 A는 입자의 크기가 화산암인 B보다 크므로 암석이 생성된 깊이는 A가 B보다 깊다.

05 ㄴ. 유문암과 화강암은 모두 산성암이고, 석영, 정장석, 운모 등으로 구성되어 있으므로 구성 광물이 비슷하다. 유문암과 화강암은 고철질 광물(감람석, 휘석, 각섬석)보다 규장질 광물(석영, 정장석)을 많이 포함하므로 암석의 색은 밝은색을 띤다.

ㄷ. SiO_2의 함량이 많은 암석일수록 Mg, Fe, Ca의 함량은 적어지고, Na, K의 함량이 많아진다.

바로 알기 ㄱ. 현무암과 반려암은 모두 염기성암이므로 화학 조성은 비슷하지만, 현무암은 화산암이고 반려암은 심성암이므로 산출 상태가 다르다.

06 ㄱ, ㄷ 설악산은 주로 화강암으로 이루어져 있다.

ㄷ. 설악산을 이루는 암석은 중생대에 관입한 마그마가 지하 깊은 곳에서 천천히 식어서 만들어졌다.

바로 알기 ㄴ. 설악산을 이루는 암석은 중생대에 관입한 마그마로부터 만들어졌다.

01 ③	02 ⑤	03 ④	04 ④	05 ①	06 ②
07 ③	08 ②	09 ⑤	10 ③	11 ④	12 ③

01 ㄱ. A, B 대륙은 각각 고생대 말 초대륙 판게아를 이루었던 남아메리카와 아프리카 대륙이다. 이 두 대륙이 붙어 있었기 때문에 두 대륙의 지질 구조(습곡과 지층)가 서로 연결된다.

ㄴ. 두 대륙에서는 고생대 후기의 파충류인 메소사우루스의 화석이 발견된다.

바로 알기 ㄷ. 화산이나 단층은 주로 판의 운동에 따라 형성되므로 대륙 이동의 증거로는 타당하지 않다.

02 ㄱ. B는 해령의 중심축인 열곡으로, B를 중심으로 고지자기 이상 곡선과 고지자기 역전 줄무늬가 대칭을 이룬다. A와 C의 고지자기는 같은 정자극기에 해당하므로 같은 시기에 생성된 것을 알 수 있다.

ㄴ. 해저 확장에 의해 A와 C는 B로부터 멀어지고 있으며, 퇴적물의 두께와 해양 지각의 나이도 B에서 A와 C로 갈수록 증가한다.

ㄷ. B와 C 사이, 또는 B와 A 사이의 해양 지각에서 자기 이상이 (−)의 값으로 기록된 시기가 5회이므로, B와 C 사이의 해양 지각이 생성되던 기간 동안 자극이 현재와 반대 방향으로 배열된 시기, 즉 역자극기가 5회 있었다는 사실을 알 수 있다.

03 ① 대서양 해저 지각의 가장 높은 연령은 약 1억 8000만 년으로, 중생대 초기에 해당된다.

② 해양 지각은 해령에서 계속 생성되고 해구에서 맨틀 속으로 섭입하기 때문에 해양 지각의 평균 연령은 약 2억 년 이하이다. 그러나 대륙 지각은 맨틀 속으로 하강할 수 없기 때문에 한번 생성되면 섭입하지 않아서 평균 연령이 해양 지각보다 많다.

③ 지각 열류량은 단위 면적당 열의 이동량으로, 지각 변동이 활발하거나 지하에 마그마가 존재하는 곳에서 높다. 해령의 하부에서는 마그마가 상승하여 분출하므로 지각 열류량이 높다.

⑤ 해령에서 멀어질수록 해양 지각의 연령이 증가하므로 오랫동안 퇴적되어 해저 퇴적층의 두께가 증가한다.

바로 알기 ④ 대서양 중앙 해령에서 새로운 해양 지각이 형성되어 확장되기 때문에 시간이 지나면서 대서양은 넓어지고 있다.

04 ㄴ. 히말라야산맥은 인도-오스트레일리아판의 대륙 지각 부분과 유라시아판의 대륙 지각 부분이 충돌하여 형성된 습곡 산맥으로, 두 대륙판의 수렴 경계에 해당한다.

ㄷ. 인도 대륙과 유라시아 대륙의 사이에 분포하던 테티스 해가 소멸되면서 테티스 해에 쌓여 있던 해저 퇴적물이 솟아올라 히말라야산맥을 이루었다. 그 결과 현재 히말라야 산맥에서는 해양 생물의 화석이 발견된다.

바로 알기 ㄱ. 인도 대륙이 유라시아 대륙과 약 5000만 년 전부터 충돌하기 시작하였고, 현재도 두 대륙의 충돌이 계속되며 히말라야산맥이 높아지고 있다.

05 ㄱ. A는 동아프리카 열곡대로, 대륙판이 분리되는 발산 경계인 대륙 열곡대에 해당한다. B는 인도-오스트레일리아판과 유라시아판이 충돌하는 수렴 경계로, 습곡 산맥인 히말라야산맥이 형성되어 있다.

바로 알기 ㄴ. A는 대륙 지각에 장력이 작용하므로 정단층이 발달해 있고, B는 횡압력이 작용하므로 습곡과 역단층이 발달해 있다.

ㄷ. A는 대륙 열곡대로, 천발 지진만 발생한다.

06 ㄱ. 해구, 해령은 판이 생성되거나 소멸하는 경계이고, 변환 단층은 판이 생성되거나 소멸하지 않고 어긋나는 경계이므로 A에 알맞은 질문에 해당한다.

ㄹ. 해구에서는 천발 지진과 심발 지진이 모두 발생하고, 해령에서는 천발 지진만 발생하므로 B에 알맞은 질문에 해당한다.

07 ㄱ. 하와이 열도는 열점에서 분출한 현무암질 마그마의 화산 활동에 의해서 생성된 것이므로 하와이 열도의 화산섬을 이루는 암석은 주로 현무암이다.

ㄴ. 열점에서 생성된 화산섬은 태평양판의 이동에 따라 이동해 가므로 하와이섬에서 멀수록 나이가 오래된 것이다. 따라서 화산섬을 이루는 암석의 나이는 A>B>C의 순이다.

바로 알기 ㄷ. 열점의 위치는 고정되어 있으나 판이 이동하므로, 장차 화산 지대는 하와이섬의 남동쪽에 형성될 것이다.

08 ② 해령의 하부인 A와 해양판의 섭입대인 B에서는 현무암질 마그마가 생성된다.

바로 알기 ① 해령의 하부인 A에서는 맨틀 물질의 상승에 따른 압력 감소로 맨틀 물질이 용융하여 현무암질 마그마가 생성된다.
③, ④, ⑤ 섭입대에서 섭입하는 해양 지각에서 빠져 나온 물이 그 상부의 맨틀에 공급되어 맨틀 물질의 용융점이 낮아지면서 맨틀 물질이 용융하여 현무암질 마그마가 생성된다(B). B의 현무암질 마그마가 상승하면서 대륙 지각 하부에 고여 있다가 대륙 지각을 가열하여 대륙 지각의 화강암질 암석이 용융하여 유문암질 마그마가 생성된다(C). C의 유문암질 마그마가 B에서 상승하는 현무암질 마그마와 섞이면 안산암질 마그마가 만들어지기도 한다. 따라서 C의 지표에서는 유문암질이나 안산암질 마그마에 의한 화산 활동이 일어난다.

09 ㄱ. A는 해령에 가까이 위치하는 해양 지각이므로 지각의 연령이 적고, B는 대륙 지각이므로 A가 B보다 지각의 연령이 적다.
ㄴ. B는 해구 부근이므로 천발~심발 지진이 발생하고, C는 변환 단층에 위치하므로 천발 지진이 발생한다. 따라서 천발 지진은 B와 C에서 모두 발생한다.
ㄷ. 산안드레아스 단층은 육지에 노출된 변환 단층으로, 판의 보존 경계에 해당한다.

10 ㄱ. ㉠의 마그마는 해령 하부에서 맨틀 물질의 상승에 따른 압력 감소로 용융되는 것이므로 B 과정으로 생성되는 마그마이다.
ㄷ. ㉢의 마그마는 해구에서 해양판이 대륙판 아래로 섭입하며 해양 지각에서 빠져나온 물이 맨틀에 공급되어 맨틀 물질의 용융점을 낮추어 용융되는 것이므로 C 과정으로 생성되는 마그마이다.

바로 알기 ㄴ. ㉡의 마그마는 열점에서 생성되는 마그마로, 맨틀 물질이 상승에 따른 압력 감소인 B 과정으로 생성되며, 하와이와 같은 화산섬을 형성한다.

11 ㄴ. SiO_2 함량이 63 % 이상인 암석이 산성암이므로, B와 D가 산성암에 해당한다.
ㄷ. SiO_2 함량이 적을수록 암석이 어두운색을 나타내므로, 가장 어두운색의 암석은 A이다.

바로 알기 ㄱ. 화산암은 세립질 조직이나 유리질 조직을 이룬다. 따라서 그림에서 세립질 조직을 이루는 C와 D는 화산암에 해당하며, A와 B는 심성암에 해당한다.

12 ㄱ. 제주도는 주로 신생대의 화산 분출로 형성되었으며, 주로 현무암으로 이루어져 있다.
ㄷ. 칼데라호는 대규모의 화산 폭발이 일어나며 화구가 붕괴하여 만들어진 호수이다.

바로 알기 ㄴ. 현무암은 마그마가 지표에서 식어서 굳어 만들어진 화산암이다.

사고력 확장 문제 **068쪽**

01 (1) A는 인도 – 오스트레일리아판의 대륙 지각 부분과 유라시아판의 대륙 지각 부분이 충돌하는 수렴 경계이고, B는 해양판인 태평양판과 필리핀판이 수렴하는 경계로서 태평양판이 필리핀판 아래로 섭입한다. C는 대서양 중앙 해령으로서 새로운 해양판이 생성되는 곳이고, D는 해양판인 나스카판이 대륙판인 남아메리카판 아래로 섭입하는 곳이다. E는 변환 단층으로서 판의 생성이나 소멸이 없는 곳이다.
(2) 해구에서 해양판이 다른 판 아래로 비스듬히 섭입하는 섭입대에서 천발~심발 지진이 발생하며, 고지자기 역전의 줄무늬가 대칭적으로 나타나는 지역은 해령이고, 판의 생성이나 소멸이 없는 변환 단층에서는 지진만 발생한다. 천발 지진과 함께 화산 활동도 활발한 판 경계는 해령이다.

모범 답안 (1) A: 두 대륙판의 수렴 경계로, 습곡 산맥(히말라야산맥)이 발달해 있다. B: 두 해양판의 수렴 경계로, 해구가 발달해 있다. C: 발산 경계로, 대서양 중앙 해령이 발달해 있다. D: 해양판과 대륙판의 수렴 경계로, 해구가 발달해 있다. E: 보존 경계로, 변환 단층이 발달해 있다.
(2) 천발 지진부터 심발 지진까지 발생하는 지역은 해양판인 태평양판이 해양판인 필리핀판 아래로 섭입하는 B의 마리아나 해구와 해양판인 나스카판이 대륙판인 남아메리카판 아래로 섭입하는 D의 페루 해구이다. 고지자기 역전의 줄무늬가 대칭적으로 나타나는 지역은 해령에서 새로운 해양판이 생성되어 양쪽으로 확장하는 C의 대서양 중앙 해령이다. 화산 활동은 없고 지진만 발생하는 지역은 변환 단층인 E 지역과 습곡 산맥인 A 지역이다. 주로 천발 지진과 함께 화산 활동이 활발한 지역은 해령이므로 C의 대서양 중앙 해령에 해당한다.

채점 기준		배점(%)
(1)	판 경계의 종류와 각 경계에 발달한 지형을 모두 옳게 서술한 경우	40
	판 경계의 종류나 발달한 지형 중 한 가지만 옳게 서술한 경우	20
(2)	4가지 경우에 해당하는 지역을 모두 옳게 서술한 경우	60
	4가지 경우에 해당하는 지역 중 3가지만 옳게 서술한 경우	40
	4가지 경우에 해당하는 지역 중 두 가지만 옳게 서술한 경우	30

02 (1) 해령의 열곡에서는 마그마가 분출하여 새로운 해양 지각이 생성되고, 해저 확장에 의해 열곡 양쪽으로 멀어져 간다. 열곡에서 멀어질수록 해양 지각의 연령이 많아지므로, A 지점보다 해령(열곡)으로부터의 거리가 먼 B 지점의 해양 지각의 연령이 더 많다.

(2) C는 해령과 해령 사이에서 두 해양판이 서로 반대 방향으로 이동하는 변환 단층에 해당한다.

모범 답안 (1) B 지점의 지각의 연령이 더 많다.

(2) C에 발달한 변환 단층은 단층을 경계로 양쪽 판의 이동 속도 차이 때문에 형성된 것이며, 변환 단층에서는 판의 생성이나 소멸은 없고, 판이 서로 반대 방향으로 이동하기 때문에 천발 지진이 발생하고 화산 활동은 일어나지 않는다.

채점 기준		배점(%)
(1)	A 지점과 B 지점의 해양 지각의 나이를 옳게 비교한 경우	40
	A 지점과 B 지점의 해양 지각의 나이를 옳게 비교하지 못한 경우	0
(2)	C에 발달한 변환 단층의 형성 원인 및 지각 변동을 모두 옳게 서술한 경우	60
	C에 발달한 변환 단층의 형성 원인과 지각 변동 중 한 가지만 옳게 서술한 경우	30

03 (1) A는 해양판이 다른 해양판 아래로 섭입하는 곳에 형성되는 호상 열도이고, B는 해령과 해령 사이에서 두 판이 서로 어긋나며 형성되는 변환 단층이다. C는 해령이고, D는 해구이다.

(2) 해령(C)과 변환 단층(B)에서는 천발 지진만 발생하고, 해구 부근의 섭입대(D)에서는 천발 지진부터 심발 지진까지 모두 발생한다.

모범 답안 (1) A: 호상 열도, B: 변환 단층, C: 해령, D: 해구

(2) 천발 지진만 발생하는 곳은 B와 C이고, 천발 지진부터 심발 지진까지 모두 발생하는 곳은 D이다. C의 해령의 열곡에서 마그마가 분출하며 천발 지진이 발생하고, B의 변환 단층에서는 두 판이 서로 어긋나는 방향으로 이동하며 천발 지진만 발생하고, D의 해구 부근의 섭입대에서는 해양판이 다른 판 아래로 섭입하며 천발 지진부터 심발 지진까지 모두 발생한다.

채점 기준		배점(%)
(1)	네 가지 지형을 모두 옳게 서술한 경우	50
	네 가지 지형 중 두 가지만 옳게 서술한 경우	20
(2)	천발 지진만 발생하는 곳과 천발~심발 지진이 발생하는 곳을 모두 옳게 서술한 경우	50
	천발 지진만 발생하는 곳 또는 천발~심발 지진이 발생하는 곳 중 한 가지만 옳게 서술한 경우	20

04 (1) A는 해령으로, 마그마의 상승과 분출에 따른 화산 활동에 의해 새로운 해양 지각이 생성되어 해령 양쪽으로 멀어지며 해저가 확장되는 곳이다. 따라서 해령에서 멀어질수록 해양 지각의 나이와 해저 퇴적물의 연령 및 두께가 증가한다.

(2) 해령에서 분출한 용암이 굳어서 새로운 해양 지각이 생성될 때 자성을 띠는 광물이 지구 자기장 방향으로 자화되고, 해양 지각이 확장되면서 해령으로부터 멀어진다. 지구 자기장의 방향이 바뀌면 새로 만들어진 해양 지각의 암석은 당시 지구 자기장의 방향을 기록하고, 이러한 과정이 반복되면서 해양 지각에 고지자기 역전 줄무늬가 대칭적으로 형성된다.

모범 답안 (1) 해령의 열곡인 A에서 새로운 해양 지각이 생성되어 해저 확장에 따라 멀어져 가므로 A에서 멀어질수록 해양 지각의 연령이 증가하고 해저 퇴적물의 나이와 두께도 증가한다.

(2) 고지자기 역전 줄무늬가 나타나는 까닭은 해저 확장 때문이다. 즉, 해령에서 분출한 용암이 굳어서 새로운 해양 지각이 만들어질 때 현재 지구 자기장과 같은 방향으로 자화되고, 이 해양 지각이 열곡에서 멀어지고 다시 새로운 해양 지각이 생성될 때 지구 자기장의 방향이 역전된 상태에서 잔류 자기가 기록되면 고지자기 역전 줄무늬가 대칭적으로 나타난다.

채점 기준		배점(%)
(1)	해양 지각의 연령, 퇴적물의 나이와 두께를 모두 옳게 서술한 경우	50
	해양 지각의 연령, 퇴적물의 나이와 두께 중 한 가지만 옳게 서술한 경우	20
(2)	고지자기 역전 줄무늬의 형성 원리를 지자기 역전과 해저 확장과 관련지어 옳게 서술한 경우	50
	고지자기 역전 줄무늬의 형성 원리를 해저 확장에 관련지어 서술하였으나, 지자기 역전에 대해 옳지 않게 서술한 경우	20

05 (1) A는 호상 열도로, 해양판과 해양판이 수렴하는 경계에 분포한다. 호상 열도는 안산암질 마그마의 분출로 생성된다. 해양판이 해구에서 다른 해양판 아래로 섭입하면, 해양 지각에서 물이 빠져나와 그 상부의 맨틀에 공급되면서 맨틀 물질의 용융점이 낮아져서 맨틀 물질이 용융하여 현무암질 마그마가 만들어진다. 이렇게 만들어진 현무암질 마그마가 상승하는 과정에서 유문암질 마그마와 혼합되거나, 현무암질 마그마가 상승하는 과정에서 마그마의 조성이 변화하여 안산암질 마그마가 만들어지기도 한다.

(2) B는 해령으로, 해령 하부에서 맨틀 물질이 상승하면 압력이 감소하여 맨틀 물질의 용융 곡선과 만나 용융하여 현무암질 마그마가 만들어진다.

(3) 섭입대의 대륙 지각 하부 맨틀에서 현무암질 마그마가 생성되어 상승하고, 대륙 지각 하부에서 생성된 유문암질 마그마가 상승하는 과정에서 두 마그마가 혼합되어 안산암질 마그마가 생성될 수 있다. 유문암질 마그마와 안산암질 마그마는 폭발적으로 분출하여 경사가 급한 화산체를 형성한다.

모범 답안 (1) A는 호상 열도로, 주로 안산암질 마그마에 의한 화산 활동으로 만들어진다.

(2) B는 해령으로, 해령 하부에서는 현무암질 마그마가 주로 생성되며, 맨틀 물질이 상승하면서 압력 감소로 용융하여 만들어진다.

(3) 섭입대의 대륙 지각 하부에서 유문암질 마그마가 만들어지고, 그 아래쪽에서 상승하던 현무암질 마그마와 혼합되어 안산암질 마그마가 만들어지기도 한다. 유문암질 마그마와 안산암질 마그마는 폭발적으로 분출하여 경사가 급한 화산체가 만들어진다.

	채점 기준	배점(%)
(1)	A의 지형을 형성하는 마그마의 종류를 옳게 서술한 경우	30
	A의 지형을 형성하는 마그마의 종류를 옳지 않게 서술한 경우	0
(2)	B의 하부에서 생성되는 마그마의 종류와 그 생성 과정을 모두 옳게 서술한 경우	30
	B의 하부에서 생성되는 마그마의 종류와 그 생성 과정 중 한 가지만 옳게 서술한 경우	10
(3)	C의 하부에서 생성되는 마그마의 종류와 화산 활동의 특징을 모두 옳게 서술한 경우	40
	C의 하부에서 생성되는 마그마의 종류와 화산 활동의 특징 중 한 가지만 옳게 서술한 경우	20

06 (1) 하와이섬은 열점 위에 형성된 화산섬으로, 열점은 뜨거운 플룸이 상승하는 곳이다.

(2) A섬으로부터의 E섬까지의 거리 2500 km를 이동하는 데 약 2500만 년이 걸렸으므로, 태평양판의 평균 이동 속도는 다음과 같이 구할 수 있다.

$$\frac{2.5 \times 10^8 \, cm}{2.5 \times 10^7 년} = 10 \, cm/년$$

모범 답안 (1) 뜨거운 플룸이 상승하며 지표에서 화산 활동이 일어나는 지점이 열점으로, 하와이섬은 열점에 위치한다. 열점은 이동하지 않고 고정되어 있으나, 태평양판이 이동함에 따라 열점에서 만들어진 화산섬이 이동하여 하와이 열도가 생성되었다.

(2) A섬으로부터 2500 km 떨어진 E섬의 연령이 2500만 년이므로, 지난 2500만 년 동안 태평양판의 평균 이동 속도는 약 10 cm/년이다.

	채점 기준	배점(%)
(1)	하와이 열도의 형성 과정을 열점 및 판의 이동과 관련지어 옳게 서술한 경우	50
	하와이 열도의 형성 과정을 열점 또는 판의 이동 중 한 가지만 관련지어 서술한 경우	20
(2)	화산섬까지의 거리와 화산섬의 연령을 이용하여 태평양판의 평균 이동 속도를 옳게 구한 경우	50
	화산섬까지의 거리와 화산섬의 연령을 이용하여 방정식을 옳게 세웠으나, 태평양판의 평균 이동 속도를 옳게 구하지 못한 경우	20

07 (1) 염기성암에서 산성암으로 갈수록 Fe, Ca, Mg의 산화물 함량이 적어지고, Na, K의 산화물 함량과 SiO_2 함량이 많아진다.

(2) 염기성암 → 중성암 → 산성암으로 갈수록 SiO_2 함량이 증가하며 석영, 정장석 등의 규장질 광물 함량이 많아져서 암석의 색이 밝아진다.

모범 답안 (1) 염기성암은 Ca, Mg, Fe의 함량이 많고 SiO_2의 함량이 적다. 산성암은 Ca, Mg, Fe의 함량이 적고, SiO_2의 함량이 많다.

(2) SiO_2의 함량이 증가할수록 석영과 정장석 등의 규장질 광물 함량이 증가하므로, 암석의 색이 밝아진다.

	채점 기준	배점(%)
(1)	염기성암과 산성암의 구성 원소를 Mg, Fe, Ca의 함량과 SiO_2의 함량으로 옳게 비교하여 서술한 경우	50
	염기성암과 산성암의 구성 원소를 Mg, Fe, Ca의 함량 또는 SiO_2의 함량 중 한 가지만 옳게 비교하여 서술한 경우	20
(2)	SiO_2 함량이 증가할수록 암석의 색이 밝아지는 것을 규장질 광물의 함량과 관련지어 옳게 서술한 경우	50
	SiO_2 함량이 증가할수록 암석의 색이 밝아진다고만 서술한 경우	20

08 (1) SiO_2의 함량이 52 % 이하이면 염기성암(고철질암)이고 63 % 이상이면 산성암(규장질암)이다. 염기성암은 산성암보다 유색 광물의 함량이 많으며, Fe이나 Mg의 성분이 많을수록 암석의 밀도가 커진다. 따라서 A는 염기성암, B는 산성암이고, A가 B보다 암석의 밀도가 크다.

(2) 화산암인 A는 마그마의 냉각 속도가 빨라서 구성 광물의 크기가 매우 작고, 심성암인 B는 마그마가 지하 깊은 곳에서 천천히 냉각되어 구성 광물의 크기가 비교적 크다.

모범 답안 (1) A는 SiO_2의 함량이 50 % 미만이고, B는 SiO_2의 함량이 70 % 이상이므로, A는 염기성암이고, B는 산성암이다. 염기성암은 Fe, Mg 등의 함량이 산성암보다 많아서 밀도가 크므로, A가 B보다 밀도가 크다.

(2) 화산암인 A는 심성암인 B보다 마그마의 냉각 속도가 빨라서 구성 광물의 크기가 작다.

	채점 기준	배점(%)
(1)	화학 조성 중 SiO_2 함량을 비교하여 A는 염기성암, B는 산성암임을 판단하고, 두 암석의 밀도를 옳게 비교한 경우	50
	A와 B의 화학 조성 비교와 밀도 비교 중 한 가지만 옳게 서술한 경우	20
(2)	화산암과 심성암의 조직과 마그마의 냉각 속도를 모두 옳게 비교하여 서술한 경우	50
	화산암과 심성암의 조직과 마그마의 냉각 속도 중 한 가지만 옳게 서술한 경우	20

2. 지구의 역사

01 퇴적암과 지질 구조

탐구 확인 문제   085쪽

01 ㄱ, ㄴ   **02** ⑤

01 ㄱ. 건열은 입자가 매우 작은 퇴적물이 건조한 환경에 노출되면서 표면이 갈라져서 만들어진 것이다.

ㄴ. (나)의 사층리에서 물이나 바람은 층리가 경사진 방향으로 흐른 것이므로, a→b 방향으로 흘렀다.

바로 알기 ㄷ. (가)의 건열의 좁아지는 부분이 아래로 향하고 (나)의 사층리에서 층리면의 경사가 위쪽으로 갈수록 커지므로 (가)와 (나)의 지층 모두 역전되지 않았다.

02 (가)는 점이 층리이고, (나)는 연흔이다. (가)의 점이 층리는 다양한 크기의 입자가 섞인 물질이 빠르게 이동하다가 유속이 갑자기 느려지면서 크고 무거운 입자가 먼저 가라앉고 그 위에 작고 가벼운 입자가 쌓이면서 만들어진다. (나)는 수심이 얕은 물밑에서 만들어졌고, 입자의 크기가 작은 사암 등에서 발달한다.

개념 모아 정리하기   086쪽

❶교결 작용   ❷쇄설성   ❸화학적   ❹유기적   ❺점이 층리
❻사층리   ❼연흔   ❽건열   ❾육상 환경   ❿정습곡
⓫횡와 습곡   ⓬정단층   ⓭역단층   ⓮평행 부정합
⓯경사 부정합   ⓰난정합   ⓱압력   ⓲주상 절리
⓳포획   ⓴퇴적 구조

개념 기본 문제   087쪽

01 ㉠ 공극, ㉡ 압축 또는 다짐, ㉢ 교결   **02** (1) ㉡ (2) ㉢
(3) ㉣ (4) ㉠   **03** (1) ㄱ, ㄷ (2) ㄴ   **04** (1) × (2) ○ (3) ○
05 (1) (다) (2) (나) (3) (가)   **06** ㄱ, ㄴ, ㄷ   **07** ㄱ, ㄷ

01 미고결 상태의 퇴적물이 쌓인 후 퇴적암이 되기까지의 과정을 속성 작용이라 하며, 속성 작용은 압축 작용과 교결 작용으로 이루어진다.

02 퇴적물 입자가 모래로 이루어진 퇴적암은 사암이고, 점토로 이루어진 퇴적암은 이암이다. 화산재가 쌓여 만들어진 퇴적암은 응회암이고, 식물의 잔해로 만들어진 퇴적암은 석탄이다.

03 석고와 암염은 화학적 퇴적암이고, 석탄은 유기적 퇴적암이며, 집괴암, 응회암, 이암은 쇄설성 퇴적암이다.

04 (1) 빙하 퇴적물이 쌓여 만들어진 빙퇴석은 분급이 매우 불량하다.
(2) 산지와 평지 사이처럼 경사가 급격히 변하는 곳에서는 퇴적물이 부채꼴 모양으로 쌓인 선상지가 발달한다.
(3) 대륙 사면에서는 대륙붕의 끝 부분에 쌓인 퇴적물이 갑자기 무너져 흘러내리는 저탁류가 발생하는데, 저탁류가 대륙대에 쌓여 만들어진 저탁암에서는 점이 층리가 발달한다.

05 (가)는 사층리, (나)는 점이 층리, (다)는 대칭적 연흔을 나타낸 것이다. 연흔은 얕은 물밑 환경에서 파도나 물결의 영향을 받아 만들어지고, 점이 층리는 해저 퇴적물이 해저 지진이나 화산 활동 등에 의해 수심이 깊은 곳으로 한꺼번에 흘러내릴 때 형성되며, 사층리에서 층리가 기울어진 방향으로부터 물이나 바람의 방향을 알아낼 수 있다.

06 (가)는 정단층, (나)는 역단층, (다)는 주향 이동 단층이다.
ㄱ. (가)의 정단층은 장력에 의해 형성된다.
ㄴ. (나)의 역단층은 횡압력에 의해 형성된다.
ㄷ. 판의 보존 경계에서는 주향 이동 단층의 한 종류인 (다)의 변환 단층이 형성된다.

07 ㄱ. A층이 습곡 구조를 이루고 역단층이 형성되어 있으므로 이 지역에는 횡압력이 작용하였음을 알 수 있다.
ㄷ. A층과 B층은 부정합 관계이므로, 두 지층 사이에는 긴 시간 공백이 나타난다.
바로 알기 ㄴ. 단층의 상반이 하반에 대하여 상대적으로 위쪽으로 올라간 모습이므로, 이 단층은 역단층이다.

01 ④   02 ⑤   03 ④   04 ③   05 ③   06 ①
07 ③   08 ⑤

01 ㄴ. 사암, 역암, 응회암은 모두 쇄설성 퇴적암이다.
ㄷ. 석회암과 처트는 물에 용해되어 있던 탄산 칼슘이나 규질 물질이 침전하여 만들어지거나 생물의 석회질이나 규질 부분이 퇴적되어 만들어질 수 있으므로, 화학적 퇴적암 또는 유기적 퇴적암으로 분류할 수 있다.
바로 알기 ㄱ. 암염은 화학적 퇴적암에 해당한다.

02 ㄱ. (가)는 연흔, (나)는 건열이며, 그림은 모두 층리면의 모습에 해당한다.
ㄴ. (다)는 사층리로, 층리면이 경사진 방향으로부터 물이 흐르거나 바람이 분 방향을 유추할 수 있다.
ㄷ. 연흔, 건열, 사층리는 지층의 역전을 판단하는 기준으로 사용될 수 있다.

03 그림의 퇴적 구조는 점이 층리로, 아래에서 위로 갈수록 입자의 크기가 점점 작아지는 퇴적 구조이며 저탁암에서 잘 나타난다. 점이 층리는 대륙 사면에서 저탁류가 일어나거나 홍수가 발생하여 퇴적물이 빠르게 유입되고, 유속이 급격하게 느려지면서 크고 무거운 입자가 먼저 가라앉고 작고 가벼운 입자가 서서히 가라앉으며 형성된다.
바로 알기 ④ 점이 층리는 퇴적물의 운반 과정에서 유속이 급격하게 감소할 때 형성된다.

04 ㄱ. (가)는 정단층으로, 장력이 작용하여 만들어졌다.
ㄴ. (나)는 습곡으로, 횡압력이 작용하여 만들어졌다.
바로 알기 ㄷ. 단층은 습곡 작용이 일어나는 깊이보다 온도와 압력이 낮은 지각 상부에서 발달한다.

05 난정합은 부정합면 아래의 지층이 변성암이나 화성암인 경우이고, 경사 부정합은 부정합면 아래나 위의 지층이 경사져 있는 경우이다. 따라서 변성암 A와 화성암 B는 퇴적암 C와 난정합 관계이고, 퇴적암 E와 퇴적암 F는 평행 부정합 관계이며, 퇴적암 C와 퇴적암 D는 경사 부정합 관계이다.

06 ㄱ. (가)는 주상 절리로, 지표에 분출된 용암이 급격히 냉각하면서 수축하여 형성된다.

바로 알기 ㄴ. (나)는 판상 절리로, 심성암이 융기하고 상부의 암석이 제거되면 압력이 감소하면서 암석이 서서히 팽창하여 표면에서부터 쪼개지면서 형성된다.

ㄷ. (가)의 주상 절리는 화산암에서 나타나며, (나)의 판상 절리는 심성암에서 나타난다. 따라서 (가)의 암석은 (나)의 암석보다 얕은 곳에서 생성되었다.

07 ㄷ. 포획암은 마그마가 주변의 지층이나 암체를 뚫고 관입할 때 주변 암석의 일부가 떨어져 나와 마그마 속으로 유입된 것이다.

바로 알기 ㄱ. 관입암 A는 암맥이므로 세립질 조직을 이룬다. 이는 암맥, 관입암상과 같은 소규모의 관입암체는 지표 부근의 비교적 차가운 암석에 관입하여 빠르게 냉각되기 때문이다.

ㄴ. 포획암을 포함하는 관입암 C는 포획암 D보다 나중에 만들어진 것이다.

08 ㄱ. 전라북도 부안 채석강에는 중생대 후기에 생성된 셰일층과 역암층이 분포한다.

ㄴ. 제주도 수월봉에는 신생대의 화산 활동으로 분출된 화산 쇄설물이 쌓여 만들어진 응회암층이 분포한다.

ㄷ. 채석강과 수월봉의 퇴적층에는 해안을 따라 해식 절벽이 발달해 있다.

02 지질 시대와 환경

탐구 확인 문제 105쪽

01 해설 참조　　　　02 ③

01 **모범 답안** 이 지역에서 지층 A, B, C, D가 차례로 퇴적된 후 습곡 작용을 받았고, 화성암 P가 관입한 후 융기하여 부정합면 X−X′이 형성되었다. 그 후 침강하여 지층 E, F, G가 차례로 퇴적된 후 장력의 작용으로 정단층 $f-f'$이 형성되었으며, 화성암 Q가 관입한 후 융기하여 현재의 지표면을 형성하였다.

02 ㄱ. 그림 (가)에서 지층 A와 B 사이에 부정합면이 존재하므로, 두 지층의 생성 시기 사이에는 큰 시간 간격이 있다.

ㄴ. 암맥 C에 방사성 동위 원소 X가 처음 양의 25 % 남아있으므로, 암맥 C가 생성된 후 방사성 동위 원소 X의 반감기는 2회 경과하였다.

바로 알기 ㄷ. 그림 (나)에서 방사성 동위 원소 X의 반감기가 2억 5천만 년인 것을 확인할 수 있다. 방사성 동위 원소 X가 처음 양의 25 % 남아 있는 암맥 C는 반감기가 2회 경과하였으므로 암맥 C의 절대 연령은 5억 년이다. 방사성 동위 원소 X가 처음 양의 50 % 남아 있는 암맥 D는 반감기가 1회 경과하였으므로, 암맥 D의 절대 연령은 2억 5천만 년이다.

개념 모아 정리하기 107쪽

❶동일 과정의 원리　❷수평 퇴적의 법칙　❸지층 누중의 법칙
❹동물군 천이의 법칙　❺관입의 법칙　❻부정합의 법칙
❼상대 연령　❽지층 대비　❾암상　❿건층(열쇠층)
⓫화석　⓬방사성 동위 원소　⓭자원　⓮반감기
⓯표준 화석　⓰시상 화석　⓱빙하　⓲누대　⓳원생 누대
⓴어류　㉑트라이아스기　㉒포유류

개념 기본 문제 108쪽

01 (1) 수평 퇴적의 법칙　(2) 지층 누중의 법칙　(3) 부정합의 법칙　(4) 관입의 법칙　(5) 동물군 천이의 법칙　**02** ㄱ, ㄷ
03 (1) A → C → B　(2) A → B → C　**04** ㄴ, ㄷ　**05** ㄱ, ㄷ, ㄹ
06 ㄱ, ㄴ, ㄷ　**07** ㄱ, ㄷ　**08** (라) − (나) − (다) − (가)
09 (1) ×　(2) ×　(3) ○　**10** ㄴ, ㄷ

01 (1) 물속에서 퇴적물이 퇴적될 때 중력의 영향으로 수평면과 나란하게 쌓인다는 법칙을 수평 퇴적의 법칙이라고 한다.

(2) 지층의 역전이 일어나지 않은 경우에 아래에 놓인 지층은 항상 위에 놓인 지층보다 먼저 퇴적된다는 법칙을 지층 누중의 법칙이라고 한다.

(3) 부정합면을 경계로 상하의 지층 사이에는 긴 시간 간격이 있다는 법칙을 부정합의 법칙이라고 한다.

(4) 관입 당한 암석은 관입한 암석보다 먼저 생성되었다는 법칙을 관입의 법칙이라고 한다.

(5) 오래된 지층에서 새로운 지층으로 갈수록 진화한 생물의 화석이 발견된다는 법칙을 동물군 천이의 법칙이라고 한다.

02 ㄱ. (가) 지역은 삼엽충 화석이 발견되는 셰일층과 암모나이트 화석이 발견되는 석회암층이 부정합 관계이므로, 과거에 퇴적이 중단된 시기가 있었다.

ㄷ. (가), (나) 두 지역 모두 응회암층이 분포하므로 과거에 두 지역 모두 화산 활동의 영향을 받았다.

바로 알기 ㄴ. 응회암층을 건층으로 하여 두 지역의 지층을 대비하면 (나) 지역의 A층은 (가) 지역의 응회암층 위의 셰일층과 연결된다. 따라서 A층은 고생대보다 나중에 생성된 지층이므로 A에서는 삼엽충 화석이 발견될 수 없다.

03 (1) (가) 지역에서는 화성암 B와 접촉한 지층 A와 C가 변성 작용을 받았으므로 마그마가 관입한 것이다. 따라서 지층의 생성 순서는 A → C → B이다.

(2) (나) 지역에서는 화성암 B와 접촉한 지층 A만 변성 작용을 받았으므로 마그마가 분출한 후에 지층 C가 퇴적된 것이다. 따라서 지층의 생성 순서는 A → B → C이다.

04 ㄴ. (가)의 지층의 단면을 해석하면 이 지역에서 일어났던 지질학적 사건의 순서는 'B 퇴적 → 화성암 Q 관입 → 융기 및 침식 → 침강 → A 퇴적 → 화성암 P 관입' 순이다. 또 화성암 Q에 포함된 방사성 동위 원소 X가 처음 양의 25 %가 남았으므로, 반감기가 2회 경과한 것이어서 화성암 Q의 절대 연령은 14억 년이다. 따라서 퇴적암 B의 절대 연령은 14억 년보다 많다.

ㄷ. 관입암 P는 모든 암석과 지층을 뚫고 있으므로, 가장 나중에 생성된 것이다.

바로 알기 ㄱ. 부정합면 위에 있는 A층의 하부에 역암층이 분포하므로, 이 지층은 역전되지 않았다.

05 ㄱ, ㄷ, ㄹ 생물체가 화석으로 보존되려면 생물체의 개체수가 많아야 하고, 넓은 지역에 분포해야 하며, 생물체에 뼈나 줄기, 껍데기 등과 같은 단단한 부분이 있거나 땅속에 빨리 매몰되어 미생물에 의해 분해되지 않아야 한다.

바로 알기 ㄴ. 고생물의 유해가 퇴적물 속에 빠르게 매몰되어야 다른 생물의 먹이가 되지 않고, 박테리아에 의한 분해 작용을 받지 않아 화석으로 보존될 확률이 높다.

06 ㄱ, ㄷ A는 생존 기간이 길고 분포 면적이 좁으므로 시상 화석이며, 고사리와 산호는 시상 화석에 해당한다.

ㄴ. B는 생존 기간이 짧고 분포 면적이 넓으므로 표준 화석이며, 삼엽충과 공룡은 표준 화석에 해당한다.

바로 알기 ㄹ. 지질 시대의 구분에 이용되는 것은 표준 화석이다. 시상 화석은 지질 시대의 환경을 유추하는 데 이용된다.

07 ㄱ. 지질 시대는 시생 누대, 원생 누대, 현생 누대로 구분하며, 현생 누대는 고생대, 중생대, 신생대로 구분하고, 대는 다시 기로 구분한다.

ㄷ. 현생 누대는 생물의 출현과 멸종을 기준으로 고생대, 중생대, 신생대로 구분한다.

바로 알기 ㄴ. 시생 누대와 원생 누대를 선캄브리아 시대라고 한다. 현생 누대는 고생대, 중생대, 신생대로 구분한다.

08 (가)의 화폐석, 매머드, 속씨식물은 신생대에 번성하였고, (나)의 삼엽충, 방추충, 갑주어 등은 고생대에 번성하였으며, (다)의 파충류와 공룡은 중생대에 번성하였다. (라)의 남세균의 광합성으로 산소가 생성되기 시작한 지질 시대는 선캄브리아 시대이다. 따라서 오래된 지질 시대부터 순서대로 나열하면 (라)−(나)−(다)−(가)이다.

09 (1) 선캄브리아 시대, 고생대, 신생대에는 빙하기가 있었으며, 중생대에는 빙하기가 없었다.

(2) 고생대 말 빙하기에는 남극 대륙을 중심으로 빙하가 분포하였으나, 적도 지방은 온난하였다.

(3) 신생대 제4기에는 빙하기와 간빙기가 여러 차례 반복되었다.

10 ㄴ. (가)는 초대륙 판게아가 존재하던 고생대 말의 수륙 분포에 해당하며, 페름기 말 대멸종으로 해양 생물의 약 90 % 가 멸종되었다.

ㄷ. (나)는 판게아가 분리되기 시작하던 중생대 초의 수륙 분포로, 중생대에는 육지에서 파충류가 번성하였고, 바다에서는 암모나이트가 번성하였다.

바로 알기 ㄱ. (가)는 고생대 말, (나)는 중생대 초의 수륙 분포를 나타낸 것이다.

01 ㄴ. 삼엽충은 고생대의 화석이고, 암모나이트는 중생대의 화석이다. 따라서 동물군 천이의 법칙에 의해 C가 D보다 오래된 지층이다.

ㄹ. 지층 G는 경사층이고 지층 H는 수평층이므로 두 지층은 부정합 관계이다. 따라서 부정합의 법칙에 의해 G가 H보다 오래된 지층이다.

바로 알기 ㄱ. 퇴적암 B에서 화성암 A와 접촉하고 있는 부분이 변성 작용을 받았으므로 화성암 A가 지층 B를 관입하였다. 따라서 관입의 법칙에 의해 B가 A보다 오래된 지층이다.

ㄷ. 지층 E 속에 화성암 F의 조각이 들어 있으므로, 화성암 F는 지층 E를 관입한 것이 아니고 분출한 것이며, 이 화성암이 침식 작용을 받은 후 지층 E가 퇴적된 것이다.

02 ㄴ. (가)의 퇴적암 A와 C에서 화성암 B와 접촉하고 있는 경계부가 변성 작용을 받았으므로, 이 지역의 지층은 A 퇴적 → C 퇴적 → 화성암 B 관입 순으로 생성되었다. 따라서 X는 화성암 B가 관입할 때 A나 C의 암석 조각이 포획된 것이다.

ㄹ. (나)의 퇴적암 D에서 화성암 E와 접촉하는 경계부가 변성 작용을 받았으나 F는 변성 작용을 받지 않았으므로, 이 지역의 지층과 암석은 D 퇴적 → 화성암 E 분출 → 침식 → F 퇴적 순으로 생성되었다. 따라서 Y는 침식 작용을 받아 생성된 기저 역암이다.

바로 알기 ㄱ. A와 C가 퇴적된 이후에 화성암 B가 관입하였으므로 C가 B보다 오래된 암석이다.

ㄷ. 지층 D의 퇴적 후 화성암 E가 분출하였으므로, 암석의 생성 순서는 D → E → F이다.

03 ㄱ. (가)의 포획암은 마그마 관입 당시 기존에 분포하던 암석 조각이 포획된 것이다.

ㄷ. (가)와 (나)에서 기저 역암은 지층이 융기한 후 침식 작용을 받아서 생성된 것이다.

바로 알기 ㄴ. (나)에서 부정합의 종류는 부정합면 아래쪽의 지층이 습곡 작용을 받아 경사져 있으므로 경사 부정합이다. 평행 부정합은 부정합면 위와 아래의 지층이 모두 평행한 경우이다.

04 ㄱ. 네 지역에 공통으로 분포하는 응회암층을 건층으로 하여 지층을 대비하면 ① 역암 → ② 사암 → ③ 석회암 → ④ 응회암 → ⑤ 사암 → ⑥ 이암 → ⑦ 역암 → ⑧ 셰일 순으로 총 8개의 지층이 나타난다.

ㄷ. (가)~(라) 지역에서 가장 오래된 지층은 (나) 지역의 가장 하부에 분포하는 역암층이며, 가장 최근에 퇴적된 지층은 (다)와 (라) 지역의 가장 위쪽에 분포하는 지층인 셰일층이다.

바로 알기 ㄴ. (가) 지역의 지층에서 위쪽의 사암과 역암층 사이에 이암층이 분포하지 않으므로, 이 지역의 지층에는 부정합이 존재한다.

05 ㄴ. (가)~(다) 지역의 지층에서 공통적으로 산출되는 방추충 화석이 포함된 지층을 기준으로 지층을 대비하면 (나) 지역에는 삼엽충이 산출되는 지층과 방추충이 산출되는 지층 사이의 사암층이 없는데, 이것은 두 지층이 부정합 관계임을 의미한다. 따라서 (나) 지역에는 오랫동안 퇴적이 중단된 시기가 존재한다.

ㄷ. (다) 지역의 맨 위의 지층에서 고사리 화석이 산출되므로 이 지층은 육지에서 퇴적되었다는 것을 알 수 있다.

바로 알기 ㄱ. (가) 지역의 A 지층은 (나), (다)의 삼엽충이 산출되는 지층과 연결된다. 따라서 A 지층에서는 암모나이트 화석이 산출될 수 없다.

06 ㄱ. 화성암 P에는 방사성 동위 원소 X가 처음 양의 50 % 남아 있으므로 반감기가 1회 경과한 것이어서 절대 연령은 2억 년이다.

ㄴ. 화성암 Q에는 방사성 동위 원소 Y가 처음 양의 25 % 남아 있으므로 반감기가 2회 경과한 것이어서 절대 연령은 1억 년이다.

ㄹ. 이 지역의 지층은 'A 퇴적 → P 관입 → 융기 → 침식(부정합 형성) → 침강 → B 퇴적 → Q 관입 → 융기 → 침식(부정합 형성) → 침강 → C 퇴적 → 융기 후 침식하여 현재의 지표면 형성' 순으로 생성되었다. 따라서 부정합이 2회 있었고, 융기하여 현재의 지표면이 형성되기까지 적어도 3회의 융기가 있었다.

바로 알기 ㄷ. 지층 B는 2억 년 전~1억 년 전에 생성되었으므로 중생대에 퇴적된 지층이다.

07 ㄱ. 화성암 P와 Q에 포함된 방사성 동위 원소 X가 각각 처음 양의 50 %, 12.5 % 남아 있고, 방사성 동위 원소 X의 반감기가 1억 년이다. 따라서 화성암 P는 반감기가 1회 경과하였으므로 절대 연령이 1억 년이고, 화성암 Q는 반감기가 3회 경과하였으므로 절대 연령이 3억 년이다.

ㄹ. 이 지역의 암석과 지층의 생성 순서는 'B 지층군 퇴적→화성암 Q 관입(3억 년 전) → 단층 $f-f'$ 생성 → 융기, 침식 → 부정합면 형성 → 침강 → A 퇴적 → 화성암 P 관입(1억 년 전) → 융기 → 현재의 지표면 형성' 순이다. 단층 $f-f'$은 역단층으로, 화성암 Q가 관입한 3억 년 전 이후에 생성되었다.

바로 알기 ㄴ. 화성암 P는 지층 A를 관입한 것이다. 따라서 화성암 P에 A의 암석이 포획암으로 나타날 수 있다. A의 암석에 화성암 P의 조각이 포함되어 존재하려면 화성암 P가 분출암이어야 한다.

ㄷ. B 지층군은 3억 년 전 이전에 퇴적된 것이므로 고생대의 지층에 해당하여서 중생대의 화석이 산출될 수 없다.

08 ㄱ. (가)의 삼엽충은 고생대의 표준 화석이고, (나)의 암모나이트는 중생대의 표준 화석이다.

바로 알기 ㄴ. 삼엽충과 암모나이트는 생존한 지질 시대가 다르므로 동일한 지층에서 함께 발견될 수 없다.

ㄷ. (다)의 산호는 시상 화석이다. 시상 화석은 표준 화석에 비해 분포 면적이 좁고 생존 기간이 길다. 생존 기간이 짧고 분포 면적이 넓은 화석은 표준 화석이다.

09 ㄱ. A 시기는 페름기 말로서, 해양 생물의 약 90 %가 멸종하는 대멸종이 일어났으며, 해양 생물 중 삼엽충이 가장 많이 멸종하였다.

ㄷ. 지질 시대는 생물계의 큰 변화를 기준으로 구분하는데, 육상 식물보다는 생물군의 수가 불연속적으로 변하는 해양 동물이 더 적절하다.

바로 알기 ㄴ. 초대륙 판게아는 고생대 말에 형성되어 중생대 초까지 존재하였다. 따라서 판게아가 존재했던 시기는 A 시기 전후이다.

10 ㄴ. 중생대에는 빙하기가 없었고 대체로 온난한 기후였다.

ㄷ. 신생대 제4기에 빙하기가 4회 있었는데, 주로 북반구의 고위도에 빙하가 넓게 분포하였다.

바로 알기 ㄱ. 고생대 말 빙하기에 남극 대륙을 중심으로 빙하가 분포하였으나, 적도 지방은 온난하였다.

통합 실전 문제 116쪽

| 01 ③ | 02 ⑤ | 03 ③ | 04 ① | 05 ③ | 06 ④ |
| 07 ③ | 08 ③ | 09 ③ | 10 ② | 11 ④ | 12 ⑤ |

01 ㄱ. 화산 쇄설물인 화산재가 쌓여서 굳어지면 응회암이 생성된다.

ㄴ. 석회암이나 처트는 탄산 칼슘($CaCO_3$) 성분을 포함한 석회질 생물체의 유해가 쌓여서 생성된 것이다.

바로 알기 ㄷ. 건조한 기후에서 해수에 녹아 있던 $NaCl$이 침전되면 암염이 생성된다.

02 ㄱ. A는 화산재로 이루어진 암석이므로 응회암이다.

ㄴ. B는 묽은 염산과 반응하는 암석이므로 탄산 칼슘 성분으로 이루어져 있는 석회암이다. 석회암은 화학적 또는 유기적 퇴적암에 해당한다.

ㄷ. C는 묽은 염산과 반응하지 않으므로 사암에 해당한다. 사암은 주로 석영 성분의 모래로 이루어진 암석이다.

03 ㄱ. (가)의 사층리는 비교적 얕은 물밑에서 물의 흐르는 방향이 자주 바뀌는 곳이나 바람의 방향이 자주 바뀌는 사막에서 형성된다.

ㄷ. (다)의 점이 층리는 퇴적물이 빠르게 흐르다가 속도가 갑자기 느려질 때 퇴적물 입자의 크기에 따라 크고 무거운 입자가 먼저 퇴적되고 작고 가벼운 입자는 나중에 퇴적되어 형성된다.

바로 알기 ㄴ. (나)의 건열은 퇴적층이 수면 위로 노출되어 건조되며 갈라져서 형성된다. 따라서 건열은 당시의 기후가 건조했음을 말해 준다.

04 ㄱ. 이 실험은 점이 층리의 형성 과정을 알아보기 위한 것으로, 점이 층리는 대륙붕의 끝이나 대륙 사면에 쌓여 있던 해저 퇴적물이 수심이 깊고 평탄한 대륙대로 한꺼번에 흘러내릴 때 형성될 수 있다.

바로 알기 ㄴ. 이 실험은 점이 층리의 형성 과정을 알아보기 위한 실험이다.

ㄷ. (나)에서 입자의 크기가 큰 것은 먼저 가라앉아 아래쪽에 쌓이고, 작은 것은 나중에 가라앉아 위쪽에 쌓인다.

05 ㄱ. (가)에서 부정합면 아래쪽의 지층이 거의 수직에 가깝게 기울어져 있으므로, 이 부정합은 부정합면을 경계로 상하 지층이 기울어진 정도가 다른 경사 부정합에 해당한다.

ㄴ. (나)의 단층은 상반이 하반에 대하여 상대적으로 내려간 단층이므로 정단층이다. 발산 경계인 해령에서는 장력에 의한 정단층이 발달한다.

바로 알기 ㄷ. (나)의 정단층은 장력에 의해 형성된 것이지만, (가)의 경사 부정합은 부정합면 아래쪽 지층이 습곡 작용을 받은 것이므로 횡압력에 의해 형성된 것이다.

06 ㄱ. 화성암 P가 퇴적암 A를 관입하였으므로 관입의 법칙을 적용하면 P가 A보다 나중에 생성된 것을 알 수 있다.

ㄷ. 퇴적암 A에서는 삼엽충 화석이 산출되고, 퇴적암 C에서는 암모나이트 화석이 산출된다. 두 지층에서 산출되는 화석이 서로 다르므로 동물군 천이의 법칙을 적용하면 C가 A보다 나중에 생성된 것을 알 수 있다.

바로 알기 ㄴ. 지층 A와 B는 부정합 관계이므로 두 지층의 선후 관계는 부정합의 법칙을 적용하여 판단할 수 있다.

07 ㄱ. 지층 B에서 연흔이 나타나므로, 이 지층은 얕은 바닷가 환경에서 퇴적되었음을 알 수 있다.

ㄷ. 화성암 P는 고생대 지층인 E와 부정합 관계이고 지층 E보다 먼저 생성된 것이므로 고생대 이전에 관입하였다. 화성암 Q는 중생대 지층인 F가 생성된 이후에 관입하였으므로 중생대 이후에 관입하였다.

바로 알기 ㄴ. 지층 E에서 고생대의 표준 화석인 삼엽충 화석이 산출되므로 이 지층은 고생대에 생성된 것이고, 지층 F에서 중생대의 표준 화석인 암모나이트 화석이 산출되므로 이 지층은 중생대에 생성되었다. 그러나 E와 F에서 시상 화석인 산호 화석이 산출되므로 두 지층 모두 따뜻하고 비교적 얕은 바다에서 퇴적된 것을 알 수 있다.

08 ㄱ, ㄴ 방사성 동위 원소의 붕괴 곡선에서 ^{238}U의 반감기는 50억 년이고, ^{232}Th의 반감기는 150억 년이다. 따라서 반감기는 ^{232}Th이 ^{238}U보다 3배 길고, 붕괴 속도는 ^{232}Th이 ^{238}U보다 느리다.

바로 알기 ㄷ. 150억 년 후에 ^{232}Th은 처음 양의 50 % 남아 있고 ^{238}U은 처음 양의 12.5 % 남아 있으므로, ^{232}Th의 양은 ^{238}U양의 4배이다.

09 ㄱ. 단층 $f-f'$은 상반이 하반에 대하여 올라가 있으므로 역단층이고, 이 단층을 화성암 Q가 관입하고 있으므로 관입의 법칙에 의해 단층 $f-f'$은 화성암 Q보다 먼저 형성되었다.

ㄷ. 방사성 동위 원소 X의 반감기는 1억 년이고, 화성암 P에 포함된 방사성 동위 원소 X의 양이 처음 양의 $\frac{1}{4}$이므로 반감기가 2회 지났다. 따라서 화성암 P의 절대 연령은 2억 년이다. 그리고 화성암 Q에 포함된 방사성 동위 원소 X의 양이 처음 양의 $\frac{1}{8}$이므로, 반감기가 3회 지난 것이어서 Q의 절대 연령은 3억 년이다.

바로 알기 ㄴ. 부정합이 1개 존재하므로 이 지역은 현재까지 최소 1회의 침강과 2회의 융기를 겪었다.

10 ㄴ. 고생대에 육상 식물이 출현할 수 있었던 까닭은 대기 중에 오존층이 형성되어 생물체에 해로운 자외선을 차단하였기 때문이다.

바로 알기 ㄱ. 그림의 화석은 최초의 육상 식물로 고생대 실루리아기에 출현한 양치식물의 일종인 쿡소니아이다. 양치식물은 고생대에 번성했고, 속씨식물은 중생대에 출현하였다.

ㄷ. 암모나이트는 중생대에 번성하였다.

11 ㄴ. (나)는 판게아가 분열하던 중생대 중기~말기의 대륙 분포를 나타낸 것이다. 중생대에는 빙하기가 없었고 기후가 대체로 온난하였다.

ㄷ. (다)는 신생대의 대륙 분포이다. 신생대에는 포유류와 속씨식물이 번성하였다.

바로 알기 ㄱ. (가)는 고생대 말 ~ 중생대 초에 존재하였던 초대륙 판게아의 분포이다.

12 ㄱ. A는 고생대 초부터 현재까지 생존하는 생물의 화석으로, 시상 화석에 해당하며 그 대표적인 예는 산호 화석이다. B와 C는 특정한 지질 시대에만 살았던 생물의 화석이므로 표준 화석으로, B는 고생대의 삼엽충이고, C는 중생대의 암모나이트이다.

ㄴ. 고생대의 페름기 말에 해양 동물의 수가 크게 감소한 것은 초대륙 판게아가 형성되어 수륙 분포가 변하여 생물의 서식 환경이 크게 바뀌었기 때문이고, 또 기후가 한랭해져 남극 대륙을 중심으로 빙하기가 형성되었기 때문이다.

ㄷ. 실루리아기에 육상에 식물이 출현하여 점차 번성한 것은 대기 중에 오존층이 형성되어 태양으로부터 오는 자외선을 차단하였기 때문이다.

01 (1) A층은 아래에서 위로 가면서 입자의 크기가 커지는 퇴적 구조로서 점이 층리이고, B층은 물결 모양의 퇴적 구조로서 연흔이다. C층은 쐐기 모양으로 갈라진 퇴적 구조로서 건열 이다.

(2) 점이 층리는 퇴적물이 빠르게 흐르다가 속도가 급격하게 느려지며 퇴적될 때 크고 무거운 입자가 먼저 가라앉고 작고 가벼운 입자들이 서서히 가라앉으며 형성되므로, 물속에서 형성된 퇴적 구조이다. 연흔은 수심이 얕은 바다나 호수에서 퇴적물이 쌓일 때 잔물결의 영향으로 퇴적물의 표면에 물결 자국이 만들어지는 것이고, 건열은 물밑에서 입자가 매우 작은 퇴적물이 쌓인 후 표면이 건조한 환경에 노출될 때 형성된 다.

모범 답안 (1) A: 점이 층리, B 연흔, C: 건열

(2) A층의 점이 층리는 깊은 물속에서 퇴적물이 빠르게 흐르다가 속도가 급격하게 느려질 때 무거운 입자가 먼저 가라앉고 작고 가벼운 입자가 서서히 가라앉으면서 형성되는 퇴적 구조이므로, A층이 퇴적된 환경은 심해 또는 수심이 깊은 호수 환경임을 알 수 있다. B층의 연흔은 수심이 얕은 바다나 호수에서 잔물결의 영향을 받아 형성되는 퇴적 구조이므로, B층이 퇴적될 당시에는 얕은 물밑 환경이었음을 알 수 있다. C층의 건열은 퇴적층이 수면 위로 노출되어 말라서 갈라져 형성된 것이므로, C층이 퇴적될 당시에는 기후가 건조한 환경이었음을 알 수 있다.

채점 기준		배점(%)
(1)	A~C층의 퇴적 구조를 모두 옳게 서술한경우	30
	A~C층의 퇴적 구조 중 2가지만 옳게 서술한 경우	20
	A~C층의 퇴적 구조 중 한 가지만 옳게 서술한 경우	10
(2)	A~C층에 나타난 퇴적 구조로부터 알 수 있는 사실을 모두 옳게 서술한 경우	70
	A~C층에 나타난 퇴적 구조로부터 알 수 있는 사실을 2가지만 옳게 서술한 경우	40
	A~C층에 나타난 퇴적 구조로부터 알 수 있는 사실 중 한 가지만 옳게 서술한 경우	20

02 (1) 화성암 P에 포함된 방사성 동위 원소 X의 모원소와 자원소의 비율이 1 : 3이어서 모원소의 양이 처음의 $\frac{1}{4}$이므로 반감기가 2회 경과한 것이다. 따라서 화성암 P의 절대 연령은 2억 년이다. 화성암 Q에 포함된 자원소와 모원소의 비율이 1 : 1이어서 모원소의 양이 처음의 $\frac{1}{2}$이므로, 반감기가 1회 경과한 것이다. 따라서 화성암 Q의 절대 연령은 1억 년이다.

(2) 지층 누중의 법칙에 의해 지층 A가 가장 먼저 퇴적되었고, 그 후 B, C, D층이 차례로 퇴적되었다. 화성암 P가 C와 D 사이를 관입하므로 화성암 P는 지층 D의 퇴적 이후 생성되었다. 그 후 부정합이 형성되었고, 지층 E가 퇴적되었으며, 화성암 Q는 지층 E의 퇴적 이후에 관입(또는 분출)하였고, 침식으로 부정합이 형성되고 침강한 후 지층 F가 퇴적되었다.

모범 답안 (1) 화성암 P와 Q의 절대 연령은 각각 2억 년과 1억 년이다. 화성암 P와 Q에 남아 있는 방사성 동위 원소 X의 양이 각각 처음의 $\frac{1}{4}$과 $\frac{1}{2}$이어서 반감기가 각각 2회, 1회 경과한 것이기 때문이다.

(2) 이 지역에서 일어났던 지질학적 사건은 'A 퇴적 → B 퇴적 → C 퇴적 → D 퇴적 → 화성암 P 관입 → 융기 및 침식 → 부정합 형성 → 침강 → E 퇴적 →화성암 Q 관입(분출) → 융기 및 침식 → 부정합 형성 → 침강 → F 퇴적 → 융기하여 현재의 지표면 형성' 순이다.

채점 기준		배점(%)
(1)	화성암 P와 Q의 절대 연령과 그렇게 판단한 까닭을 모두 옳게 서술한 경우	40
	화성암 P와 Q의 절대 연령은 옳게 구하였으나, 그렇게 판단한 까닭을 옳게 서술하지 않은 경우	20
(2)	이 지역에서 일어났던 지질학적 사건의 순서를 모두 옳게 서술한 경우	60
	이 지역에서 일어났던 지질학적 사건의 순서 일부만 옳게 서술한 경우	20

03 (가)에서는 지층 A가 퇴적되고 부정합이 형성된 후 B, C가 차례로 퇴적되고, 이후 장력에 의해 정단층이 형성되었다. (나)에서는 지층 A가 퇴적되고, 부정합이 형성된 후 지층 B가 퇴적되고, 부정합이 또 한 차례 형성된 후 지층 C가 퇴적되었다.

(다)에서는 지층 A가 퇴적되고 부정합이 형성된 후, 지층 C가 퇴적되고, 이후 화강암 B가 관입하였다.

모범 답안 (가)와 (나), 지질학적 사건의 순서는 (가)에서는 '석회암 A 퇴적 → 융기, 침식(부정합 형성) → 침강 → B 퇴적→C 퇴적 → 정단층 형성' 순이고, (나)에서는 '석회암 A 퇴적 → 융기, 침식(부정합 형성) → 침강 → B 퇴적 → 지각 변동(지층이 기울어짐) → 융기, 침식(부정합 형성) → 침강 → C층 퇴적' 순이기 때문이다.

채점 기준	배점(%)
(가), (나)를 고르고, 그 까닭을 모두 옳게 서술한 경우	100
(가), (나)를 옳게 골랐으나, 그 까닭을 한 가지만 옳게 서술한 경우	50
(가), (나) 중 한 가지만 옳게 고르고, 그 까닭도 한 가지만 옳게 서술한 경우	30

04 (1) 화성암 P와 Q에는 반감기가 1억 5000만 년인 방사성 동위 원소가 각각 처음 양의 $\frac{1}{4}$과 $\frac{1}{2}$이 남아 있으므로 절대 연령은 각각 3억 년과 1억 5000만 년이다. E층에서 신생대의 표준 화석인 화폐석이 산출되므로 E층은 Q의 분출 이후에 퇴적된 것이다. 따라서 이 지역에서 일어난 지질학적 사건의 순서는 'A층 퇴적 → 습곡 작용 → 화성암 P 관입(3억 년 전, 관입의 법칙) → 장력에 의한 정단층 형성 → 융기, 침식 → 침강(부정합의 법칙) → B층 퇴적 → C층 퇴적 → D층 퇴적 (지층 누중의 법칙) → 화성암 Q 분출(1억 5000만 년 전, 관입의 법칙) → E층 퇴적(신생대, 지층 누중의 법칙) → 융기 및 현재의 지표면 형성' 순이다.

(2) (가)는 고생대의 삼엽충 화석이고, (나)는 중생대의 암모나이트 화석이다. 지층 A는 화성암 P의 관입 이전에 생성되었으므로 그 절대 연령은 3억 년보다 많다. 따라서 지층 A에서 (가)가 산출될 수 있다. 또 방사성 동위 원소로 추정한 지층 B~D의 절대 연령이 3억 년~1억 5000만 년이고, A층과 B층 사이에 부정합면이 분포하므로 긴 시간 간격이 존재하고, 화성암 Q의 절대 연령이 1억 5000만 년이므로 지층 B~D는 중생대에 생성된 것으로 추정할 수 있다. 따라서 중생대의 표준 화석인 (나)는 지층 B~D에서 산출될 수 있다.

모범 답안 (1) 화성암 P와 Q에는 반감기가 1억 5000만 년인 방사성 동위 원소가 각각 처음 양의 $\frac{1}{4}$과 $\frac{1}{2}$이 남아 있으므로 절대 연령은 각각 3억 년과 1억 5000만 년이다. 또 E층에서 신생대의 표준 화석인 화폐석이 산출되므로 E층은 Q의 분출 이후에 퇴적된 것이다. 따라서 이 지역에서 일어난 지질학적 사건의 순서는 A층 퇴적 → 습곡 작용 → 화성암 P 관입(3억 년 전, 관입의 법칙) → 장력에 의한 정단층 형성 → 융기, 침식 → 침강(부정합의 법칙) → B층 퇴적 → C층 퇴적 → D층 퇴적(지층 누중의 법칙) → 화성암 Q 분출(1억 5000만 년 전, 관입의 법칙) → E층 퇴적(신생대, 지층 누중의 법칙) → 융기 및 현재의 지표면 형성 순이다. 이렇게 판단하는 데 이용한 지사학의 법칙은 지층 누중의 법칙, 관입의 법칙, 부정합의 법칙 등이다.

(2) A층은 3억 년 전 이전에 생성된 지층이므로 그 형성 시기가 고생대에 해당하여서 삼엽충 화석인 (가)는 A층에서 산출될 수 있다. (나)는 중생대의 암모나이트 화석이므로 중생대 지층에 해당하는 B~D에서 모두 산출될 수 있다.

	채점 기준	배점(%)
(1)	지질학적 사건의 순서와 지사학의 법칙을 모두 옳게 서술한 경우	70
	지질학적 사건의 순서만 옳게 서술한 경우	40
	지사학의 법칙만 옳게 서술한 경우	10
(2)	두 지층을 모두 옳게 서술한 경우	30
	두 지층 중 한 가지만 옳게 서술한 경우	10

05 (1) 표준 화석은 생존 기간이 짧고 분포 면적이 넓으며 개체수가 많은 생물의 화석으로, 지질 시대 구분에 이용된다. 시상 화석은 생존 기간이 길고 특정한 환경에 제한적으로 분포하여 분포 면적이 좁으며, 환경 변화에 민감한 생물의 화석으로, 과거의 환경을 추정하는 데 이용된다.

(2) 지질 시대는 동물계의 급격한 변화를 기준으로 구분한다. 지층 C와 D 사이에서 산출되는 화석의 종류가 가장 크게 변하므로 동물계에 큰 변화가 나타났음을 알 수 있다.

모범 답안 (1) 표준 화석은 특정한 지질 시대에만 살았던 생물의 화석으로 지질 시대를 구분하는 데 이용되므로, 생존 기간이 가장 짧은 d가 표준 화석으로 가장 적절하다.

(2) 지질 시대는 동물계의 변화나 큰 지각 변동에 의한 부정합에 의하여 구분된다. 그림 (나)에서 지층 C와 D 사이에서 화석의 내용이 가장 크게 변하므로 동물계에서 큰 변화가 있었음을 알 수 있다. 따라서 지층 C와 D의 경계를 기준으로 지질 시대를 구분할 수 있다.

	채점 기준	배점(%)
(1)	표준 화석으로 가장 적절한 것을 옳게 고르고, 그 까닭을 생존 기간과 관련지어 옳게 서술한 경우	50
	표준 화석으로 가장 적절한 것을 옳게 골랐으나, 그 까닭을 옳지 않게 서술한 경우	20
(2)	지층의 경계와 그 까닭을 모두 옳게 서술한 경우	50
	지층의 경계만 옳게 쓴 경우	20

06 (1) 지층 B에서 방추충의 화석이 산출되므로 지층 B는 고생대에 퇴적되었고, 지층 C는 화성암 P(2억 5000만 년 전)와 화성암 Q(1억 년 전) 사이에 퇴적된 지층이므로 중생대 지층에 해당한다.

(2) 고사리는 온난하고 다습한 육지 환경에서 서식한다.

(3) 이 지역에서 암석과 지층의 생성 순서는 'A → B → P → C → Q → D'의 순이다.

모범 답안 (1) B: 고생대, C: 중생대

(2) 지층 C에서 고사리 화석이 산출되므로 온난하고 다습한 육지 환경이었음을 알 수 있다.

(3) 가장 먼저 A층(사암)이 퇴적되었고, 그 위에 B층(석회암)이 퇴적되었다. 그 후 화성암 P가 관입하였고, 융기하여 침식 작용을 받아 부정합이 형성되었다. 그리고 다시 침강하여 C층(셰일)이 퇴적되었고, 화성암 Q가 분출(관입)한 후 융기하여 침식 작용을 받아 다시 부정합이 형성되었다. 그 후 침강하여 D층(사암)이 퇴적되어 현재의 지표면이 형성되었다.

채점 기준		배점(%)
(1)	지층 B와 C가 생성된 지질 시대를 모두 옳게 답한 경우	35
	B와 C가 생성된 지질 시대 중 한 가지만 옳게 답한 경우	15
(2)	지층 C의 생성 환경을 옳게 서술한 경우	35
	지층 C의 생성 환경을 옳지 않게 서술한 경우	0
(3)	지질학적 사건의 순서를 옳게 서술한 경우	30
	지질학적 사건의 순서를 옳지 않게 서술한 경우	0

07 (1) 육상 식물은 양치식물 → 겉씨식물 → 속씨식물의 순으로 번성하였다.

(2) 고생대 말에는 초대륙 판게아가 형성되어 수륙 분포가 크게 바뀌었고, 남극 대륙을 중심으로 빙하가 넓게 형성되어 생물의 서식 환경이 크게 바뀌었다. 중생대 말에는 소행성 충돌에 따른 기후 변화가 생물의 서식 환경에 크게 영향을 미쳤을 것으로 판단한다.

모범 답안 (1) 고생대에는 양치식물이 번성하였고, 중생대에는 겉씨식물이 번성했으며, 신생대에는 속씨식물이 번성하였다.

(2) A 시기 말(고생대 말)에 해양 동물 과 수가 크게 줄어든 까닭은 초대륙 판게아의 형성에 따른 수륙 분포의 변화와 남극 대륙을 중심으로 빙하가 형성되어 기온이 낮아져서 기후 변화가 생겼기 때문이다. 이러한 환경 변화에 의해 고생대에 번성했던 해양 동물들이 대량으로 멸종하였다. 그리고 B 시기 말(중생대 말)에 해양 동물 과 수가 크게 줄어든 까닭은 소행성 충돌에 따른 급격한 기후 변화였을 것으로 추정한다. 소행성 충돌에 의해 발생한 먼지와 화산재는 대기 상층으로 올라가 햇빛을 차단하였고 그에 따라 기온이 낮아져서 해수의 온도도 낮아져 해양 생물들의 멸종을 가져왔다고 본다.

채점 기준		배점(%)
(1)	육상 식물의 변화 과정을 모두 옳게 서술한 경우	20
	육상 식물의 변화 과정 중 일부만 옳게 서술한 경우	10
(2)	고생대 말과 중생대 말의 생물 대멸종 원인을 모두 옳게 서술한 경우	50
	고생대 말과 중생대 말의 생물 대멸종 원인 중 한 가지만 옳게 서술한 경우	20

08 (1) 대기의 온도가 높으면 해수의 온도도 높으며, 해수의 온도가 높으면 무거운 산소 동위 원소(^{18}O)로 이루어진 물 분자가 많이 증발하고 그에 따라 대기 중에 ^{18}O로 이루어진 수증기의 비율도 증가하므로 빙하 속의 산소 동위 원소비$\left(\dfrac{^{18}O}{^{16}O}\right)$가 증가한다.

(2) B 시기는 현재보다 기온이 낮으므로 빙하의 면적이 현재보다 넓었다.

모범 답안 (1) A 시기와 B 시기에 대기의 온도를 비교하면 A 시기가 B 시기보다 높았다. 따라서 해수의 온도도 A 시기가 B 시기보다 높았다. 해수에서 증발하는 물 분자의 ^{18}O는 해수의 온도가 높은 경우가 낮은 경우보다 많으므로 A 시기가 B 시기보다 많았고, 그에 따라 대기 중에도 ^{18}O의 비율이 많아지므로 빙하 속에 ^{18}O의 비율이 커진다. 따라서 A 시기가 B 시기보다 해수에서 증발하는 산소 동위 원소비$\left(\dfrac{^{18}O}{^{16}O}\right)$와 빙하 속의 산소 동위 원소비$\left(\dfrac{^{18}O}{^{16}O}\right)$가 모두 크다.

(2) 기온이 낮으면 빙하의 면적은 증가하고 기온이 높으면 빙하의 면적이 감소한다. B 시기의 기온이 현재보다 낮으므로 빙하의 면적은 B 시기가 현재보다 넓었다.

채점 기준		배점(%)
(1)	해수와 빙하의 물분자 산소 동위 원소비를 모두 옳게 서술한 경우	60
	둘 중 한 가지만 옳게 서술한 경우	30
(2)	빙하의 면적 비교를 옳게 서술한 경우	40
	빙하의 면적 비교를 잘 못한 경우	20

실전 문제

1 (1) 판의 구조와 판 이동의 원동력 및 판의 이동에 따른 지각 변동을 설명한다.

(2) 발산 경계, 수렴 경계, 보존 경계로 구분하고, 각 경계에서 일어나는 지각 변동을 설명한다.

예시 답안 (1) 지구 표면 부근의 단단한 암석으로 되어 있는 평균 약 100 km 두께의 암석권을 판이라고 한다. 이들 판은 크고 작은 10여 개의 판으로 구분되며, 암석권 아래 100 km~400 km 깊이의 연약권에서 일어나는 맨틀 대류에 의해 이동하면서 판 경계에서 지진과 화산 활동, 조산 운동을 일으킨다는 이론이 판 구조론이다.

(2) 판의 경계는 크게 발산 경계, 수렴 경계, 보존 경계로 구분된다. 발산 경계는 두 판이 서로 멀어지는 경계로 해령이 이에 해당한다. 해령 하부에서는 맨틀 대류의 상승으로 맨틀 물질이 용융되어 현무암질 마그마가 생성되고, 이 마그마는 분출하여 해양 지각을 생성하여 양쪽으로 멀어지므로 장력이 작용하여 V자형의 열곡이 발달한다. 열곡에서는 화산 활동과 함께 천발 지진이 많이 발생하며, 지각 열류량이 높게 나타난다. 두 판이 서로 가까워지는 경계를 수렴 경계라 한다. 수렴 경계에는 해양판과 해양판이 수렴하는 경계, 대륙판과 해양판이 수렴하는 경계, 대륙판과 대륙판이 충돌하는 경계의 세 종류가 있다. 두 해양판이 수렴하는 경우에는 밀도가 더 큰 해양판이 다른 해양판 아래로 섭입한다. 이러한 경계에서는 해구와 호상 열도가 발달하고, 판의 섭입대를 따라 천발 지진에서 심발 지진까지 발생한다. 대륙판과 해양판이 수렴하는 경우에는 밀도가 큰 해양판이 밀도가 작은 대륙판 아래로 섭입하며, 해양판의 섭입대에서는 마그마가 생성되어 화산 활동과 함께 지진이 발생하고, 대륙 가장자리에 해구와 호상 열도 또는 대륙 화산호가 발달한다. 대륙판과 대륙판이 충돌하는 경우에는 두 대륙판의 경계부와 그 사이의 해양에 퇴적되었던 두꺼운 퇴적물 및 지각 물질이 횡압력에 의한 심한 습곡 작용을 받아 높은 습곡 산맥을 형성한다. 보존 경계는 판의 생성이나 소멸 없이 두 판이 서로 반대 방향으로 움직이는 판 경계이다. 변환 단층은 해령을 가로질러 직각 방향으로 형성된다. 변환 단층에서는 화산 활동이 일어나지 않고 천발 지진만 발생한다.

2 (1) 열점이란 무엇이며, 열점이 생성된 원인을 설명하기 위해 등장한 이론이 플룸 구조론임을 설명한다.

(2) 열점인 하와이섬에서 생성된 화산이 태평양판의 이동에 따라 멀어져 감을 설명한다.

예시 답안 (1) 열점이란 하부 맨틀에서 기원한 고온의 맨틀 상승류에서 맨틀 물질의 압력 감소로 생성된 마그마에 의해 화산 활동이 지속적으로 일어나는 지점을 말한다. 마그마 생성 과정이 판 구조 운동의 직접적 결과가 아니기 때문에 지표에서 관찰할 때 열점의 위치는 고정되어 있다. 최근 과학자들의 연구 결과 맨틀과 핵의 경계 부분에서는 지표면으로 향하는 뜨거운 상승류(뜨거운 플룸)가, 그리고 지표면에서 맨틀 하부로 향하는 차가운 하강

류(차가운 플룸)가 발견되었다. 이처럼 상승이나 하강하는 맨틀 물질의 열기둥을 플룸이라 하고, 플룸에 의한 구조 운동을 플룸 구조론이라고 한다. 지구 내부에는 2개~3개의 거대한 플룸이 존재하는데, 아프리카와 남태평양에는 상승하는 거대한 뜨거운 플룸이 있고, 아시아에는 하강하는 거대한 차가운 플룸이 있다.

(2) 하와이 열도를 이루고 있는 섬들은 열점에서 형성된 화산섬이 태평양판의 이동으로 열점을 벗어나 배열된 것이다. 하와이섬의 가장 남동쪽에 있는 하와이섬에서는 현재 킬라우에아 화산이 활동하고 있는 것으로 보아 열점은 현재 하와이섬 부근에 위치하는 것으로 추정된다. 하와이 열도의 연령은 하와이섬에서 멀어질수록 많아진다. 이러한 사실은 고정된 하와이 열점 위를 태평양판이 대략 북서쪽으로 이동하였음을 말해 준다.

3 (1) 해령과 해구의 섭입대에서 맨틀 물질의 온도와 압력 변화에 따른 마그마의 생성 과정을 설명한다.

(2) SiO_2의 함량에 따른 마그마의 종류와 생성되는 화성암을 설명한다.

(3) 화성암의 산출 상태에 따라 화산암과 심성암으로 구분하고 암석의 조직의 차이점을 설명한다.

예시 답안 (1) ㉠은 해령에 해당한다. 발산 경계인 해령의 하부에서 고온의 맨틀 물질이 상승하면 압력이 감소하므로 맨틀 물질이 부분 용융되어 현무암질 마그마가 생성된다. 이 마그마는 해령의 열곡으로 분출하여 현무암질 암석의 해양 지각을 만든다. ㉡은 해양판의 섭입대이다. 수렴 경계인 해구에서 해양판이 대륙판 아래로 섭입하면 온도와 압력이 상승하고 해양 지각에 포함된 물이 빠져나온다. 해양 지각에서 빠져나온 물이 섭입하는 판 위의 연약권으로 유입되면 맨틀 물질의 용융점이 낮아져 맨틀 물질이 부분 용융되어 현무암질 마그마가 생성된다. ㉢에서는 ㉡의 현무암질 마그마가 상승하여 대륙 지각 아래에 고여 있다가 마그마에서 방출하는 열에 의해 주변 지각의 암석이 부분 용융되어 유문암질 마그마가 생성될 수 있다. 또 현무암질 마그마와 유문암질 마그마가 섞이거나 현무암질 마그마가 냉각되는 과정에서 안산암질 마그마가 생성될 수 있다.

(2) 마그마는 화학 조성(SiO_2 함량)에 따라 크게 3가지로 분류할 수 있다. SiO_2 함량이 52 % 이하인 마그마는 현무암질 마그마로, 이에 의해 생성되는 화성암은 현무암이나 반려암이다. SiO_2 함량이 52 %~63 %인 마그마는 안산암질 마그마로, 이에 의해 생성되는 화성암은 안산암이나 섬록암이다. 그리고 SiO_2 함량이 63 % 이상인 마그마는 유문암질 마그마로, 이에 의해 생성되는 화성암은 유문암이나 화강암이다.

(3) 화성암은 산출 상태에 따라 크게 화산암과 심성암으로 분류한다. 화산암은 마그마가 지표로 분출되어 빠르게 냉각되어 굳어진 암석으로 분출암이라고도 한다. 조직은 유리질이나 세립질 조직을 나타낸다. 대표적인 화산암으로는 현무암, 안산암, 유문암 등이 있다. 심성암은 마그마가 지하 깊은 곳에서 천천히 냉각되어 굳어진 암석으로 저반이나 암주의 형태로 산출되며 조립질 조직을 나타낸다. 대표적인 심성암에는 반려암, 섬록암, 화강암 등이 있다.

4 ⑴ '현재는 과거를 푸는 열쇠'라는 표현은 현재 지구상에서 일어나고 있는 변화가 과거에도 똑같이 일어났다는 것을 파악하고, 그에 해당하는 지사학의 기본 원리를 설명한다.

⑵ 부정합의 생성 과정과 지질 시대가 서로 다른 지층에서는 서로 다른 화석이 산출된다는 것을 설명한다.

⑶ 방사성 동위 원소의 반감기를 파악하여 그에 따른 절대 연령을 구하고, 지사학의 법칙에 따른 지층과 암석의 생성 순서를 설명한다.

예시 답안 ⑴ 영국의 지질학자 허턴이 '현재는 과거를 푸는 열쇠이다'라고 표현한 지사학의 기본 원리는 동일 과정의 원리이다. 현재 지구 상에서는 화산과 지진 활동 및 조산 운동, 풍화와 침식 및 퇴적 작용 등 여러 가지 지질 현상이 일어나고 있는데, 이러한 지질 현상은 과거에도 비슷한 속도와 과정으로 일어났다고 할 수 있다. 따라서 현재 일어나고 있는 지질 현상을 바탕으로 과거에 일어났던 지각 변동이나 지질학적 사건을 해석할 수 있다는 것이 동일 과정의 원리이다.

⑵ • 부정합의 법칙: 인접한 상하 두 지층 사이에 큰 시간 간격이 있을 때 두 지층의 관계를 부정합이라고 한다. 어떤 지층이 연속적으로 퇴적된 다음 지각 변동으로 융기하여 침식 작용을 받아 깎여 나가면서 오랫동안 퇴적이 중단된 후 다시 침강하여 그 위에 새로운 지층이 퇴적되면 먼저 생성된 아래쪽의 지층과 나중에 생성된 위쪽의 지층 사이에는 긴 시간 간격이 있으므로 부정합이 형성된다. 따라서 부정합면(침식면)을 경계로 상하 두 지층은 지질 구조나 화석에서 크게 차이가 난다.

• 동물군 천이의 법칙: 지질 시대가 다른 지층에서는 서로 다른 종의 생물 화석이 산출되며, 오래된 지층에서 새로운 지층으로 갈수록 복잡하고 진화된 생물의 화석이 나타난다는 법칙이다. 따라서 보다 진화된 생물의 화석이 산출되는 지층은 나중에 생성된 지층이라는 것을 알 수 있다.

⑶ 화성암 A와 B에 포함된 방사성 동위 원소 X의 반감기가 7000만 년이므로 방사성 동위 원소 X의 양이 50 % 남아 있는 화성암 A의 절대 연령은 반감기가 1회 경과하였으므로 7000만 년이고, 방사성 동위 원소 X의 양이 12.5 % 남아 있는 화성암 B의 절대 연령은 반감기가 3회 경과하였으므로 2억 1000만 년이다. 지층과 암석의 생성 순서는 'C 퇴적 → D 퇴적 → 습곡 작용 → 화성암 B 관입 또는 분출(2억 1000만 년 전) → 융기 및 침식 → 부정합 형성 → 침강 → E 퇴적 → 화성암 A 관입 또는 분출(7000만 년 전) → 융기 및 침식 → 부정합 형성 → F 퇴적 → 융기 및 침식으로 현재의 지표면 형성' 순이다. 이렇게 해석하는 데 이용된 지사학의 법칙은 부정합의 법칙, 관입의 법칙, 지층 누중의 법칙이다.